주한미군지위협정(SOFA)

민·형사재판권
분과위원회

주한미군지위협정(SOFA)

민·형사재판권
분과위원회

한국학중앙연구원

| 머리말

　미국은 오래전부터 우리나라 외교에 있어서 가장 긴밀하고 실질적인 우호·협력관계를 맺어온 나라다. 6·25전쟁 정전 협정이 체결된 후 북한의 재침을 막기 위한 대책으로서 1953년 11월 한미 상호방위조약이 체결되었다. 이는 미군이 한국에 주둔하는 법적 근거였고, 그렇게 주둔하게 된 미군의 시설, 구역, 사업, 용역, 출입국, 통관과 관세, 재판권 등 포괄적인 법적 지위를 규정하는 것이 바로 주한미군지위협정(SOFA)이다. 그러나 이와 관련한 협상은 계속된 난항을 겪으며 한미 상호방위조약이 체결로부터 10년이 훌쩍 넘은 1967년이 돼서야 정식 발효에 이를 수 있었다. 그럼에도 당시 미군 범죄에 대한 한국의 재판권은 심한 제약을 받았으며, 1980년대 후반 민주화 운동과 함께 미군 범죄 문제가 사회적 이슈로 떠오르자 협정을 개정해야 한다는 목소리가 커지게 되었다. 이에 1991년 2월 주한미군지위협정 1차 개정이 진행되었고, 이후에도 여러 사건이 발생하며 2001년 4월 2차 개정이 진행되어 현재에 이르고 있다.

　본 총서는 외교부에서 작성하여 최근 공개한 주한미군지위협정(SOFA) 관련 자료를 담고 있다. 1953년 한미 상호방위조약 체결 이후부터 1967년 발효가 이뤄지기까지의 자료와 더불어, 이후 한미 합동위원회을 비롯해 민·형사재판권, 시설, 노무, 교통 등 각 분과위원회의 회의록과 운영 자료, 한국인 고용인 문제와 관련한 자료, 기타 관련 분쟁 자료 등을 포함해 총 42권으로 구성되었다. 전체 분량은 약 2만 2천여 쪽에 이른다.

2024년 3월

한국학술정보(주)

| 일러두기

· 본 총서에 실린 자료는 2022년 4월과 2023년 4월에 각각 공개한 외교문서 4,827권, 76만 여 쪽 가운데 일부를 발췌한 것이다.

· 각 권의 제목과 순서는 공개된 원본을 최대한 반영하였으나, 주제에 따라 일부는 적절히 변경하였다.

· 원본 자료는 A4 판형에 맞게 축소하거나 원본 비율을 유지한 채 A4 페이지 안에 삽입하였다. 또한 현재 시점에선 공개되지 않아 '공란'이란 표기만 있는 페이지 역시 그대로 실었다.

· 외교부가 공개한 문서 각 권의 첫 페이지에는 '정리 보존 문서 목록'이란 이름으로 기록물 종류, 일자, 명칭, 간단한 내용 등의 정보가 수록되어 있으며, 이를 기준으로 0001번부터 번호가 매겨져 있다. 이는 삭제하지 않고 총서에 그대로 수록하였다.

· 보고서 내용에 관한 더 자세한 정보가 필요하다면, 외교부가 온라인상에 제공하는『대한민국 외교사료요약집』1991년과 1992년 자료를 참조할 수 있다.

| 차례

정/리/보/존/문/서/목/특					
기록물종류	문서-일반공문서철	등록번호	10982 11235	등록일자	93-09-27
분류번호	729.413	국가코드		주제	
문서철명	SOFA-한.미국합동위원회 청구권 분과위원회, 1967-75				
생산과	북미2과	생산년도	1967 - 1975	보존기간	영구
당당과(그룹)	미주	안보	서가번호	--	
참조분류					
권차명					
내용목차	1.민사재판, 1967-71 -1. 1967-69 -2. 1970 -3. 1971 2.공무, 1975 * 제1차. 1967.6.1 제2차. 1967.7.3 제3차. 1970.5.8				

마/이/크/로/필/름/사/항				
촬영연도	*롤 번호	화일 번호	후레임 번호	보관함 번호
2007-09-17	Re-07-08	7	1-121	

1-1. 1967-69

2

주한미군지위협정(SOFA) 민·형사재판권 분과위원회

CIVIL JURISDICTION (CLAIMS) SUBCOMMITTEE
ESTABLISHED BY ARTICLE XXIII
STATUS OF FORCES AGREEMENT
민사 재판권 (청구권) 분과 위원회 (군대 지위 협정 제 23조에
의해 설치됨)

6 February 1967
1967년 2월 6일

1. Subcommittee members.
   분과 위원회 위원들.

	U.S. 미측 위원	ROK 한국측 위원
	LTC Elisha K. Amos, Chairman	Lee Sun Jung Chairman
	COL Oval H. Robinson	Kim Il Chun
	MAJ Edwin G. Mofatt	Yi Kil Chu
	CPT Wendell W. Mew	Kim Chong Ku
	CPT Morton H. Letofsky	Song Yong Tae
	CPT Robert A. Mangrum	Kim Ok
		Pak Yong Kyu
		Yi Yong Sang
		Kim Ki Cho

2. Subject of recommendation: Appointment of Arbitrator Under
   추천의 제목 : (건의 제목) 군대 지위 협정 제23조 2의 나항에

Article XXIII, Paragraph 2(b), SOFA. (Reference Memorandum from Joint
의한 중재인의 임명.   (군대 지위 협정 제23조 2의 나항에

Committee Established by Article XXVIII of The Status of Forces Agreement,
의한 중재인의 사용 의 제목 으로 1967년 1월 14일부로 군대 지위 협정 제23조에 의

subject, "Use of Arbitrator under Article XXIII, Para 2(b)", dated 14
해 설치된 합동 위원회 에서 한 서신 (각서)를 참조 하시목)

January 1967.)

3. Recommendation: It is recommended that the arbitrator provided
   건의 :   군대 지위 협정 제23조 2의 나 항에 규정된 중재인을

for under Article XXIII, paragraph 2(b), Status of Forces Agreement, not
그의 사역이 필요로 하는 입장이 될때 까지 임명 하지 않기를 건의 하는 바입

be appointed until circumstances indicate his services are necessary.
니다.

4. Security classification: Unclassified.
   보안 분류 :   비밀로 취급할 문서가 않임.

LTC ELISHA K. AMOS
Chairman, U.S. Component
Civil Jurisdiction (Claims)
Subcommittee

중령 에리사 케이 . 에이모스
민사 재판권 (청구권) 분과 위원회
미측 구성원 위원장

Lee Sun Jung
Chairman, ROK Component
Civil Jurisdiction (Claims)
Subcommittee

이 선 중
민사 재판권 (청구권) 분과 위원회
한국측 구성원 위원장

2

4

19 January 1967

MEMORANDUM FOR: Chairmen, Civil Jurisdiction (Claims)

I. SUBJECT: Procedural Aspects in the Handling of Claims

    1. Mutual consultation is required with the objective of establishment
of claims procedures jointly acceptable to the US and the ROK for timely
implementation of Article XXIII, paragraphs 5, 6, 7, and 8, and related
provisions. Consultation should include measures to attain: (a) appropriate
action intended to establish and maintain effective liaison between USAFCSK
and the Claims Section, MOJ, and (b) appropriate action intended to insure
that the Chief, USAFCSK renders all assistance feasible and proper to the
Chief, Claims Section, MOJ, for processing, adjudication, and prompt settlement
of claims.

    2. Your recommendations on the above subjects are to be transmitted to
the Joint Committee.

II. SUBJECT: Use of an Arbitrator under Article XXIII, Para 2(b)

    1. Mutual consultation is required to determine whether it is necessary
at present to select an arbitrator as provided under Article XXIII, para 2(b).

    2. Your recommendation on the above subject is to be transmitted to the
Joint Committee.

/s/_____   /s/_____
B. O. DAVIS, JR.   YOON HA JONG
Lieutenant General   Republic of Korea Representative
United States Air Force   Joint Committee
United States Representative
Joint Committee

ᘐ

3. 민사재판권 (청구권) 분과위원회 (주무부-법무부)

위 원 장	법무부 법무국장	이 선 중
간 사	법무부 법무국 송무과장	이 길 주
	법무부 법무국 법무과장	김 일 준
	국 세 청 관재과장	이 영 상
	국방부 인사국 법무과장	김 정 구
	국방부 시설국 관재과장	송 영 태
	상공부 상역국 군납과장	김 옥
	해난심판위원회 위원	박 용 규
	외무부 구미국 미주과	김 기 조

- 3 -

6

4. Civil Jurisdiction (Claims) Subcommittee

Rank, Name, and Current Assignment	Status on Subcommittee
LTC E. K. Amos US Armed Forces Claims Service, Korea, Eighth US Army	Chairman
COL Oval H. Robinson Deputy Engineer Eighth US Army	Member
MAJ Edwin G. Moffatt Engineer Office, Eighth US Army	Member
CPT Horton H. Letofsky Staff Judge Advocate 6314th Support Wing, AF	Member
CPT Robert A. Mangrum Office, US Armed Forces Claims Service, Korea, Eighth US Army	Member
CPT Wendell W. Mew Commissioner, US Armed Forces Claims Service, Korea	Member
Francis K. Cook (civilian employee) J5 Div, UNC/USFK	Member

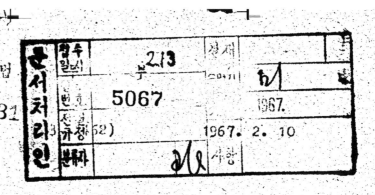

법무송810.1

수신 ~수신처참조

제목 의견조회

　　1. 군대 지위협정 제23조에 의하면 분쟁 해결을 위하여 중재인을 두게 되어 있는바 민사 청구권 분과 위원회 미국측 위원장의 중재인 필요 여부에 관한 회보문에 의하면 중재인에 회부할 분쟁은 합동회의 또는 노의름 동하여 해결할수 있을뿐 아니라 타국에서도 중재인을 선정치 않는 관례가 있으므로 필요시까지 중재인 선임을 하지 아니함이 타당하다는 통지가 있으므로 이에 관한 귀견을 <u>67. 2. 11</u> 까지 회보하여 주시기 바랍니다.

　　2. 중재인 선임에 관한 별첨 외무부 공한을 참고 하시기 바랍니다.

첨부　외무부 공한 사본 1부　　　　　　끝

법　　무　　부　　장

수신처　국방부 인사국 법무과장　김정구
　　　　국방부 시설국 관재과장　송영대
　　　　상공부 상역국 군납과장　김옥
　　　　중앙해난 심판위원회 위원 박용규
　　　　국세청 관재과장　　　　　이영상
　　　　외무부 구미국 미주과　　　김기조

8

대한민국 외무부

전보

번 호: JAW-01250
일 시: 161738

동 별

수신인: 장 관

발신인: 주일대사

대: WJA-01061

미·일 상호협력 및 안보조약 6조에 관한 지위협정, 18조의 중재인에 대하여 다음과 같이 보고함.

1. 중재인의 인적사항 :

가. 동 협약 18조 2항 (B)규정 이외에 따른 규칙이나 선례가 없다함.

나. 18조 2항 (A)견단에 의하여 중재인의 선정은 상설적인 것도 아니며, 아직 이에 적용될 사건이 한번도 발생치 않았으며, 따라서 중재인 선임에 대한 선택 없음.

다. 정부 재산에 대한 손해에 대한 중재 제도는 규정은 되어 있으나, 실제로는 정부간 교섭으로 분쟁이전에 직접 해결이 되며, 중재설정까지 이르지 않았다 함. (지위협정이 된후 미·일 정부간 직접교섭으로 해결된 것이 1건이었다함.

라. 도쿄 이전의 잠정협정 당시에는 정부 재산에 관한 손해에 대하여는 상호 포기한다는 규정에 의하여 중재 제도는 처음부터 존재하지 않았다함.

2. 중재인의 보수, 사무경비 및 보조원의 수 및 급료등. 지위협정 18조 2의 (E) 에서 규정한 이외 추측 O 정기은 것은 없으며, 선 등에 자료도 없다함. (1 참고)

3. 외무성 안보과에 의하면 현재로서 문제되는 것은 정부 재산에 대한 것 보다

아주	통산	상공	청와대
구미	경기	농림	총리실
정문	국방	조달	재무부
방교	중정	공보관	공보부

수신 시간:

점 인:

970

민간인에 대한 손해이며 그러나 민간인에 대한
것인 때는 18조 5항 등에 의하여 사법재판 기관
에서 처리된다고 함. 이에 관련하여 지방 자치
단체의 재산은 민간인의 재산에 준하여 처리되
고 있다함.

(주일 근무구 비, 원발조)

10

한미행정협정청구권분과위원회 (한국측)

법무송 810 ~ 2677   1967. 3. 16.

수 신 김기조 귀하 (외무부구미국 미주과)

제 목 위원명단 배부

　　　한미 행정 협정에 의하여 설치된 각급 위원회 명단을 별첨

과 같이 배부 합니다.

첨 부: 위원명단 1부 끝.

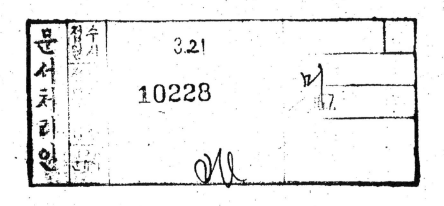

3.21
10228

청 구 권 분 과 위 원 회

　　한 국 측 위 원 장 · 이　　　　선

한미행협청구권분과위원회(한국측)

법무송 810 ～ 2676   1967. 3. 16.

수 신 김기조 의원 (외무부 구미국 미주과)

제 목 중재인 임명

　　　당 분과 위원회에서 한미합동위원회에 제출한 중재인 붙

임명에 관한 건의가 1967. 3. 9. 개최되었던 제 3 차 합동위원회에

서 별첨안과 같이 승인되었음을 알려 드립니다.

첨 부: 승인된 건의문 1 부　끝.

3.21
10227
1967.

청 구 권 분 과 위 원 회

한 국 측 위 원 장　이　　　　선

받음송
1967. 3 20
법 무 부

12

법 무 부

법무송 11.1- 8462　　(　. 146　)　1967.　5.　27

수 신　외무부 구미국 미주과

　　　　민 수 통

제 목　섭구권 분과 위원회 제 1 차 회의

　　　1. 한미 군대 지위 협정에 의한 한미 섭구권 분과위원회 제 1 차
회의를 아래와 같이 소집코저 하니 만히 참석하시기 바랍니다.

　　　　가. 일시: 1967. 6. 1. 14:00

　　　　나. 장소: 법무부 회의실

　　　　다. 본회의에 앞서 한국측위원의 의견을 조정할 예정이니 13:00 까
지 당부 법무실관실에 집결하시기 바랍니다.

끝.

법 　무 　부 　장 　관

法 務 部

법무송 811.5 /o&rs   1967.   6.   27.

수 신 외무부 미주과

       민 수 흥

제 목 청구권 분과위원회 제 2 차 회의 소집

     1. 한·미 군대지위 협정에 의한 단·미 청구권 분과 위원회

제 2 차 회의를 아래와 같이 소집코자 하오니 필히 참석하시기

바랍니다.

         가. 일 시 1967. 7. 3. 14:00

         나. 장 소 주한 미 8 군 영내 SOFA 회의실

     2. 위 본회의에 앞서 한국측 위원은 67. 7. 3. 13:00 당부

법무심장실에 집결하여 동행할 예정이며 회의자료는 집결시 배부

하겠음니다.

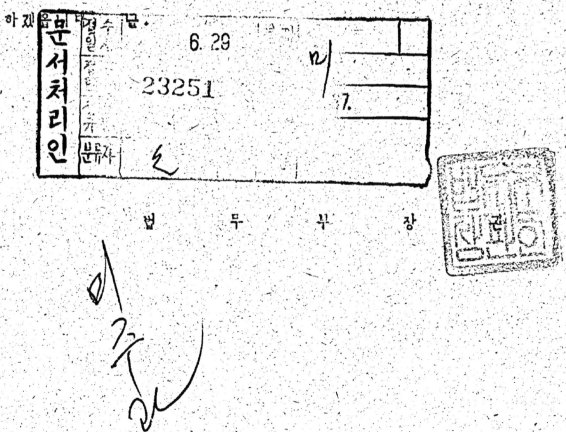

                    6. 29

                    23251

         법   무   부   장

기 안 용 지

분류기호 문서번호	외미이	(전화번호)	전결규정 국 장 항 전결사항
처리기한		기 안 자	결 재 자
시행일자		북미2과 오 명 두	
보존년한		67. 12. 21.	

보 조 기 관	북미2과장	

협 조		
경 유 신	법무부장관	통 제 발 송 정 서
수 참 조	송무과장	
제 목	외국 선박에 의한 정치망 어장 피해보상 조치 협조의뢰	

    1. 수산청은 미군용 수송선에 의한 정치망어장 피해보상 조치

협조를 의뢰하여 왔읍니다.

    2. 본 건에 관하여는 한.미 군대지위협정 합의의사록 제23조

제1항에 의하여 상금 동 협정 관계규정을 적용할 수 없으나 귀부 송무과

에서 미군 소원기관과 긴밀한 연락을 유지하고 있음에 비추어 전기 수산청

협조 요청 공문 및 관계문서를 첨부 이송하오니 본 건 해결에 협조

하시기 바랍니다.

    3. 수산청에 대하여는 상금 군대지위협정 민사 청구권 규정이

발효전이며, 제1차적으로는 직접 미군 소원 기관에 피해보상 청구를 제기

하되 귀부의 협조를 받음이 가하다는 취지를 통고하였음을 첨언합니다.

공통서식 1-2-1 (갑)   /후면계속/   (18절지)

첨부 : 수생어일 2715 (67. 12. 7.) 및 첨부문서.　　끝.

16

기 안 용 지

<table>
<tr><td>분류기호
문서번호</td><td>외미이</td><td colspan="2">(전화번호   )</td><td colspan="2">전결규정   조   항
국   장   전결사항</td></tr>
<tr><td>처리기한</td><td></td><td>기 안 자</td><td>결</td><td>재</td><td>자</td></tr>
<tr><td>시행일자</td><td></td><td rowspan="2">복미2과
오 명 두
67. 12. 21.</td><td rowspan="2"></td><td rowspan="2"></td><td rowspan="2"></td></tr>
<tr><td>보존년한</td><td></td></tr>
<tr><td rowspan="4">보
조
기
관</td><td colspan="2">복미2과장</td><td></td><td></td><td></td></tr>
<tr><td colspan="2"></td><td></td><td></td><td></td></tr>
<tr><td colspan="2"></td><td></td><td></td><td></td></tr>
<tr><td colspan="2"></td><td></td><td></td><td></td></tr>
<tr><td>협   조</td><td></td><td colspan="4"></td></tr>
<tr><td>경   유</td><td rowspan="2">수산청장</td><td>통</td><td colspan="3">발</td></tr>
<tr><td>수   신
참   조</td><td>제</td><td colspan="3">송</td></tr>
<tr><td>제   목</td><td colspan="5">외국선박에 의한 정치망 어장 피해 보상조치 협조의뢰</td></tr>
</table>

1. 수생어일 1173-2715 (67. 12.7.)와의 관련입니다.

2. 한.미 군대지위협정 합의의사록 제23조 제1항에 의하여

서울 특별시내에서 발생한 청구권에 관하여는 동 협정 발효후 6개월

(67. 8. 9.) 기타 지역 발생분에 대하여는 1년후 (68. 2.9.)부터 동 협정

관계규정을 적용하기로 되어 있으므로 본 건에 관하여는 상금 동 협정이

적용되지 아니하며, 따라서 제1차적으로 피해자가 직접 미군 소원 기관에

배상청구를 제기하여야 하는 것으로 사료됩니다.

3. 현재 법무부 소원과가 미군 소원 기관과 밀접한 협조관계를

유지하고 있으므로 관계 서류를 법무부로 이송하고 협조를 요청할 것이오니

양지 하시기 바랍니다.   끝

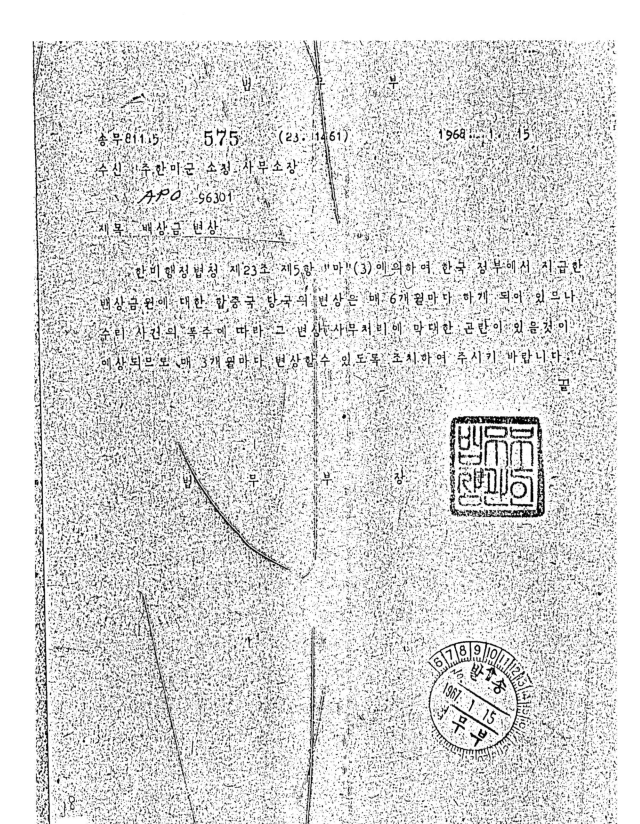

법 무 부

송무811.5 575 (23.1461) 1968. 1. 15

수신 주한미군 소청 사무소장

APO 96301

제목 배상금 변상

한미행정법청 제23조 제5항 "마"(3)에 의하여 한국 정부에서 지급한 배상금원에 대한 합중국 당국의 변상은 매 6개월마다 하게 되어 있으나 수리 사건의 폭주에 따라 그 변상 사무처비에 막대한 곤란이 있을 것이 예상되므로 매 3개월마다 변상할수 있도록 조치하여 주시기 바랍니다. 끝

MINISTRY OF JUSTICE
REPUBLIC OF KOREA

15 January 1968

SONGMU 811.5, 575 (23. 1461)

SUBJECT : Reimbursement of Claims Paid

TO   : Chief
            U.S. Armed Forces Claims Service, Korea
            APO 96301

Under the provision of subparagraph (e)(iii), paragraph 5, Article XXIII of SOFA, the sums paid by the Republic of Korea Government shall be reimbursed by the appropriate authorities of the United States every 6 months. However, it is anticipated that enormous difficulty will be encountered in handling reimbursement process owing to the concourse of claims received by this office. It is, therefore, requested that your office take action so as to make reimbursement every 3 months.

Minister of Justice/OFFICIALLY SEALED/

MINISTRY OF JUSTICE
REPUBLIC OF KOREA

SONGMU 811.5 575 (23.1461)   15 January 1968

SUBJECT: Reimbursement of Claims Paid

TO: Chief
             U. S. Armed Forces Claims Service, Korea
             APO 96301

        Under the provision of subparagraph (e)(iii), paragraph 5, Article
XXIII of SOFA, the sums paid by the Republic of Korea Government shall
be reimbursed by the appropriate authorities of the United States every
6 months. However, it is anticipated that enormous difficulty will be
encountered in handling reimbursement process owing to the concourse of
claims received by this office. It is, therefore, requested that your
office take action so as to make reimbursement every 3 months.

                                          Minister of Justice/OFFICIALLY SEALED/

Translated by: PAK U CHOL, Investigator, USAFCSK, APO 96301, 17 Jan '68

Incl 1
20

기 안 용 지

분류기호. 문서번호	미이741-	(전화번호)	전결규정 조 항
			국 장 전결사항

처리기한		기 안 자	결 재 자
시행일자		북미2과 오 명 두	
보존년한		68. 3. 15.	

보 조 기 관	북미2과장		

협 조	
경 유 수 신 참 조	법무부장관 법무실장
제 목	한.미 군대지위협정 시행상 미군관련 ~~~~~~~~ 절차에 관한

합의 사항 통보.

　　1. 1968. 3. 14. 개최된 군대지위협정 한.미 합동위원회 제22차

회의에 한국대표는 별첨과 같은 각서를 제출하여 군대협정 규정에 불구

하고 미군관련 소원의 청산 상황을 매3개월마다 행할것을 제의하였읍니다.

　　2. 이에 대하여 미국대표는 다음과 같은 조건을 붙여 이를

수락하였읍니다.

　　　가. 본 합의는 협정 제22조 5 마(3) 항에 대한 개정을

의미하지 아니한다.

　　　나. 본 합의는 동 규정 시행상의 선례를 구성하지 아니한다.

　　　다. 따라서 본 합의에 불구하고 협정 원규정 시행이 미국

공동서식 1-2-1 (갑)　　　　　/후면계속/　　　　　(18절지)

21

정부 사정에 의하여 필요하게 되거나, 현실적으로 더욱 편리함이

판명되는 경우에는 어느 때를 막론하고 협정 원 규정 시행으로 복원

할 수 있다.

　3.　전기 합동위원회 결정을 양지하시고 미군관계소원 사무취급에

이를 반영하서기 바랍니다.

첨부 : 합동위원회에 제출한 한국 대표 각서 (영문) 사본 1통.　　　끝.

외 무 부

미이 741-   1968. 3. 16.

수 신 : 법무부장관

참 조 : 법무실장

제 목 : 한.미 군대지위협정 시행상 미군관련 소원관계 회계절차
       에 관한 합의사항 통보

　　　　1. 1968. 3. 14. 개최된 군대지위협정 한.미 합동위원회
제22차 회의에 한국 대표는 별첨과 같은 구서를 제출하여 군대
지위협정 규정에 불구하고 미군관련 소원의 청산 상황을 매 3개월
마다 형 합지를 제의하였읍니다.

　　　　2. 이에 대하여 미국대표는 다음과 같은 조건을 붙어
이를 수부하였읍니다.

　　　　　가. 본 합의는 협정 제23조 5 마(3) 항에 대한
개정을 의미하지 아니한다.

　　　　　나. 본 합의는 동 규정 시행상의 선례를 구성하지
아니한다.

　　　　　다. 따라서 본 합의에 불구하고 협정 원규정
시행이 미국 정부사정에 의하여 필요하게 되거나, 현실적으로 더욱
편리함이 판명되는 경우에는 어느때를 막론하고 협정 원 규정 시행

으로 복원할 수 있다.

　　3. 진기 합동위원회 결정을 양지하시고 미군감리소원

사무취급에 이를 반영하시기 바랍니다.

첨부 : 합동위원회에 제출한 한국대표 구서 (임문) 사본 1통.　　끝

　　　　　　　　　　　　외　무　부　장　관

24

JOINT COMMITTEE
UNDER
THE REPUBLIC OF KOREA AND THE UNITED STATES
STATUS OF FORCES AGREEMENT

14 March 1968

MEMORANDUM TO: The Joint Committee

SUBJECT : Reimbursement of the sums paid by the
Republic of Korea in settlement of USFK
involved claims.

1. Reference:

a. Article XXIII, paragraph 5(e)(iii), Status of Forces Agreement.

b. Letter of the Ministry of Justice, SONGMU 811.5-575, dated 15 January 1968, addressed to the Chief, United States Armed Forces Claims Service, Korea. (Original in Korean, an unofficial translation attached as inclosure to this Memorandum)

2. In view of the administrative difficulties which might be incurred by concourse of claims and the current Korean budgetary practice of appropriating funds on quarterly basis, it is proposed that the Joint Committee approve the proposed reimbursement of the claims settled by the Republic of Korea Government on quarterly basis instead of the six-month basis provided for by the Article XXIII, paragraph 5(e)(iii), SOFA.

YOON HA JONG
Republic of Korea Representative

1 Incl.

JOINT COMMITTEE
UNDER
THE REPUBLIC OF KOREA AND THE UNITED STATES
STATUS OF FORCES AGREEMENT

14 March 1968

MEMORANDUM TO: The Joint Committee

SUBJECT   : Reimbursement of the sums paid by the
                Republic of Korea in settlement of USFK
                involved claims.

1. Reference:

a. Article XXIII, paragraph 5 (e) (iii), Status
of Forces Agreement.

b. Letter of the Ministry of Justice, SONGMU
811.5-575, dated 15 January 1968, addressed to the
Chief, United States Armed Forces Claims Service, Korea.
(Original in Korean, an unofficial translation attached
as inclosure to this Memorandum)

2. In view of the administrative difficulties which
might be incurred by concourse of claims and the current
Korean budgetary practice ~~of the Republic of Korea~~ of appropriating
funds on quarterly basis, it is proposed, that the Joint
Committee approve the proposed reimbursement of the claims
settled by the Republic of Korea on quarterly basis
instead of the six-month basis provided for by the Article
XXIII, paragraph 5(e)(iii), SOFA.
                                          Government

                        YOON HA JONG
                        Republic of Korea Representative

1 Incl.

기 안 용 지

분류기호. 문서번호	미 이723	(전화번호)	전결규정		조 항
			국 장		전결사항

처리기한		기 안 자	결 재 자	
시행일자	.	복미2과		
보존년한		권 순 대		

보 조 기 관	복미 2과장			

협 조			
경 유 수 신 참 조	법무부 장관	통 제	
제 목	미군 사병의 채무 이행전 출국		

　　　　1. 8월 28일 도하 몇 신문지상에 게재된 알렌(Thomas L. Allen)

상병의 채무 이행전 출국에 관한 건입니다.

　　　　2. 군대지위협정 한.미 합동위원회 미측대표는 9월 6일자로

별첨과 같은 내용의 서한을 한국측 대표에게 보내고 의정부 지방법원이

상기인에게 행한 채무 이행 명령은 본인이 롱고받지 못하였으며,

따라서 군대지위협정 제23조 9(나)항에 의하여 상기인의 사유동산을

대한민국 당국에 인도하는데 미군 당국이 협조할 수 없으며, 머욱이

채권자는 상기인이 　　　채무 이행을 완료했다는 8월 28일자의 확인증을

상기인에게전달했다고 하수 등 사건에 관하여 몇몇 서울 일간지가 사실과

다른 보도를 하고있다고 지적하고 이후 이러한 서상의 　　　으로, 억제되도

록 희망하고 있읍니다.

4. 당부에서 발송할 상기 서한에 대한 회신에 참고하고자 하오니

별첨 미측서한에 관한 귀견을 회시바랍니다.

첨부: 미국 대표의 1968. 9. 6 자 한국 대표앞 서한 사본 1부. 끝.

외 　 무 　 부

미이 723-   1968. 9. 9.

수 신 : 법무부장관

제 목 : 미군사병의 채무 이행전 출국

　　　1. 8월 28일 도하 몇 신문지상에 게재됨 알렌
(Thomas L. Allen　　　　) 상병의 채무 이행전 출국에 관한
건입니다.

　　　2. 군대지위협정 한.미 합동위원회 미측 대표는 9월
6일자로 별첨과 같은 내용의 서한을 한국측 대표에게 보내고
의정부 지방법원이 상기인에게 행한 채무 이행 명령은 본인이 통고
받지 못하였으며, 따라서 군대지위협정 제23조 9(나)항에 의하여
상기인의 사유동산을 대한민국 당국에 인도하는데 미군 당국이
협조할 수 없으며, 더우기 채권자는 상기인이 채무 이행을 완료
했다는 8월 28일자의 확인증을 상기인에게 전달 됐다고 합니다.

　　　3. 그러나 동 사건에 관하여 몇몇 서울 일간지는 사실과
다른 보도를 하고 있다고 지적하고 이.후 이러한 오보가 의제
되도록 희망하고 있읍니다.

　　　4. 당부에서 발송할 상기 서한에 대한 회신에 참고
하고자 하오니 별첨 미측 서한에 관한 귀견을 회시 바랍니다.

첨 부 : 미국대표의 1968. 9.6. 자 한국대표와 서한 사본 1부. 끝

　　　　　　　　외 무 부 장 관

29

JOINT COMMITTEE
UNDER
THE REPUBLIC OF KOREA AND THE UNITED STATES
STATUS OF FORCES AGREEMENT

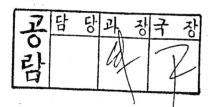

6 September 1968

Dear Mr. Yoon,

During the past ten days there has been considerable publicity in the Korean-English language and Korean language newspapers concerning alleged neglect by the US military authorities of their duties under the ROK-US Status of Forces Agreement relating to the case of one SP4 Thomas L. Allen of the United States Army in Korea. Since all the Korean newspapers failed to present the essential facts accurately regarding this case, and since the Korean newspapers quoted various officials of the Republic of Korea Ministry of Justice on this case, it appears desirable that the US authorities make available to Republic of Korea Government officials the actual facts in this case, as revealed after careful investigation.

On 28 August 1968 articles appeared in the Korea Herald and in Seoul Korean language newspapers alleging that the US military authorities were neglectful in their duties under the ROK-US Status of Forces Agreement. The alleged failure of US military authorities reportedly stemmed from their failure to assist in the enforcement of a Uijongbu District Civil Court order entered against SP 4 Thomas L. Allen, Company A, US Army Security Agency Group-Korea, to pay a certain KIM Min Sik, the sum of ₩102,000. The newspaper articles also alluded to a statement purportedly made by Senior Seoul District Prosecutor CHU Mun-gi that there is no way to take further action under the SOFA, and that under Korean law it is possible for Korean authorities to prevent the soldier's departure from the country in this instance. The newspaper articles further quoted from the SOFA, apparently from paragraph 9(b), Article XXIII, that US military authorities are, upon request of the Korean court, to "render all assistance within their power" to see that such property as is subject to compulsory execution under the Korean Civil Code is turned over to the Korean authorities. The paragraph of SOFA quoted partially above, actually relates only to private movable property which may be subject to compulsory execution under the laws of the ROK and which is within the facilities and areas in use by the US armed forces in Korea.

SOFA 한·미국 합동위원회 SOFA-한.미국합동위원회 청구권 분과위원회, 1967-75   37

In actual fact, the Allen case did not concern private movable property. The alleged debt for which the Uijongbu Civil Court entered its order against Allen arose out of a former meretricious relationship which Allen had with a Korean "entertainer" last October and November. At that time Allen and his girl friend entered into an oral agreement, apparently concurred in by her "housekeeper," that Allen would pay $100 per month for her "services." Allen paid $100 for the first month, but then broke off the relationship and he was transferred to another military post approximately 100 miles away. Consequently, no further "services" were rendered under this oral contract. However, in March 1968, while Allen was temporarily back at the compound where he was previously stationed, one KIM Min Sik contacted Allen and somehow convinced Allen that he owed ₩102,000 as a result of the circumstances outlined above. Obviously Allen was not a very astute individual, for Mr. Kim drafted a document, dated 20 March 1968, in which it was stated that Allen owed Mr. Kim $400 (₩102,000) to be paid by monthly installments through July at stated amounts (also providing for different monthly payments if Allen should become an E 5). This was duly signed by Allen and Mr. Kim and witnessed by 1st Sgt Francis Ingrassia. Sgt Ingrassia was merely a witness to this unusual document and under no circumstance could he be considered as a guarantor or "voucher" as described in the newspaper articles.

The Uijongbu court records confirm that Mr. Kim brought his civil proceeding against Allen and that the Court ordered Allen to pay Mr. Kim ₩102,000 on the basis of the document described above. However, Allen was never summoned to court or notified of the proceedings before the order was issued by the court, nor has the court order ever been served upon Allen. Under ROK law, the court order must be served on Allen before it can be enforced. If the court order had been served on Allen, I am advised that he would have had two weeks to contest the order and ask for a hearing. If his protest was not successful, he could then appeal to a higher court. The order issued by the Uijongbu court is not self-executing; that is, on the basis of the court order the plaintiff, Mr. Kim, must next seek execution or enforcement by having Allen's property seized and levied upon, provided Allen was served with the order and then refused to pay or did not seek a hearing or further court proceedings. It is only at this later stage of a civil court proceeding that a proper court order might issue concerning private movable property subject to compulsory execution under the law of the ROK and within the facilities and areas in use by the US armed forces. At that time the mandate of paragraph 9(b), Article XXIII, SOFA, would come into play and would require the authorities of the US to render all assistance within their power to see that such

2

property is turned over to the proper authorities of the ROK. Because the court order in this case was not served on Allen and is not enforceable at this time, US military authorities, under the SOFA, are not obligated to assist the Korean authorities, nor is there any justification for retaining Allen in Korea beyond his normal rotation date as a result of the referenced abortive court order.

The sequel to this unfortunate example of inaccurate newspaper reporting is that on 28 August 1968 Mr. KIM Min Sik met with Allen and prepared a paper in which Mr. Kim declared that on that very day he had received full payment of the debt claimed against Thomas Allen. He also stated that he was fully satisfied and holds no further claim against Thomas Allen. His signature appears on this document, although Allen did not pay Mr. Kim any money on 28 August 1968. The US Army is in possession of both the "documents" prepared and signed by Mr. Kim - the one dated 20 March 1968 and the other, 28 August 1968. Allen is scheduled to rotate to the US on 7 September 1968.

I am inclosing several extra copies of this letter in order that you may distribute them to appropriate authorities within the Government of the Republic of Korea, if you desire to do so. We know that it is difficult to prevent newspapers, in any country enjoying a free press, from publishing inaccurate and misleading information from time to time. Through our continuing close mutual cooperation, however, it is hoped that such regrettable instances of erroneous and even malicious newspaper reporting which are adverse to the mutual interests of our two Governments and people, can be kept to an absolute minimum.

Sincerely,

M. R. MASSIE
CAPT   USN
US Alternate Representative

Mr. YOON Ha Jong
Republic of Korea
Representative
Seoul, Korea

3

법　무　부

17131

송무 811.5　　　　　　　(23.1462)　　　　　　1968.9.30.

수신　외무부장관

제목　공한회신

　　　귀 공한에 첨부된 군대지위협정 합동위원회 미국측 대표
의 서한 내용은 주한 미군이 한국인에게 부담한 채무를 이행치 않고
출국함으로서 야기된 소위 협정상 미군의 공무의 불법행위에 관련
된 것이라 할것인바 이는 협정 제23조 제9항에 규정된 "미군의 동
산 압류절차, 법원문서의 송달절차"등을 제정 시행하면 해결될 것
이므로 당부에서는 지난 68.6.25.경 청구권 분과 위원회 미국측 대
표에게 협정 제23조 제9항의 시행절차에 관하여 절차안과 의견을
송부한바 있음에도 우금 회보가 없어 이를 독촉하고 있는 중이고
미국측과의 합의가 이루어지면 한미 합동 위원회의 합의를 득한후
시행하게 될것입니다. 끝.

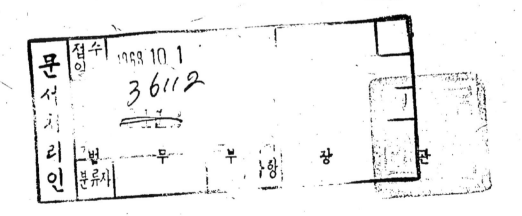

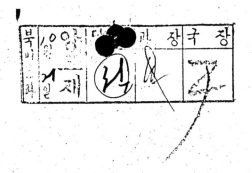

21 October 1968

Dear Capt. Massie,

I wish to acknowlege, with much appreciation, the receipt of your letter of 6 September 1968, in which you explained very elaborately full sequence of the SP 4 Thomas L. Allen's debt case. I fully share with your views that inaccurate and misleading information regarding SOFA which was carried in newspapers brings most scathing effect to the mutual interest of our two countries.

As you suggested, I have transmitted a copy of your letter to the Ministry of Justice for their reference. I have been informed, in this regard, by the Ministry that due inquiries will be made to the Uijonbu Court to confirm the court record including the delivery of the court orders in respect of the case.

Taking this opportunity and in connection with this incident, I also wish to urge an early arrangement of procedures to implement paragraph 9, Article XXIII of SOFA, including the delivery of various documents of civil proceedings, court orders, etc. It is my understanding that on or about 25 June 1968 the Korean component of the Claims Subcommittee made proposal in this respect, and is still awaiting the response from the US counterpart.

We sincerely hope that an early agreement on these procedures be reached to facilitate smooth proceedings of this Article of the civil case involving US soldiers in Korea.

Sincerely yours,

Yoon Ha Jong
ROK Representative
ROK - US SOFA Joint Committee

Capt. M.R. Massie
United States Navy
US Alternate Representative
ROK - US SOFA Joint Committee

34

These minutes are considered as official documents pertaining to both Governments and will not be released without mutual agreement.

JOINT COMMITTEE
UNDER
THE REPUBLIC OF KOREA AND THE UNITED STATES
STATUS OF FORCES AGREEMENT

7 November 1968

MEMORANDUM FOR: Chairmen, Civil Jurisdiction (Claims) Subcommittee

SUBJECT: Procedures for Implementation of the Provisions of Article XXIII of the US-ROK SOFA Regarding the Service of Process and Enforcement of Civil Judgments

1. The SOFA provides in Article XXIII that the United States shall not claim immunity from the jurisdiction of the courts of the Republic of Korea for members or employees of the United States armed forces in respect of the civil jurisdiction of the courts of the Republic of Korea except in respect of proceedings for the enforcement of any judgment given against them in the Republic of Korea in a matter arising from the performance of their official duties or except after payment in full satisfaction of a claim.

2. Mutual consultations are required to establish agreed procedures regarding the service of process and the enforcement of civil judgments.

3. Your agreed recommendations on the above subjects are to be transmitted to the Joint Committee at the earliest possible date.

ROBERT J. FRIEDMAN
Lieutenant General
United States Air Force
United States Representative

YOON HA JONG
Republic of Korea
Representative

32d JC (Incl 11)
7 Nov 68

35

1307

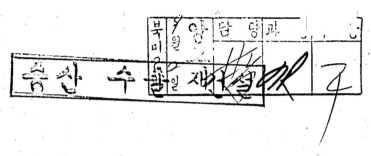

(청구권)

승인 수필

북미2과 9월 2일 재건실 담당 과장

외 무 부

미이-　　　　　　　　　　　　　　　　1969. 9. 2.

수신: 법무부장관

참조: 법무실장

제목: 도로피해보상 이첩

벌첨 공문은 귀부 사항이라 사료되어 이첩 합니다.

첨부: 동 공문. 끝

검열 1969. 9. . 통제관

발송 1969. 9. 2. 외무부

외 무 부 장 관

납세로 자립경제

36

한 국 도 로 공 사

공두공 제 ...

1969. 8. 29.

수신 의무부장관

27062

참조 국미 2 과

제목 교통 사고로 인한 도로 피해 보상 ...

1. 서울—인천간 고속도로중 서울기점 우측 8.5키로미터 지점에서 69. 8. 11 13:30 8군 소속 8A 4SE 69T 382-22 운전원 일병 광재 하 군번 6400371번이 운전하는 차량이 타이야 파손으로 인하여 도로 법면에 추락되어 다음구 같은 당 공사의 재산상에 피해를 줌으로서 도로법 제64조 에 의한 원인자 부담금을 부과 징수하고자 "대한민국과 아메리카 합중국 간 의 상호 방위 조약 제4조에 의한 시설과 구역 및 대한민국에서의 합중국 군 대의 지처에 관한 협정" 제5조 (시설과 구역—경비와 유지)에 의한 규정과 동조 제23조 (청구권) 의 규정에 의한 적법 절차를 8군과 협의하여 보상되 도록 멸조하여 주시기 바랍니다.

2. 피해 내역 및 피해액

가. 콘크리트 부록: 4×1,500원 6,000원

나. 노견 야 관표지판: 1×900원 = 900원

다. 도로포장 파손 (유류 유출도 포장 용매):
5M×60M×500원 = 150,000원

계 156,900원

연락처 .. 공무부 공두국 28-1593. 끝

참 장 송 정

1-2. 1970

38

법 무 부

송무 811.5 5254   1970.5.25

수신   외무부 북미 2과 박양준

제목   한, 미 합동위원회 청구권 분과 위원회 개최

　　1. 한, 미 합동위원회 청구권 분과 위원회 제 3차 회의를
다음과 같이 개최 하오니 참석하여 주시기 바랍니다.

　　　일시: 70. 5. 28 14:00

　　　장소: 미 8군 용산 영내빌딩 캐매 회의실

　　2. 한편 한국측 대책 회의를 70.5.28 10:00 당부 법무실
장실에서 개최하오니 참석 하여주시기 바랍니다. 끝

　　　　법 　무 　부 　　　　장

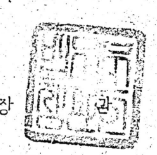

39

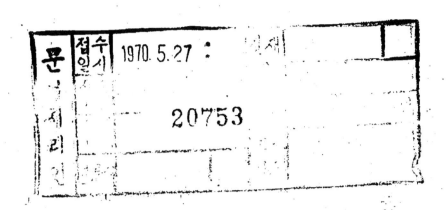

接受 수
接受印 사

1970. 5. 27

20753

제 3차 청구권 분과위 회의 참석

1. 법무부 회의 참석

가. 일 시 : 70. 5. 28. 10:00

나. 장 소 : 법무부 송무과 회의실

다. 토의내용 :

소환장 전달 방법, 판결의 집행 및 가압류등에 관하여ㄷ 미측에
제시할 한국측 입장을 아래와 같이 결정함.

(1) 공시 송달 방법의 인정 여부

한국측 : 공시 송달 방법을 인정한다.

(미국측주장 : 미국 요원에게는 공시 송달을 할 수 없다)

(2) 봉급 청구권에 대한 집행

한국측 : 미국 요원의 봉급은 법원의 압류 대상으로 될
수 있다.

(미국측주장 : 미국 요원의 봉급은 강제집행의 대상이
될 수 없다)

(3) 연락사무소장의 책임

한국측 : 소송 종결전에 출국하는 미측 당사자의 채무는
연락사무소장이 책임진다.

(미국측주장 : 연락사무소장이 대신 지불할수 없다)

40

2. 미 8군 청구권 분과위원회 회의

가. 일 시 : 70. 5. 28. 14:00

나. 장 소 : 미 8군 건물번호 1666 회의실

다. 참석자 : 법무부 법무국장, 송무과장, 검사 3명 및 직원 1명,
국방부, 교통부, 외무부 (이경구 사무관)

라. 합의사항 :

(1) 공시 송달 방법, 봉급 청구권문제, 연락사무소장의 책임
문제 들에 관하여 한.미 실무자회담을 구성하여 검토키로
함.

(2) 회의 결정 내용을 한.미 합동위원회에 보고하여 정석
과제로 채택되도록 함.

(3). 다음회의를 6. 18. 개최키로함.

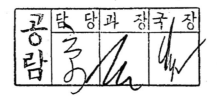

卌

第 3 次 請求權 分科會議

對策會議資料

1970. 5. 28.

42

一. 韓美·軍隊地位協定 第23条 第9項과
에 서 한 施行節次規程의 制定 交渉 經緯

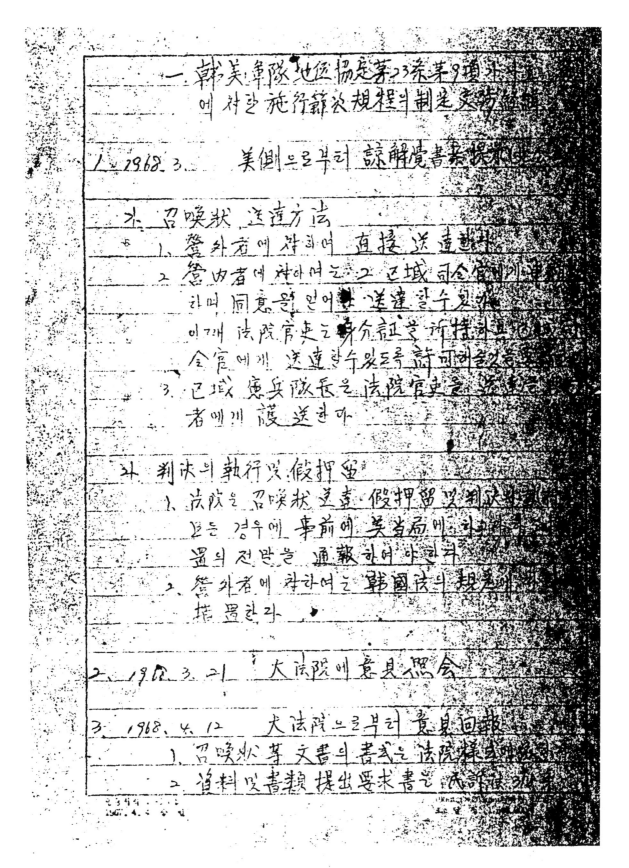

1. 1968. 3. 美側으로부터 諒解覚書案 提示

가. 召喚狀 送達方法
  1. 營外者에 對하여 直接 送達한다
  2. 營内者에 對하여는 그 區域 司令官에게 알
     리며 同意를 얻어 送達할수있다
     이때 法院官吏는 身分証을 所持하고
     令官에게 送達할수있도록 許可하는것
  3. 區域 憲兵隊長은 法院官吏를 送達할
     者에게 護送한다

나. 判決의 執行及 假押留
  1. 法院은 召喚狀 送達 假押留 及判決執行
     또는 경우에 事前에 美当局에 하는
     留의 전반을 通報하여야 한다
  2. 營外者에 對하여는 韓國法의 規定에
     據置한다

2. 1968. 3. 21 大法院에 意見 照会

3. 1968. 4. 12 大法院으로부터 意見 回報
  1. 召喚狀 等 文書의 書式은 法院 樣式에
  2. 資料 及 書類 提出要求書는 民訴法에

43

의 提出命令 으로 代置함이 可하다

4. 1968. 1. 24 美側에 韓國側代案提示
   1. 非刑事訴訟에 관한 法院의 文書는 執達吏 또는 우편집배인으로 하여금 營內外를 勿論하고 美訴請事務所長에게 送達하라
   2. 美訴請事務所에 書類가 接受되었을 때는 送達이 된 것으로 看做하라
   3. 美訴請事務所長은 出頭에 積極 協助하라
   4. 理由없는 宣誓拒否와 不出頭를 한 証人에 對한 科料 또는 拘引은 刑事裁判權의 例에 依하라
   5. 出頭한 証人의 旅費는 國內法에 依하라
   6. 大韓民國이 負擔할 訴訟費用은 今擔하라
   7. 非公務事件의 執行 保全을 爲한 法務部의 財産調査에 對美訴請事務所는 回報하여야하라
   8. 執達吏가 身分証明書와 執行要請書를 所持하고 있는限 警門通過를 認許해 받게 하라
   9. 体驗請求權을 執行할 때에는 決定文送達로서 하라
   10. 執行을 妨害할 때는 美當局에 그 損害를 賠償하라
   11. 訴訟終結前 美側 當事者가 出國할 때에는 美訴諸訟証을 代理人으로 選任하여 有請에

5. 1968. 11. 8 韓美合同委員會 第32次会議에서 課題
    賦具

6. 1969. 1. 28   大法院에 代表選定依賴

7. 1969. 2. 27 大法院으로부터 代表選定
   法院 行政処 特別課長 安輔根

8. 1969. 3. 14   法院側 代表 意見提示
   1. 裁判関係書類의 送達은 民訴法 160条에 따
      라 그 城 司令官에게 送達하고 文書接受道에 接受
   2. 正當한 理由 없이 送達받기를 거절할 때는 民訴
      法 172条에 依하여 留置送達
   3. 送達받고 不出席 할때는 擬制自白
   4. 証人이 不出席 할때는 拘引
   5. 假押留 假処分의 執行과 債務名義에 依한
      執行은 民訴法 强制執行規定에 依하고
      俸給請求權에 対한 執行은 俸給事務取
      扱者가 協力~

9. 1969. 10   美側 送達節次에 対한 第2次案 提示 (非剝)
   1. 法院의 非刑事裁判에 対한 文書는 美側에서 指名
      된 連絡事務所를 通하여 하라
   2. 連絡事務所의 代表가 被送達人에게 送達書
      類를 傳達함으로 送達은 有効하라
   3. 美側要員에 対한 送達은 公告나 公示를 通하여

45

할수 있다

ㄹ. 法院의 送達要請書가 連絡事務所에 接受
되면 同事務所는 接受通知書를 法院에 返
送하고 그때 부터 21日 以內에 送達証明書나
送達不可能通知書를 法院에서 接受하지
못 했을 때에는 法院은 送達要請書를
連絡事務所에 送付한다.

ㅁ. 送達要請書에 對한 接受通知日 부
터 7日 以內에 送達不可能通知書를 法
院에 提出하지 않으면 送達이 된것으로 看
做한다.

ㅂ. 連絡事務所가 理由를 記載한 送達期間
延期要請書를 提出하면 法院은 그 期間
延期를 受諾할수 있다.

④ 合意된 部分

1. 法院의 非刑事事件에 對한 文書의 送達은 美側이
指定한 連絡事務所를 通하여 한다.

2. 連絡事務所는 신속한 方法으로 關係 美國要員
에게 送達文書를 伝達한다.

3. 關係 美國要員의 所有財産을 執行함에 있어 連
絡事務所는 大韓民國当局에 協助하고 助力한다.

46

4. 連絡事務所는 裁判의 当事者인 関係美國 要員의 所屬 變動을 大韓民國 当局에 通報한다

◎ 未合意된 部分

1. 文書 送達의 效力 發生 時期
韓國側 ~ 連絡事務所에 送達文書가 接受되었을때 送達效果가 發生한다
美國側 ~ 連絡事務所에서 被送達人에게 傳達되 었을때 送達效果가 發生한다 (43)
　　　　11.25. 미국대표 삭제의

2. 公示 送達方法의 認定與否
韓國側 ~ 公示送達方法을 認定한다
美國側 ~ 美國要員에게는 公示送達을 할수없다
　　　　11.25. 보류

3. 俸給 請求權에 対한 執行
韓國側 ~ 美國要員의 俸給 請求權은 法院의 押留 及 轉付命令의 対象이 될수있다
美國側 ~ 美國要員의 俸給請求權은 强制執 行의 対象이 될수없다 (미연방법에의거不可用)
　　　미합의 삭 나중 은 우범은법에의거는 말 (用)

4. 連絡事務所長의 責任
韓國側 ~ 訴訟終結前 出國하는 美側当事者 의 債務는 連絡事務所長의 責任진다
美國側 ~ 連絡事務所長은 美國要員에 対한 判決金員을 支拂할수없다
　　　미합의

47

SOFA 한·미국 합동위원회 SOFA-한.미국합동위원회 청구권 분과위원회, 1967-75　55

韓國側意見

合意된 部分은 公式化하고 未合意된 部分은

終末의 韓國側 立場을 견지코자함

二. 仲裁人 選定

1. 交涉經緯

가. 當初 請求權分科委員会 美側 代表로부터 仲裁人이 常駐하게 되면 不必要한 費用이 所要되면 사니다 그 裁定을 받을 事案이 거의 없다는 理由로 必要時까지 그 選定을 延期할것을 要請하여

나. 外務部에 外國實態를 調査케한 結果 日本에서는 當事國間의 意見차이이 거의 없고 있는 問題에 対하도 合同委員会 또는 分科委員会에서 調整키로 하여 仲裁人 選定하지 않고 있다는 回報가 있고

다. 韓國側 委員들도 必要時까지 選定하지 아니함이 可하다는 意見이 있어

라. 4112.2.6 民事裁判権 分科委員会에서 付 協定 第二條 그項의 (바)에 規定된 仲裁人은 그의 役割이 必要性 때까지 選定하지 않기로 韓美間에 合意하여 韓美合同委員会에 建議한 結果

마. 4117.2.4 同 開催된 第3次 韓美合同委員会에서 建議案대로 承認 되었음

2. 韓國側 意見 ── 發指許意見 ── 不必要

仲裁人 選任은 그의 役割이 必要한 事案이 發生하데 까지 繼續保留함이 可하다고 思料됨

52

三. 請求業務處理에 및한 合意覺書의 檢討

가. 韓國側 意見 —法務部意見—

業務量 減少나 時間節約을 通하여 效率的인 業務修行을 圖謀하여 韓美國에 照應하는 各種書式을 다음과 같이 簡素化하고저 함.

나. 各種書式에는 韓國側 整理番號와 美側 整理番號를 併記한다 (現在는 韓國側 整理番號만 記載)

다. 3號書式 (公傷上의 證明書)과 4號書式 (損害의 原因 確認書)를 統合하여 3號書式中 3, 4, 5, 6, 7 項과 4號書式中 1, 2, 3, 4, 6, 7 項을 削除한다.

라. 5號書式 (賠償金支給 또는 棄却決定通知書)中 2, 3, 4, 5 項을 削除하고 10項 (備考欄)에 過失相計 比率를 記載한다.

마. 7號書式 (支給通報書 및 合議案)中 3, 4, 6項을 削除한다.

바. 12號書式 (損害賠償査定書)中 3, 4, 5, 6項을 削除한다.
끝.

53

獨逸聯邦共和國駐在 外國軍隊에對한
北大西洋條約國家軍隊의地位에關한
北大西洋條約國家間의協定에 對한追加協定

第32條

1. 非刑事訴訟에 對한 文書의 送達은 派遣國
이 指名한 連絡代行事務所를 通하여 行한다.

2. 連絡代行事務所의 代表가 被送達人에게 傳達
하므로써 送達은 有效하다.

3. 法院의 送達要請을 받은 代行事務所가 그 受
領通知를 한 날로부터 21日 以內에 法院에
서 送達與否에 對한 通知를 받지 못할때에도
法院은 다시 代行事務所에 送達要請을 하고
가 同文書의 接受通知日 부터 7日 以內에
送達이 不可能하였음을 法院에 通知하지 않
으면 送達이 遂行된 것으로 看做한다.

4. 代行事務所는 理由를 밝혀 送達期間延期要
請을 法院에 할수있다.

5. 法院의 制決이나 文書를 送達할때는 派遣國
家의 要請에 따라 그 寫本 1通을 該當國家代行
事務所에 傳達한다.

54

第33條
　公務上의 職責이나 또는 고장한 不在를 因하여 非刑事 訴訟에 不出席하는 경우 그들의 利益에 侵害를 받지 않는다

第34條
1. 軍当局은 非刑事判決 決定命令에의 효용을 確保하기 爲하여 可能한 모든 協助를 하여야 한다

2. 軍隊의 構成員 및 그의 家族은 判決의 執行陳述의 省略 등 非刑事訴訟에서 비롯하는 어떠한 理由로도 그의 身体의 自由를 박탈당하지 않는다

3. 軍隊의 構成員이 그의 政府로부터 받은 支拂金은 派遣國家의 領土內에서 適用되는 法律이 許容하는 範圍內에서 獨逸法院의 執行의 對象이 된다

4. 軍營內에서의 判決의 執行은 軍代表의 臨席下에 獨逸執行官이 遂行한다

第35條
　軍隊에게 調達 또는 用役으로 支拂받을 金員 및 그 債務者에 관하여 獨逸法院의 判決의 執行을 할때 当局의 債務者 대신 判決確定 債権者에게 支拂하도록

55

執行機関으로부터 要請을 받는경우에는 軍当局은 独逸法의 規定에 依하여 이 要請에 응할 権利를 갖는 라

第36条

1. 軍隊 構成員 및 그 家族에 처하여는 出版이나 公告를 通하여 送達하여서는 안된다.

2. 軍勞功에 있는者에게 送達을 하고자 할때는 그軍의 行政責任者는 送達을 할수 있도록 必要한 모든 措置를 取하여야 한다.

第37条

軍隊 構成員이나 그家族이 独逸当局에 出頭하는 등 召喚을 받았을 때는 軍当局은 軍事上 緊要하 지 않은 限 반드시 出頭하도록하여야한다

第38条

刑事 또는 非刑事訴訟이나 審問에서 関係国家들 어느쪽의 公務上의 秘密이나 安全을 侵害하 는 情報의 陳述이 있을 가능성이 있을때에는 法 院이나 当局은 먼저 関係当局의 面書上의 同意 를 求하여야 한다

関係当局이 異故를 提出할때는 非公用으로 裁判 을 할수 있다.

第3P條

1. 証人과 鑑定人의 特权과 免除는 独逸法
이 認定하는 特权과 免除를 갖는다.

2. 그러나 그들이 軍隊의 構成員이나 그들의 家族인
경우에는 派遣國家의 法院에서 갖엇을 特権
과 免除를 適切히 考慮하라.

美軍債務상환 束手無策

韓美行協에 節次규정없어

基地村債權者들 골탕

勝訴判決 받아도 强制執行못해

(政府) 韓美行協상 美軍의 債務에 관한 强制執行 節次規定이 없어 基地村民들이…

現行 韓美行協法에의하면 第一主者는 第(의)과 韓國民間인들 二三조(청구권) 六항에 따라주 과의 各종비용부상의 한미군이나 그 구성원 또는 금전일을 지불 고용원(韓사람이나 그의상적인지 한미군이 재판권을 타지역으로 전출또는 복귀하는 美軍들로부터 외상값이나 또는 빚을 받지못하고있다.

…무직갚판결을 받은 美군의 판…

1970. 11. 19 동아일보

58

U.S. Pays 433Gs

S&S Korea Bureau

SEOUL — U.S. forces in the Republic of Korea have paid a total of $433,000 for claims filed against it by ROK citizens since the Korea-U.S. status of forces agreement (SOFA) was put into effect in Aug., 1967, a spokesman for the Justice Ministry said.

Of the 2,255 lawsuits filed with the ministry, 1,561 were settled with compensation, according to the spokesman.

A breakdown of the settled cases shows 559 were for automobile accidents, causing deaths or injuries; 363 for traffic mishaps with damage to the vehicle, and 639 for crop damage caused by military exercises, the spokesman said.

민사 청구 문제

1. 적법한 작위 또는 부작위로 인한 채권 변제 청구는 한국 재판의 관할권에 속하는 것은 물론임. 그러나 한국 재판의 판결을 집행할 규정 (소환, 판결문 전달, 강제 집행등)은 민사 청구 분과위원회 한국측에서 미측에 한국측 안을 제시하였으나, 미측 으로 부터 회답을 받지 못하여 미합의 상태하에 있음. 행정 협정에 의하면 미측은 한국 법원의 강제 집행에 따를 사유 재산이 미군 영내에 있을때에는 한국측에 인도 되도록 원조를 제공하여야 함.

2. 해결 방안

   (1) 합동위에서 양자간에 조속한 합의를 보도록 촉구하는 방법.

   (2) 합동위에서 미군이 채권 변제를 완료한 다음에 전출하거나 출국하도록 미측에 촉구하는 방법.

   (3) 내무부에서 현지주민의 자진 신고 형식으로 미군과의 채권, 채무관계를 조사하여 소명자료를 만들 필요가 있음.

3. 근 거

   행정 협정 제 23조 6항 및 9항.

60

송달 절차에 관한 문제점

1. 관계 서류의 송달 방법.

2. 선서의 거부, 불출두한 증인에 대한 과태료 및 소송 비용의
    집행.

3. 가압류 또는 판결의 집행 절차.

4. 봉급권에 대한 집행 여부.

5. 소송이 종결되기 전 미군의 전출 및 배상 변제.

문서 송달
용시송달
봉급차압
연락 사무소장의 책임.

61

送達節次에 관한 兩側의 案

한 국 측 견 해	미 국 측 견 해
송 달 절 차	송 달 절 차
1. 합중국 군대의 구성원과 고용원에 대한 대한민국 법원의 소환장 결정 결정서 기타 서류는 영대의 거부를 막론하고 주한미군 소청 사무소장에게 다음 방법으로 송달한다	제 1 조 1. 미국 법원이나 한국의 비형사 소송을 착수하는 소장이나 소송통지 또는 기타서류는 법원 명령을 합중국 군대의 구성원 군속 또는 그들의 부양
가) 우편송달은 우편으로 배달으로 하게하고 진환기에게 송달할게 할수 있다	가족에 대하여 송달할 때에는 합중국이 설립 또는 지명한 연락 사무소를 통하여 송달을 청서(1호 양식)를 사용해서 소환한다
나) 주한미군 소청사무소에 고견 서류가 접와 되었을 때는 대한민국 법원의 외한 송달이 있는 것으로 간주하며 동소청 사무소에서 관계인에 관한 송달의 직무 다른 목적으로 인한 부의은 미 합중국 측의 검사가가 강수한다	2. 연락 사무소는 대하민국 법원이 한국의 제출한 소발 용지의 직무를 접수통지서(3호양식)를 사용하여 지체없이 통지하와 기송받인의 부대장이나 연락사무소의 대리가 송달된 서류를 그 송발인에게 견결 촉으로서 송달은 유효하게 되며 송달수행의 통고는 송달
2. 주한미군 소청 사무소장은 송달받은 자를 지정된 일시및 장소에 출두하게 촉주적의 협조을 한다	근데서(그호양서)를 사용하여 대한민국 법원이나 한국에 지체 없이 한다

종합적시 1-1 (종)
1957, 세6송일

19.Mgux26mm 제강제4kg/m²
으로 물질 (2,600,000에 V4)

이나 창고내 재고품수량과
또한 대한민국 법원이나 당국이
이 서기 요청을 수락했다면 볼수 개
막 내린 정기교 이같이 걸
한 변경이 가해진 교육이나

제 2 조
○ 대한민국 법원이 공소이
한국군대의 ~~~
~~~ 부양하여 관하여 관련
~~~ 그라 구속을 ~~~
~~~

○ ~~~
~~~
~~~
~~~
~~~
~~~
쉽게 만지 아니한다

3. 대한민국 법원이나 검사의 청구
한국군대의 구성원 구속이 부하기
~~~ 관하면 밖에 소관과 그
서류나 문서는 바시 제공으로
구성 되어야 한다

경우에 없어지도 대한민국 정부
또는 강제집해 ... 의 적용되
거나 ... 채무자인 ... 또는
위 ... 또는 고용인의 행위
를 ... 경우도 위 ... 강제
대한민국 ... 의 강제집행 유
정에 대하 ...

... 미합중국 ... 의 ...
... 대한민국 ...
... 및 ... 를 ...
... 손해배상 ... 의 ...
... 그 ...
... 하며 ... 그의
... 미국 ... 의 ...
... 의 책임을 ...

청구권 분과위원회

1. 1967. 1. 19. 미군 지위협정 제 23조 5,6,7,8항에 관한 시행 양식을 연구하여 합동위에 건의하도록 청구권 분과위원회에 과제 위촉.

2. 1967. 2. 6. 미군 지위협정 제 23조 2의 나.항에 의한 중재인의 임명은 임명하지 않기로 청구권 분과위원회에서 건의.

3. 1967. 3. 9. 제 3차 합동위에서 중재인 임명의 생략에 관한 청구권 분과위의 건의를 승인함.

4. 1967. 7. 13. 제 11차 한.미 합동위에서 민사청구권 시행의 수속과 양식에 관하여 승인.

5. 1968. 6. 25. 법무부에서 청구권 분과위원회 미국측 대표에게 협정 제 23조 제 9항의 시행절차에 관하여 절차안과 의견을 송부.

6. 1968. 11. 7. 제 32차 합동위에서 협정 제 23조의 시행 절차를 건의하도록 청구권 분과위에 과제 위촉.

7. 1970. 6. 18. 제 51차 한.미 합동위원회에서 수속 및 양식의 일부 변경을 청구권분과위원회에서 검토하여 이를 합동위에 건의하도록 과제 위촉.

68

束手無策…美軍채무

基地村住民을상 營門出入등制限…判決나도執行못해

美軍과 協議키로 法務部

미군의 일부철수와함께 기지촌주민과 미군사이의채권·채무관계가 현행민법과 민사소송법에따라 한국법원에서 재판할수있도록 돼있으나, 미군이 판결에 불복하거나 고의로 채무관계를 거부할경우 집달리의 영문출입등이 제한되어 판결에의 한강제집행이 이뤄지지 않아 문제가되고있다.

이에따라 법무부는 26일 주한미군의 일부철수에따라 사회문제로 떠오른 기지촌 주변주민들과 미군사이의 채권채무관계를 원활히 처리하기위해 미군당국과 협의키로했다.

법무부는 이들을 위해 미군과 기지촌주민들 사이의 채무액수·채권채무가 생긴 원인, 당사자들의

내용을 확인 조사하여 그결과를 보고토록 각지구검찰청에 지시했다.

성심의 미공무상의 미군채무에 대해서는 한미행협(23조 청구권조항)에따라 한국법원에서 재판을 받아도미군이 자진해서 갚지않으면 채권을 행사할수없는 실정이다.

인할수없고 봉급차압도 할수없어 한국인 채권자는 법원의 승소판결을 받아도미군의 사유재산을화

基地村의 美軍상대 債權·債務
法務部서 협의키로

金額·이름등 調査지시
"判決불복·辦濟꺼리는 경향많아"

법무부는 26일상오 주한미군일부철수에따른 기지촌주변의 주민들과 미군과의 채권·채무관계를원활히 해결하기위해 미군당국과 협의키로했다. 이에앞서 법무부는 기지촌주변의 주민들과 미군사이에 공무 이외의 채권·채무관계가 발생하게된동기, 액수, 채무자의 이름등을 조사확인하여 법무부에보고토록 각 지구 배상심의위원회에 지시했다.

현행한미행협에의하면 주한미군이나 구구성원 또는 고용원과 한국민간인들이 공무이외의 금전 대차 관계는 한국법원이 재판권을 행사할수있게되어있으나 채무지급판결을받은 미군의 판결에 불복하거나 고의로 채무지급판결을 거부하는 일이 많아 이같은조치를취하게된 것이라고. 법무부는밝혔다.

또 미군은 고의로 채무지급판결을 기피, 한국인은 채권자가 책무제도를임을 소판결을 받았어도 아니지못해 사회문제로 등

1970. 11. 26
경향신문

70.11.26
대한

떠난 美軍과 住民의 債務관계

8軍과 協議 해결키로

법무부, 조사 보고지시

법무부는 26일 미군기지 주변일대의 한국인과 미군과의 채무관계를 미8군당국과 협의토록했다.

법무부는 기지촌 일대의 한국인과 미군과의 채무관계는 해결할 규정이 없어 법에따라 현행민법과 민사소송에 재판

법무부는 기지촌 주민과 미군들사이에 비공무상의채권 채무관계는 앞으로 조사보고된 채무관계를 미군과 앞으로 보고된

그런데 현행 한·미행협규정에는 기지촌주민과 미군과의 채무관계집행이불가능하다. 법무부는 이같은 문제점을 해결하기위해 곧 미군당국과 법률적 동협에 협의하는한편 노불

미군기지 자료로 미8군당국과 원활한 타결을 보도록할 방침이다.

한국인이 민군에 대한 출입증이 질달리들에게 제한되어있어 사실상 강제집행이불가능하다고 지적, 퇴직금마저 주지않고있는 노동쟁의금 이기로 고발하는한편 노불

을 한수밖에없는데 이같은 경우 법원에서 채무액지급 판결을 내린다고 하며라도 피할경우 고의로회 미군에 대한 영문

終業員不法감원해 外機勞 대양사 告發

[議政府] 25일하오 전국외기노조 대양사지부(지부장 張樹德) 대표= 朱百院(대표= 朱百)은 「재판부가 반면것은 재판에관여했던 대법원판사들의 의견이 선고기일에 엇갈려있기때문이며 법률적으로까지다로운문제가있는 기패문」이라고답변했었다.

7 대국회의원선거에서 낙선자인 朴씨는 원고 67년6월8일 실시한 제

1천3백89표를 얻으 박씨는 2만7천4백42 표로 당선자인 2만8천9백47 표를 얻은 당선 후보자는 3만 표차가 유령유권자조작·대리투표·공무원사상유권자선거조작으로 당선되었다고 주장, 이는 부정선거였다고 소송을 제기했었다.

1970. 11. 26 대한

70

한국민과 미군사이의 채권, 채무에 관한 문제

1970. 11. 26.

1. 문제점

가. 주한미군이나 고용원과 한국민간의 채권, 채무관계는 미군지위협정 제23조 9항에 의거하여 한국 ~~민법 및~~ ~~민사소송법에~~ 방정법(에) 따라 한국 법원에서 재판할수 있음.

나. 주한미군 및 고용원의 채권, 채무에 대한 한국 법원 판결의 집행절차등에 관한 세부사항에 관하여는 청구권 분과위원회에서 합의, 결정하도록 되어있으나, 상금까지 한.미간에 완전한 합의를 보지 못하고 있음.

2. 주한미군 지위협정 제23조 제9항

가, 나호에 대한 시행절차 규정의 제정, 교섭 경위

1968. 3.	미측에서 안을 제시함.
1968. 3. 21.	대법원에 의견 조회.
1968. 6. 21.	미측에 한국측 대안 제시.
1968. 11. 7.	한.미 합동위 제32차 회의에서 과제 부여.
1969. 1. 28.	대법원에 대표 선정 의뢰.
1969. 2. 29.	대법원에서 대표 선정.

① 민자노동에 의한 해결.

② 제23조 6항에 의한 해결 논거가능 기교탄

77

1969. 3. 14.   법원 대표 의견 제시.

1969. 10.   미측 송달 절차에 대한 제 2차안 제시.

1970. 5. 28.   제 3차 청구권 분과회의 대책회의 개최.

1970. 5. 28.   청구권 분과위원회 개최.

1970. 11. 25.   한.미 실무자 회의 개최.

1970. 11. 26:   기지촌 주민과 미군 간의 채권, 채무관계
                조사 착수.

3. 주한.미군 지위협정 제 23조 제 9항 가, 나호의 시행절차,
    제정상의 미합의점

    가. 공시 송달 방법의 인정 여부

         한국측 :   인 정
         미국측 :   불 인정

    나. 봉급 청구권에 대한 강제 집행

         한국측 :   인 정
         미국측 : . 불 인정

    다. 연락 사무소장의 책임

         한국측 :   소송 종결전 출국하는 미측 당사자의 채무는
                     연락 사무소장이 책임을 진다.

         미국측 :   불 인정

기2

타. 문서 송달의 효력발생 시기

한국측 : 연락 사무소에 송달 문서가 접수되었을 때
송달 효과가 발생한다.

미국측 : 연락 사무소에서 피 송달인에게 전달되었을 때
송달 효과가 발생한다.

결 과 : 11. 25. 의 실무자 회의에서 미측 주장대로
합의에 도달함.

GI Debt

K.T. 70. 11.27

Ministry Orders Detailed Loan Data

The Ministry of Justice has ordered its provincial compensation deliberation committees to collect detailed data on private credits or loans involving GIs and the Korean residents of U.S. campside towns.

An official of the ministry's compensation deliberation committee said the instruction is aimed at planning any possible action of his ministry to settle various debt repayment problems based on the ROK-U.S. Status of Forces Agreement (SOFA).

However, he denied reports that the ministry plans to soon hold a joint meeting with the U.S. Forces in Korea authorities to discuss the credits and loans for which Korean nationals have failed to get repayment from GIs even with Korean court orders.

According to the ministry, in a case in Uijongbu, Kyonggi-do, at least 100 nationals failed to get repayment of credits and loans because SOFA lacks provisions on the execution of Korean court orders. The Uijongbu court has dealt with more than 120 lawsuits for debt repayment based on SOFA, but only 35 cases were settled with the GI's voluntary repayment.

The ministry officials pointed out that if the GIs who were subject to courts for repayment of their debts refuse to accept them, there was no way to settle the repayment under the current SOFA provisions.

The SOFA stipulates that claims shall be filed, considered and settled or adjudicated in accordance with Korean laws and regulations with respect to claims arising from the activities of U.S. Armed Forces personnel not in performance of their official duties. But there are no ways to seize GIs' salaries, send bailiffs into U.S. camps, or pursue GIs who have transferred to other units.

Meanwhile, the Justice Ministry is considering taking an initiative to amend the SOFA, which lacks provisions to settle private credits or loans of GIs when overall data are collected from the provincial compensation deliberation committee.

1970. 11. 27 Korea Times

14

基地村의 債權 債務는 빨리 解決돼야한다

1970. 11. 29 조선일보

75.

법　무　부

송무 811.5 - 18705　　　　　　　　　　1970. 12. 27

수신　외무부장관

참조　북미 2과장

제목　분과 위원회 활동 상황 통보

　　　1968. 11. 8. 한미합동 위원회 제 32차 회의에서 청구권 분과
위원회에 과제가 부여된 군대지위 협정 제23조 9항 가.나 호의 시행
절차의 제정에 대한 한미 양국간의 교섭경위와 그간의 교섭에서 합의된
사항및 미합의된 사항을 별첨과 같이 통보 합니다.

첨부: 시행절차의 제정 교섭 경위 내용서 1부. 끝

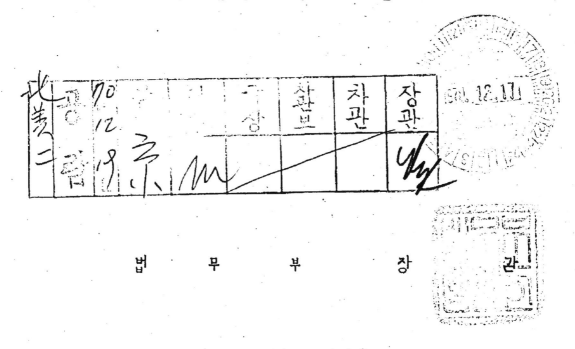

　　　　　　　법　무　부　장

군대지원 협정 제 23조 9항 가. 나 호 시행절차의
제정 교섭경위

1. 교섭경위

   1. 1968. 3.   미측으로 부터 시행절차 안을 한국측에 제시
   2. 1968. 6. 21.   미측에 한국측 대안 제시
   3. 1968. 11. 8.   한미합동위원회 제32차 회의에서 청구권분과
                      위원회에 시행절차 제정에 대한 과제부여
   4. 1969. 2. 27.   대법원측 대표 선정
   5. 1969. 3. 14.   법원측 의견 제시
   6. 1969. 10   미측으로 부터 송달절차에 대한 제 2차 안을
                      한국측에 제시
   7. 1970. 5. 28.   청구권 분과 위원회 제 3차 회의에서 동 시행절차
                      제정을 위한 실무자 회의 구성을 합의하고 양측의
                      실무자가 지정
   8. 1970. 6. 30.   제 1차 실무자 회의 개최
                      송달절차에 대한 한국측 안을 미측에 제시
   9. 1970. 11. 25. 제 3차 실무자 회의에서 한국측 안을 기초로
                      모의 합의된 부분은 조문와 하고 미 합의된
                      부분은 계속 양측이 검토키로 합의

2. 합의된 부분
   1. 합중국 시설및 구역내에 거주하는자에 대한 소송서류의 송달은
      합중국이 지정하는 연락사무소를 동하여 한다.

77

2. 연락사무소는 송달서류를 신속한 방법으로 송달받을자에게 전달하여야 하며 송달기간은 21일로 한다.

3. 연락사무소가 송달요청을 받은날로 부터 송달기간 내에 소장을 송달받을자에게 전달할수 없을때에는 송달기간의 연기를 요청할수 있다.

4. 송달기간 또는 연기된 기간이 경과된 후 7일 이내에 대한민국 법원이 송달 증명이나 송달 불가능 통지서를 접수 하지 못하였을 때에는 기간 만료일에 송달이 된 것으로 간주한다.

5. 송달서류중 소장은 송달받을자에게 전달 되었을때 송달 효과가 발생하고 그 이외의 모든 서류는 연락사무소 또는 대리인에게 송달됨으로서 송달효과가 발생한다.

6. 합중국 시설및 구역 밖에 있는 사유재산을 집행할때에는 국내법에 따라 직접 집행할수 있으나 합중국 시설및 구역내에 있는 사유 재산을 집행하고자 할때에는 미리 연락사무소의 동의를 얻어야 집행할수 있다.

7. 연락사무소는 대한민국 집행관리의 집행에 편의를 제공하여야 한다.

8. 대한민국 법원은 비 형사소송의 재판을 집행하기 위하여나 진술의 선서를 강요하기 위하여서 나를 막론하고 관계 미국요원의 신체적 자유를 박탈할수 없다.

9. 합중국 당국은 대한민국 법원의 확정된 재판에 의한 채무를 정당한 채무로써 인정하여 그 변제를 위하여 협조한다.

3. 미 합의된 부분
1. 합중국 시설및 구역밖에 거주하는자에 대한 송달방법

78

한국 측 - 연락사무소를 통하여도 맡수 있고 법원에서 직접 送달할수도 있다.

미국 측 - 연락 사무소를 통하여 하여야 한다.

2. 송달기간 연기 붙어가시의 송달간주 여부

한국 측 - 연락사무소의 소장에 대한 送달기간 연기 신청에 대하여 법원의 연기 붙어가 통지가 있을때에는 그후 14일이 경과되면 送달된것으로 간주한다.

미국 측 - 소장은 반드시 送달받을자에게 전달되어야 送달 효과가 발생한다.

3. 공시송달의 인정여부

한국 측 - 일정한 경우 공시송달을 할수 있다.

미국 측 - 합중국 당사자에 대하여는 공시나 공고를 통하여 送달할수 없다.

4. 집행보전 처분의 인정여부

한국 측 - 채권의 집행보전을 위한 가압류및 가처분의 집행은 일반판결의 집행에 준하여 집행한다.

미국 측 - 합중국 당사자의 재산에 대한 가압류및 가처분은 인정되지 않는다.

5. 봉급청구권에 대한 강제집행의 인정여부

한국 측 - 합중국 당사자의 봉급청구권은 법원의 강제집행 명령의 대상이 되고 그집행에는 봉급사무취급자가 협조하여야 한다.

미국 측 - 합중국 정부가 지불하는 봉급 청구권은 법원의 집행명령의 대상이 되지 않는다.

79

기지촌 주민과 미군간의 채권, 채무 해결을 위한
중재기관 설치 문제

1. 주한미군 지위협정 제28조 에는 "본 협정의 시행에 관한 상호
    협의를 필요로 하는 모든 사항에 관한 대한민국 정부와 합중국
    정부 간의 협의 기관으로서 합동위원회를 설치한다..... 합동
    위원회는 그 자체의 절차 규칙을 정하고 또한 필요한 보조 기관과
    사무 기관을 설치한다...." 라고 있으며, 동조항을 근거로 하여
    합동위원회의 산하에는 청구권 분과위원회가 설치되고 있는 것임.

2. 기지촌 주민 간과 미군 간의 채권, 채무를 해결하기 위한 중재기관의
    설치 문제에 있어서는 채권, 채무 중재기관과 같은 특별 보조
    기관을 합동위 산하에 신설하는 것 보다는 현재 운영중에 있는
    청구권 분과위원회를 활용하여 청구권 분과위원회 산하에 채권,
    채무의 협의기관으로서 중재기관을 두는 편이 낫다고 사료됨.

1- 3. 1971

81

법 무 부

송무 811.11- 9007   1971. 5. 19.

수신   외무부 장관

참조   북미 2과장

제목   청구권 분과 위원회 합의사항 통보

　　　1970. 6. 18. 제 51차 합동회의로 부터 재검토 하도록
과제부여를 받은 "군대지위 협정 제 23조 제 5. 6. 7 항 시행절
차"에 대하여는 그간 협의를 한 결과 별첨과 같이 개정 하기로 합
의 되었기 이를 통보 합니다.

별첨: 행협 23조 5.6.7 항 시행절차및 각종 양식 1매씩. 끝

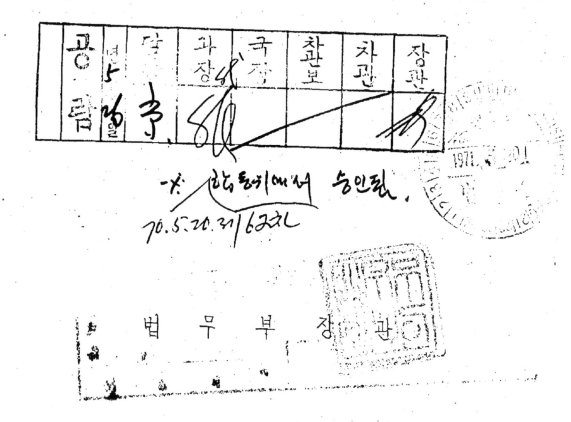

외 후 부			
접수 일시	197 22 mai '71	문 서 지	9 : H
	시 분	시	
접수 번호	제 2047 7	사	
주무과		사	
		항	197 . . 까지 처리할것

참 고 사 항

1. 제 23조 에 의한 청구권의 수속 처리를 위한 시행절차 및 양식은 67. 7. 13. 자 합동 위원회에서 승인을 보 아 현재까지 시행되어 왔음.

2. 1970. 6. 18. 제 51차 합동 위원회에서는 전기 시행절차 및 양식을 간략화 하기 위한 과제를 청구권 분과위원회에 위촉 함.

3. 1971. 5. 4. 청구권 분과위원회는 청구권 시행절차 및 양식에 관하여 다음과 같이 새로 합의함. 새로 합의된 시행절차 및 양식은 시행중인 절차 및 양식보다 간소화 되었으나 대동소 이함.

차 이 점

original	revised	remarks
Form 1	Form 1	
Form 2	Form 2	
Form 3, 4	Form 3	revised
Form 5, 6, 7	Form 4, 5	revised
Form 12	Form 6-1	revised
Form 8	Form 7	
Form 9	Form 8	
Form 10	Form 9	
Form 11	Form 10	
Form 13	Form 6-2	revised

83

REPUBLIC OF KOREA - UNITED STATES
CIVIL JURISDICTION (CLAIMS) SUBCOMMITTEE
한미 합동 민사재판권 (청구권) 분과위원회

4 May 1971
1971년 5월 4일

MEMORANDUM FOR: THE JOINT COMMITTEE
합동위원회를 위한 각서

1. Subcommittee Members: 분과위원회 구성원

United States 미국측	Republic of Korea 한국측
Major Marvin Jacobs, USA (Chairman)	Mr. Lee, Sun Jung (Chairman)
Colonel Lionel L. Riave, USAF	Mr. Bae, Myong In
Major Harry D. Orbison, USA	Mr. Lee, Soo Yup
Captain Daniel R. Dewall, USA	Mr. Park, Sol Yong
Captain John A. Odierna, USA	Mr. Song, Yong Tai
Captain Daniel L. Rothlisberger, USA	Mr. Noh, Jin Shick
CW3 Eland J. Schreiber, USA	Mr. Pack, Yong Ki
Mr. Francis K. Cook	Mr. Lee, Kyong Ku
Mr. John J. Kim	

2. Subject of Recommendation: Revision of the procedures and forms implementing
건의 제목 :   1970년 6월 18일 합동 위원회의 제 51차 회의에서
the processing of claims under Article XXIII of SOFA as assigned by the 51st
부한 과제인 군대 지위 협정 제 23조에 의한 청구권의 수속 처리를 위한 시행
meeting of the Joint Committee 18 June 1970.
절차 및 양식의 개정.

3. Recommendation: That the attached revised procedures and forms for
건의 사항 :   군대 지위 협정 제 23조에 의한 청구권의 수속 처리를
processing claims under Article XXIII of the US-ROK SOFA be approved by the
위한 별첨 개정 절차 및 양식들을 합동 위원회에서 1971년 7월 1일에 발효하도록
Joint Committee, to become effective on 1 July 1971, and superseding on that
그리고 1967년 7월 13일 합동 위원회의 제 11차 회의 의사록의 첨부물 6의 내용물인
date the existing claims procedures and forms as contained in Inclosure 6 to
현행 청구권의 절차 및 양식들을 이 날자로 폐지되도록 승인해 주실것을 건의한다.
the Minutes of the Eleventh Meeting of the Joint Committee on 13 July 1967.

84

MEMORANDUM FOR: THE JOINT COMMITTEE

4. **Security Classification:** None

　　문서비밀 분류 :　　　　무

MAJOR MARVIN JACOBS
Chairman, United States
Component, Civil Jurisdiction
(Claims) Subcommittee

마빈 제이콥스 소령
미측 민사재판권 (청구권)
분과위원회 위원장

LEE, SUN JUNG
Chairman, Republic of Korea
Component, Civil Jurisdiction
(Claims) Subcommittee

이 선 종
한국측 민사재판권 (청구권)
분과위원회 위원장

2

PROCEDURES FOR THE IMPLEMENTATION OF PARAGRAPHS 5, 6, AND 7, ARTICLE
XXIII (CLAIMS), ROK-US STATUS OF FORCES AGREEMENT
한미 군대 지위 협정 제 23조 (청구권)의 제 5, 6 및 7항의 시행 절차

　　　a. All claims shall be submitted on Form 1, "Claims for Damage
　　가. 모든 손해배상신청은 양식 1호 "손해배상 신청서" (첨부 1호)를
or Injury" (Incl 1) to the ROK Ministry of Justice or its Compensation
사용하여 대한민국 법무부나 그 소속 배상 심의회에 제출하여야 한다.
Committees.

　　　b. Upon receipt of a claim the ROK Ministry of Justice, or the
　　나. 손해배상 신청을 접수하는대로 대한민국 법무부 혹은 배상 신청
receiving Compensation Committee, shall immediately advise the Chief,
접수 심의회는 주한 미군 소청 사무소장에게 양식 2호 "손해배상 신청 통지서
US Armed Forces Claims Service, Korea of each claim received by utilizing
및 사고발생 증명서" (첨부 2호) 3통 씩을 작성하여 접수된 매 신청을
Form 2, "Claims Notice/Incident Certificate" (Incl 2) in three copies.
통보하여야 한다.
The Chief, US Armed Forces Claims Service, Korea, will acknowledge receipt
주한 미군 소청 사무소장은 양식 2호에 그의 조치를 위해 마련된 부분을
by completing that portion of Form 2 reserved for his action and shall
기재함으로서 접수를 확인하고 작성한 양식을 손해배상 신청을 착수한
return a completed form to the initiating office.
사무소로 반송해야 한다.
　　　c. An investigation of the facts and circumstances of the incident
　　다. 손해배상 신청을 야기한 사건의 사실과 상황에 대한 조사는
giving rise to a claim shall be conducted by the ROK and the US. Such
대한민국측과 합중국측이 행한다.　　　　　　　　　　　　이러한
investigations may be conducted either independently or jointly, as
조사는 상황에 따라서 단독적으로 혹은 합동으로 할수 있다.
circumstances may require. An interchange of pertinent information be-
　　　　　　　　대한민국과 합중국의 손해배상 신청 조사 기관들
tween claims investigative agencies of the ROK and the US shall be
간의 관련된 정보를 오청시에는　교환하여야 한다.
effected upon request therefor.　요수 있다

d. The ROK Ministry of Justice and its Compensation Committees shall

따. 대한민국 법무부 및 그 소속 배상 심의회들은 대한민국 국가배상법,

evaluate and adjudicate claims in accordance with the ROK Government Com-

그 시행령 및 기타 관계 법령에 의거하여 신청을 평가하고 결정한다.

pensation Law, its implementing decrees, and other related laws.

e. Scope of employment and liability shall be determined by the ROK

마. 공무여부 및 책임문제는 대한민국 법무부 혹은 그 소속 배상 심의회가

Ministry of Justice, or its Compensation Committees, and submitted to

결정한다. 그리고 이를 양식 3호 "공무상, 외 및 책임의 비율 증명서" (첨부 3호)를

Chief, US Armed Forces Claims Service, Korea on Form 3, "Certificate of

사용하여 주한 미군 소청 사무소장에게 제출한다.

Scope of Employment and Degree of Fault" (Incl 3). Upon agreement the

합의할때에는 주한

Chief, US Armed Forces Claims Service, Korea will sign and return the

미군 소청 사무소장은 서명하여 그 양식을 대한민국 법무부에 반송한다.

form; to the ROK Ministry of Justice. In instances where agreement can

공무 여부에 대하여 합의를 보지

not be obtained with respect to scope of employment, the matter will be

못할때에는 그 문제는 민사재판권 (청구권) 분과위원회 합동 실무자 회의

placed on an agenda for discussion by a joint working panel of the Civil

호의 의제로 정한다.

Jurisdiction (Claims) Subcommittee. The Chief, US Armed Forces Claims

책임문제에 관하여 의견이 있을때는

Service, Korea, if he has an opinion on the liability, may propose new

주한 미군 소청 사무소장은 그 조치를 위해 마련된 해당 양식의 부분을

apportionment of liability to the competent Compensation Committee by

기재함으로서 관계 배상 심의회에 새로운 책임의 비율을 제의 할수 있다.

completion of that portion of the appropriate form reserved for his action.

In adjudication of compensation, the competent Compensation Committee shall

관계 배상 심의회가 배상금을 심의할 때에는 합중국이 제의한 책임비율을

take the apportionment of liability proposed by the United States into

참작하며 그 참작의 정도를 양식 4호 "배상금 지급 또는 기각 및 분담안

2

consideration and advise the Chief, US Armed Forces Claims Service,

통지서의 비고란에 기재하여 주한 미군 소청 사무소장에게 통보하여야 한다.

Korea of the degree of fault considered by giving its description in

Remarks of Form 4, "Notice of Decision and Proposed Distribution".

    f. The ROK Ministry of Justice shall advise the Chief, US Armed

바. 대한민국 법무부는 배상금 지불전에 모든 공무사건 (군대지위협정

Forces Claims Service, Korea of the amount of compensation decided in

제 23조 5항)의 결정된 배상금과 미합중국의 분담안을 양식 4호 "배상금

all official-duty cases (Paragraph 5, Article XXIII, SOFA) and the pro-

지급 또는 기각 및 분담안 통지서 (첨부 4호)에 의하여 주한 미군 소청

posed US distribution in advance of payment by utilizing Form 4, "Notice

사무소장에게 통보 하여야 한다.

of Decision and Proposed Distribution" (Incl 4). The Chief, US Armed

주한 미군 소청

Forces Claims Service, Korea shall promptly communicate his agreement

사무소장은 그의 동의 혹은 부동의와 그 이유를 대한민국 법무부에 신속히

or disagreement and the reasons therefor to the ROK Ministry of Justice.

통지하여야 한다.

In instances where agreement can not be obtained with respect to an

배상금에 대하여 합의를 보지 못했을 때는 그 문제는 민사재판권 (청구권)

award, the matter will be placed on an agenda for discussion by a joint

분과 위원회의 합동 실무자 회의 토의 의제로 정한다.

working panel of the Civil Jurisdiction (Claims) Subcommittee.

    g. The ROK Ministry of Justice will advise the Chief, US Armed

사. 대한민국 법무부는 공무상 사건중 대한민국 법원이 판결한 것은

Forces Claims Service, Korea of the settlement of each official-duty

양식 5호 "법원 명령에 따른 지급통보서 및 분담안 (첨부 5호)을 사용하여

claim by utilizing Form 5, "Payment Statement and Proposed Distribution

각기의 공무상 손해배상 신청의 해결을 주한 미군 소청 사무소장에게

Resulting From Court Order" (Incl 5), in all cases wherein adjudication

통보한다.

8B

3

is effected by the ROK courts. The Chief, US Armed Forces Claims Service,

주한 미군 소청 사무소장은 그의 조치를

Korea shall acknowldge receipt by completion of that protion of the appro-

위해 마련된 해당 양식의 부분을 기재함으로서 접수를 확인하여야 하고

priate form reserved for his action and shall return the completed form

작성한 양식을 대한민국 법무부로 반송하여야 한다.

to the ROK Ministry of Justice.

    h. Claims adjudicated and settled by the ROK Ministry of Justice will

아. 대한민국 법무부가 결정하고 해결한 손해배상 신청 사건은 신청인이나

be supported by Form 7, "Letter of Agreement" (Incl 7) and Form 8, "Receipt"

그의 대리인이 정당히 작성한 양식 7호 "동의서" (첨부 7호)와 양식 8호

(Incl 8), properly executed by the claimant or his authorized representative.

"영수증" (첨부 8호)으로서 입증되어야 한다.

    i. Requests for reimbursement (Paragraph 5(e)(iii), Article XXIII, SOFA)

자. 변상 청구 (군대지위협정 제 23조 5항 (마)(3))는 양식 8호 "변상 청구서"

will be submitted to the Chief, US Armed Forces Claims Service, Korea

(첨부 8호)와 양식 10호 "변상청구를 위한 배상신청 일람표" (첨부 10호)를

quarterly utilizing Form 9, "Reimbursement Request" (Incl 9), and Form 10,

사용하여 주한 미군 소청 사무소장에게 매 3개월 마다 제출하여야 한다.

"Request List of Claims" (Incl 10). The US shall effect reimbursement with

합종국측은 대한민국 국고에 가능한한

the least practicable delay to the National Treasury of the ROK and shall

조속히 변상하여야 한다. 그리고 변상을 했을때는 대한민국 법무부에

notify the ROK Ministry of Justice when reimbursement has been effected.

통지하여야 한다.

    j. Assessment for Non-official duty claims (Paragraph 6, Article XXIII,

차. 공무외 손해배상 신청 (군대지위협정 제 23조 6항)에 대한 사정은

SOFA) shall be communicated to the Chief, US Armed Forces Claims Service,

양식 6호 "공무외 손해배상신청에 관한 사정서 및 위자료 지불 보고서" (첨부 6호)

Korea on Form 6, "Assessment for Non-Official Duty Claim and Ex-Gratia

를 사용하여 주한 미군 소청 사무소장에게 통지하여야 한다.

Payment Report" (Incl 6). Following adjudication and settlement, the

주한 미군 소청 사무소장은 결정하고 해결한후

89

4

Chief, US Armed Forces Claims Service, Korea shall sign and complete
그의 조치를 위해 마련된 해당 양식의 부분을 기재하여 서명한후 이를
that protion of the appropriate form reserved for his action and shall
대한민국 법무부에 반송하여야 한다.
return the completed form to the ROK Ministry of Justice.

90

5

손해 또는 상해배상 신청서
CLAIM FOR DAMAGE OR INJURY

일자
Date _____

정리번호
File Number:

배상심의회 위원장 귀하
Submit To: Chief of Compensation Committee

아래와 같이 군대지위협정 제23조에 의한 손해배상을 신청하나이다
I hereby file a claim in accordance with Article XXIII of SOFA as follows

1. 신 청 인 　　　 Claimant

(1) 성 명
Name:

인
Do-Jang;

(2) 주 소
Address:

(3) 년 령
Age:

(4) 직 업
Occupation:

(5) 성 별
Sex:

(6) 혼인관계
Marital Satus:

(7) 피해자와관계
Relation To Injured Party:

(8) 주민등록번호

2. 신 청 금 액 　　　 Amount of Claim

재산손해 Property Damage:	원 Won	인신손해 Personal Injury:	원 Won
내 역 Break down		내 역 Break down	
재산손실 Loss of Property:	원 Won	요양배상 Medical Treatment: 원 Won	유족배상 Bereaved Family: 원 Won
재산파괴 Destruction of property:	원 Won	유업배상 Loss of Income: 원 Won	장해비 Funeral Rites: 원 Won
기타손해 Other Damage:	원 Won	장해배상 Physical Handicap: 원 Won	위자료 Pain and Suffering: 원 Won
합 계 Total:	원 Won		

3. 피 해 자 　　　 Victim

성 명
Name:

생년월일
Date of Birth:

성 별
Sex:

혼인관계
Marital Status:

직
Occupation:

주 소
Address:

본 적
Permanent Address:

피해유형
Type of Damage: ☐

사 망
Death ☐

상해(치료기간: _____ 주)
Injury ((Duration: _____ weeks) ☐

재산손해
property Damage

4. 사 고 개 요 　　　 Breif Description of Accident

발생일시
Date and Time of Accident:

발생장소
Place of Accident:

가해자 성 명
U.S. Party: Name

계 급
Grade

소속부대명
Organization:

사 고 내 용 　　 Description of Accident:

5. 신청액 산정의 기초 신청액 산정의 기초를 간단히 기입할것
Basis for Amount of Claim. Briefly state calculations upon which damages are based.

6. 상기 신청과 관련하여 수령한 기타금액 Any other amount received in respect to this claim.

7. 증 인 Witnesses
성 명
Name: 주 소
Address:
성 명
Name: 주 소
Address:
성 명
Name: 주 소
Address:

8. 첨부서류 Inclosures

9. 비 고 Remarks

본 신청인은 이 신청금액이 다만 상기사고로 인하여 야기된 손해와 상해에 대한것이고 상기 기재 사항은 조금도 틀림없이 정확하고 진실임을 선언함.

I declare that the amount of this claim covers only damage and injuries caused by the accdent or incident described and that the foregoing statement is true and correct in every particular.

위- 신청인_____ 인
The claimant   Do-jang

증 명 Certificate
상기 번역은 정확함을 증명함
Certificated true translation: 서 명   일자
Signature   Date
성명 과 직책
Name and Title

신청서를 제출하는데 있어서의주의

1. 신청서는 신청인의 주소지 거주지 또는 사고발생지를 관할하는 본부 심의회 및 그 지구 심의회에 제출하여야함
2. 대리인에 의하여 신청을 할때는 위임장을 첨부할것
3. 신청서에는 아래표에 해당하는 서류와 주민등록증 호적등본 및 사고발생증명을 첨부할것
4. 신청인이 피해자가 아닐때는 반드시 신청할 권리 있음을 증명하는 서류등을 첨부하여야함
5. 필요하면 추가용지를 사용할것

배상종류	신 청 원 인	첨 부 서 류
요 양 배 상	부상또는이병되어요양의 비용을 청구하는것	1. 의사의 증명서 또는 진단서 2. 요양비 청구서 또는 영수증
휴 업 배 상	요양으로인하여수입액에손실이 있었을때 청구하는것	1. 세무서장의 수입액 증명서 2. 구청장 시장 군수 또는 피해자의 근무처의장의 증명서 3. 기타 필요한 서류
상 해 배 상	치료를 완료한후의 신체장해로 노동력의 감소또는 손실이 있을때	1. 신체장해의 종류를 기입한 의사의 증명서 2. 수입액 증명서 3. 기타 필요한 서류
유족 배상 및 장 례 비	생명을 잃었을때	1. 사망진단서 2. 수입액 증명서 3. 장례비 증명서
재산손해	부동산 또는 동산에 손해를 입었을때	1. 수리견적서 영수증 내역서 2. 수리불가능일때는 수리불가능 증명과 피해재산의 피해전후의 시가증명서 3. 피해재산의 사진
기타 손해	상기 이외의 손해	손해의 내용을 명백히 하는 서류

92

군대지위협정 ●● 초에 의한 손해배상신청용지 및 ●● 생증명서

CLAIMS NOTICE/INCIDENT CERTIFICATE UNDER ARTICLE XXIII, STATUS OF FORCES AGREEMENT

정리번호: **한국축** (ROK) _____	일자:
File No. **미국축** (US) _____	Date

수신: **주한미군 소청사무소 소장 귀하**	발신: **배상심의회 위원장**
TO: Chief, U.S. Armed Forces Claims Service, Korea APO 96301	FROM: Chief, _____ Committee

1. 본 사무소에서 하기의 신청을 수리하였음을 통지하는 바 입니다.

Notification is given that the following claim has been received by this office.

가. 신청인, 피해자의 성명: 주:	타. 신청급액:
a. Name of Claimant/Injured Person:	d. Amount of Claim
	요양 배상: Medical Treatment — 원 Won
	휴업 배상: Loss of Income — 원 Won
	장해 배상: Physical Handicap — 원 Won
나. 주소:	유족 배상: Bereaved Family — 원 Won
b. Address:	장례비: Funeral Rites — 원 Won
	위자료: Pain and Suffering — 원 Won
다. 신청제출일자:	재산손해 배상: Property Damage — 원 Won
c. Date Claim Presented:	합 계: Total _____ 원 Won

2. 본 신청은 하기 사고로 인한 것임.

The claim is said to have arisen from the following incident.

가. 장소:
a. Place

나. 사고유형 (교통, 폭행 등):	다. 일자:
b. Type (Traffic, Assault, etc.)	c. Date

마. 관련된 미국인 또는 부대명:
d. U.S. Persons and/or Units Involved

성명: Name	계급: Grade	부대: Unit

마. 증인 e. Witnesses:

성명: Name:	주소: Address:
성명: Name:	주소: Address:

93

양식	번역관	주한미군 소청사무소,
Form 2	Translated by _____	, USAFCSK, _____

3. 사건의 내용: ●● ●●
   Description of Incident:

4. 제 6란을 기재하신 후 본 사무소로 회송해 주시기 바랍니다.
   It is requested that Block 6 be completed and returned to this office.

5. 참고 사항: Remarks and Inclosures:

| 성명과 직책: Name and Title: | 서 명: |
| 위원장명에 의하여 감사 | Signature: |

6. 제1란 가, 2란 가, 나, 다, 라 및 제 3란의 내용을 다음것을 제외하고는 확인합니다.
   (라 제외에대한 이유를 기재할것)
   The information in Blocks 1a, 2a, b, c, d, and 3 is confirmed with the following exceptions (Reasons for each exception will be listed).

성명 (타자로):	계급:	기관명:
Typed Name:	Grade:	Organization:
		주한미군 소청사무소 군우 96301
		U.S. Armed Forces Claims Service, Korea
		APO 96301
서 명:		
Signature:		일자:
		Date

양식
Form 2

94

군대지위협정 제23조에 의한

공무상, 외 및 책임의 비율 증명서

CERTIFICATE OF SCOPE OF EMPLOYMENT AND DEGREE OF FAULT

UNDER

ARTICLE XXIII, STATUS OF FORCES AGREEMENT

정리번호:	한국측 (ROK)
File No.	미국측 (US)

---

1. 신청인 성명:
   Claimant:

---

2. 사건 발생일:

   Date of Incident:

---

3. 가. 합중국 군대 (해당란에 가위표를 할것)
   a. U.S. Armed Forces (Check applicable block)

□ 합중국 군대의 구성원 또는 군속
(미군에 증원된 한국군 (카투사)를 포함함)
Member(s) or U.S. Employee(s) of U.S. Armed Forces (including KATUSA)

□ 합중국 군대의 한국신 피고용자
(한국 노무단을 포함함)
Korean National Employee(s) of U.S. Armed Forces (including KSC)

□ 합중국 군대
U.S. Armed Forces

□ 합중국 군대의 제3국인 피고용자
Other National Civilian Employee(s) of U.S. Armed Forces

나. 대한민국 국군 (해당란에 가위표를 할것)
   b. ROK Armed Forces (Check applicable block)

□ 대한민국 국군의 구성원
Member(s) of ROK Armed Forces

□ 대한민국 국군의 피고용자
Employee(s) of ROK Armed Forces

□ 대한민국 국군
ROK Armed Forces

다. 한미 합동
   c. Joint ROK-US

□

---

4. 가해자는 사건발생 당시에 공무수행 중이었었다 (해당란에 가위표를 할것).
   Offender was acting in the performance of official duty at the time of accident or incident (Check applicable block).

□ 여 (Yes)   □ 부 (No)

---

95 양 식
   Form 3

1

5. 책 임: 신청인의 손해는 하기와 여이 발생하였음 (해당란에 가위표를 할것).
   Liability: Claimant's damages were caused by: (Check applicable block)

가. 대한민국을 위하여 a. For the Republic of Korea	나. 합중국을 위하여 b. For the United States
☐ 미국측 당사자의 전면적인 작위 또는 부작위에 의함. Wholly by act or omission of U.S. party.	☐ 미국측 당사자의 전면적인 작위 또는 부작위에 의함. Wholly by act or omission of U.S. party.
☐ 미국측 당사자의 작위 또는 부작위에 의한것이 아님. By no act or omission of U.S. party.	☐ 미국측 당사자의 작위 또는 부작위에 의한것이 아님. By no act or omission of U.S. party.
☐ 미국측 당사자와 타인의 상호과실에 의함. By mutual fault of U.S. party and another.	☐ 미국측 당사자와 타인의 상호과실에 의함. By mutual fault of U.S. party and another.
미국측 당사자의 과실:　　　　％ U.S. party's fault:	미국측 당사자의 과실:　　　　％ U.S. party's fault:
피해자측 당사자의 과실:　　　％ Injured party's fault:	피해자측 당사자의 과실:　　　％ Injured party's fault:
상기 외의자의 과실:　　　　％ Fault of another:	상기 외의자의 과실:　　　　％ Fault of another:
대한민국을 위하여 For the Republic of Korea:	합중국을 위하여 For the United States:
서 명: Signature:	서 명: Signature:
성 명: Name:	성명과 계급: Name and Grade:
(직 책) (Title)	주한미군 소청사무소 소장 Chief, USAFCSK
일 자: Date:	일 자: Date:

양 식
Form 3

96

2

군대지위협정 제 23조에 의한

배상금 지급 또는 기각 및 분담한 통지서

NOTICE OF DECISION AND PROPOSED DISTRIBUTION
UNDER
ARTICLE XXIII, STATUS OF FORCES AGREEMENT

주한미군 소청사무소 소장 귀하
군우 96301
 	
TO: Chief, U.S. Armed Forces Claims
  Service, Korea
  : APO 96301
	일자:
	Date
	
	정리번호: 한국측 (ROK)
	File No. :
	  미국측 (US)

1. 신청인 성명:

   Claimant:

2. 사건발생일:

   Date of Incident:

3. 배상액:

   Amount of Compensation:

내역

BREAKDOWN

요양 배상 Medical Treatment:———— Won	원	유족 배상 Bereaved Family:———— Won	원
휴업 배상 Loss of Income:———— Won	원	장례비 Funeral Rites:———— Won	원
장해 배상 Physical Handicap:———— Won	원	위자료 Pain and Suffering:———— Won	원
재산손해 배상 Property Damage:———— Won	원		

종액 원

Total: ———————— Won

양식

Form 4

1

4. 배상액의 분담율:
   Distribution of Award:

   배상제안액을 신청인이 수락한다면 분담율은 하기와 같음.
   If amount of compensation offered is accepted by claimant the distribution will be as follows:

   한국측 (ROK) _____ %   미국측 (US) _____ %

   미국측 변상금액: 원
   Amount of payment due from the United States is: ——————————— Won

5. 결정 이유:
   Basis for Decision:

6. 증 거:
   Evidence:

7. 비 고:
   Remarks:

대한민국을 위하여: For the Republic of Korea :	합중국을 위하여: For the United States:
서 명: Signature _____	서 명: Signature _____
성 명: Name: _____	성 명과 계급: Name and Grade: _____
(직 책) (Title) _____	주한미군 소청사무소 소장 Chief, USAFCSK _____ 일 자: Date _____

양 식
Form 4

2

98

군대지위협정 제23조에 의한

법원명령에 다다른 지급통보서 및 분담안

PAYMENT STATEMENT AND PROPOSED DISTRIBUTION RESULTING FROM COURT ORDER
UNDER
ARTICLE XXIII, STATUS OF FORCES AGREEMENT

지급통보서 번호: Payment Statement No.	일자: Date
정리번호: File No.	한국측 (ROK) _____ 미국측 (US) _____

1. 신청인 성명:
   Name of Claimant :

2. 배상심의회에 의한 결정 (해당란에 가위표를 할것).
   Decision by Compensation Committee (Check applicable block).

   ☐ 기 각
       Disallowed

   ☐ _____ 원 제안
       Offered   Won

3. 사건발생일:
   Date of Incident:

4. 신청제출일:
   Date Claim Presented:

5. 소제기일자:
   Date Action Instituted:

6. 법원 사건번호:
   Action Number:

7. 판결 법원:
   Tribunal:

8. 판결 금액:
   Amount Adjudged:

9. 상소 진행 Appellate Process:

가. 만일 상소가 제기되지 않았으면 이곳에 가위표를 할것. ☐
a. If no appeal whatsoever was submitted, place X here.

나. _____년_____월_____일에 고등법원에 항소를 제기함.
b. Appealed to Appeals Court on _____.

다. _____년_____월_____일에 대법원에 상고를 제기함.
c. Appealed to Supreme Court on _____.

라. 상고를 제기하지 않음.
b. No Appeal Submitted. ☐

10. 판결이유의 개요:
    Brief Description of Judgment:

양식
Form 5

99

1

| 11. 배상금 지급당구:
 Authority Making Payment: | 12. 지급일:
 Date of Payment: |

13. 분담율:
 Distribution :

가. 한국측 a. ROK Share 25%	합중국측 U.S. Share 75%	나. 한국측 b. ROK Share	합중국측 U.S. Share
원 (Won)	원 (Won)	원 (Won)	원 (Won)

대한민국을 위하여: For the Republic of Korea:	합중국을 위하여: For the United States:
서명: Signature:	서명: Signature:
성명: Name:	성명과 계급: Name and Grade:
(직책) (Title)	주한미군 소청사무소 소장 Chief, USAFCSK
:	일자: Date,

14. 별지
 Inclosure:

1. 영수증 또는 판결 집행문
 Receipt or Proof of Execution of Judgement

양식
 Form 5

100

2

SOFA 한·미국 합동위원회 SOFA-한.미국합동위원회 청구권 분과위원회, 1967-75 111

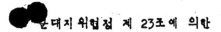

군대지위협정 제 23조에 의한

궁무외 손해배상신청에 관한 사정서 및 위자료지불 보고서

ASSESSMENT FOR NON-OFFICIAL DUTY CLAIM AND EX-GRATIA PAYMENT REPORT
UNDER
ARTICLE XXIII, STATUS OF FORCES AGREEMENT

	일자: Date
	정리번호: 한국측 (ROK) File No. ───────── 미국측 (US) ─────────
1. 신청인 성명: Name of Claimant :	2. 배상심의회: Compensation Committee :
3. 사건발생일: Date of Incident :	4. 신청제출일: Date Claim Presented :
5. 사정금액: Amount of Assessment :	5(가). 신청금액: 5 (a). Amount of Claim :

6. 사정이유:
Basis for Assessment :

7. 증거 (첨부서류 참조):
Evidence (Refer to Inclosure) :

8. 비고:
Remarks:

9. 증명: 서 명:
Certification :   Signature ─────────

                                     성명 및 직책:
                                     Name and Title ─────────

양식
Form 6

1

위자료 지불 보고서
EX-GRATIA PAYMENT REPORT

일자 :

Date _____

1. 제안 금액: Amount Offered:	2. 제안 일자: Date Offered :	3. 수락 일자: Date Accepted :

4. 비 고 (사정과 결정간에 상위가 있으면 설명하시오):

Remarks (Explain variance between assessment and settlement):

5. 합중국을 위하여:
For the United States:

대외소청 위원회 번호: Foreign Claims Commission Number:	타자기로 기입된 성명과 계급: Typed Name and Grade:	서 명: Signature :

주 : 위자료의 지불이 기각되었을때는 본 양식의 첨부문도서 신청인에게 발송한
용지서의 사본 한통을 대한민국 법무부에 송부할것.

Note: When Ex-Gratia Payment is disapproved, one copy of letter to
claimant will be furnished to Ministry of Justice, Republic
of Korea, as an inclosure to this form.

첨부 :   기각된 경우에 있어서
신청인에게 발송한 용지서 (사본)

Inclosure: Letter to Claimant in
Disapproval Cases (Duplicate Copy)

양 식
Form 6

(02

2

TO: _____ 귀하

일자 Date:	
정리번호: File No.	한국측 (ROK) _____ 미국측 (US) _____

동 의 서

LETTER OF AGREEMENT

19____년____월____일_____에서 발생한 사고로, 군대지위협정 제23조의 규정에 의해 배상신청을 한바, 그 사고로 인한 모든 손해에 대한 배상신청의 최종적 해결로서 결정된 하기 배상금액을 수령할것에 본인은 동의합니다. 또한 본인은 하기 금액을 수령한 후 어떠한 이유이든 금후 본 사고로 인한 손해에 대한 신청을 하지 않겠음을 선언합니다.

I hereby agree to accept the amount of compensation for damages mentioned below, for which compensation has been made under the provision of Article XXIII of the Status of Forces Agreement, in full settlement of all claims arising out of the incident which occurred on _____, 19___ at _____.

I further declare that upon acceptance of the stated amount I will under no circumstances make any other claim for damages arising from this incident.

배상총액
Total Amount of Compensation: _____ 원 Won

내 역 BREAKDOWN

요양비 배상 Medical Treatment:	원 Won	휴업 배상 Loss of Income:	원 Won
신체상 장해배상 Physical Handicap:	원 Won	유족 배상 Bereaved Family:	원 Won
장례비 배상 Funeral Rites:	원 Won	위자료 배상 Pain and Suffering:	원 Won
재산피해 배상 Property Damage:	원 Won		

서 명
Signed by: _____
신청인 Claimant

주 소
Address: _____

본 사본은 정확함을 증명함.
Certified as a true copy.

증명자 서명
Certified by: _____

103 양식
Form 7

114 주한미군지위협정(SOFA) 민·형사재판권 분과위원회

일 자 Date:	
정리번호: 한구측(ROK) File No. 미국측(US)	
법원사건번호: Action No.	

영 수 증

R-E-C-E-I-P-T

군대지위협정 제 23조에 의하여_____년_____월____일에 제출한

제출한 배상신청에 대한 일체의 손해배상금으로_____원을 영수함.

Received in amount of_____Won as compensation

for all damages, for which claim dated_____was filed

by me, in accordance with Article XXIII, Status of Forces Agreement.

서 명   주 소

Signed by: _____   Address:

신청인 또는 대리인

Claimant or
Authorized Representative

_____

본 사본이 정확함을 증명함.

Certified as a true copy.

증명자

Certified by: _____

관직명

Title:

양식

Form 8

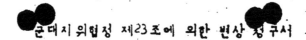

군대지위협정 제23조에 의한 변상 청구서

REIMBURSEMENT REQUEST
UNDER
ARTICLE XXII, STATUS OF FORCES AGREEMENT

주한 미군 소청 사무소 귀하 TO: Chief U.S. Armed Forces Claims Service, Korea	일자 Date:
	청구번호 Request No.
청구금액 Amount Requested:	손해배상 신청 건수 Number of Individual Claims:

증명
Certificate:

청부된 변상청구를 위한 손해배상 신청 일람표에 기재된 손해배상 신청은 군대지위협정 제23조에 규정된 바와 같이 대한민국 국군의 행위에서 야기된 손해배상 신청에 관한 대한민국 법령에 따라 대한민국 정부에서 해결되었으며 이 지불금액은 정확히 기재되어 대한민국 정부에 의하여 실제로 지불되었음과 동시에 대한민국의 국군의 구성원 및 이외 고용원이 공무집행중에 인신상해, 사망 및 재산손해를 입었을시 법정으로 지불되는 금액을 초과하지 아니하였음을 증명함.

I certify that the claims listed in the attached Request List of Claims have been settled by the Government of the Republic of Korea in accordance with the laws and regulations of the Republic of Korea with respect to claims arising from the activities of its Armed Forces as provided in Article XXIII of the Status of Forces Agreement, that the amounts paid are correctly shown, were actually made by the Government of the Republic of Korea, and are not in excess of amounts that could legally have been paid, had the personal injury, death or property damage been caused by a member or an employee of the Armed Forces of the Republic of Korea in performance of official duties.

대한민국 정부를 위하여
For Republic of Korea

성명 및 관직 Name and Official Capacity:	서명 Signature:
별첨 Inclosure:	변상청구를 위한 손해배상 신청 일람표 Request List of Claims

105 양식
FORM 9

청구 번호
Request No.: _____

배상청구를 위한 배상사정 일람표
REQUEST LIST OF CLAIMS

번호 Line	배상금 지급의 방법 The Method of Payment of Compensation		정리 번호 File Number		신청인 Claimant	사건 발생일 Date of Incident	한국측 지불금액 Amount Paid by Republic of Korea		미국측 부담 U.S. Share
	합의 Awarded	판정 Adjudged	한국측 R.O.K.	미국측 U.S.			일자 Date	금액 Amount	

양식 10
Form 10

(90)

제 23 조 청구권 해결

미국 군대의 구성원 및 고용원이 한국 민간인에게 손해를 이르킨 경우의 청구권 해결 절차는 다음과 갇다.

1. 피청구 대상자

    손해배상의 피청구 대상자는 미국 군대의 구성원, 고용원 (한국인 포함), 및 카유사 임.

2. 공무 집행중에 입어난 손해에 대한 배상절차 (제23조 5항)

    가. 피해자는 손해배상 청구서를 법무부의 국가 배상심의 위원회에 제출하여 (제 23조 5의 가. 및 다. 항. 제 23조 5, 6 및 7항의 시행절차 가항). 민사소송을 제기할수도 있다.

    나. 피해자가 국가 배상법의 위원회에 청구를 제기한 때에는 동 위원회는 배상 책임의 소재와 배상금 액을 미 당국과의 합의로 결정하여 이에 대한 피해자의 동의를 구한다.

    다. 국가 배상 심의위원회에 의하거나 또는 재판에 의하여 배상금이 결정되면 한국 정부는 우선 배상금을 피해자에게 지불하고 이에 소요된 비용을 미 당국으로 부터 변상 받는다.

    마. 한국 정부가 지불한 금액은 (1) 미국만이 책임이 있는 경우에는 재정 또는 재판에 의하여 결정된 금액의 25%를 한국이, 75%를 미국이 각각 분담하며, (2) 양국이 공동으로 책임이

107

있거나 책임 소재가 ~~불명확~~ 불명할 경우 에는 이를 양 정부 가 균등이
분담하며, (3) 매 6개월마다 미국은 한국 정부 가 지불한
배상금중 에서 미국의 분담액을 한국 정부 에 변상 한다.

마. 미국 군대의 구성원이나 고용원은 그들 에 대하여 행하여진
판결의 집행 절차에 따르지 아니한다.

바. 피청구 대상자는 미국군대비 구성원(카투사포함)과 고용원(한국인 도포) 인.

3. 비 공무중 발생된 손해에 대한 배상 절차 (제 23조 6항)

가. 피해자는 손해배상 청구서를 국가 배상 심의위원회에 제출
(제 23조 5, 6 및 7항의 시행절차 가항)하거나 민사
소송을 제기한다.

나. 국가 배상 심의위원회는 청구를 심사하고 청구인에 대한
배상금을 사정하여 미 당국에 통고한다.

다. 미 당국은 배상금의 지급 여부와 그 금액을 협정하며, 피해자
에게 제의한다.

마. 피해자가 이 제의를 수락할 경우, 미 당국은 배상금을
피해자에게 직접 지불하고 그 내용을 한국 당국 에 통고한다.

마. 피해자가 미 당국의 결정에 만족할수 없을 때에는 피해자는
민사소송을 한국 법원에 제기할수 있다.

바. 미군 차량의 무어가 사용으로 발생하는 청구권은 전기 비 공무
중 발생된 손해에 대한 배상절차에 따라 해결한다. (제 23조
7항)

사. 피청구 대상자는 미국군대비 구성원(카투사 도함)
와 고용원(한국인 제외) 인.

108

4. 기약상의 청구권 해결 절차 (제 23조 10항)

 가. 미국의 물자 및 용역의 조달 또는 공급에 관련된 기약에서 발생하는 분쟁은 합동위원회에 회부할수 있다.

 나. 이 규정은 기약당사자가 가지는 민사소송을 제기하는 권리를 침해하지 아니한다.

5. 공무 집행 여부의 결정 (제 23조 8항)

 공무 집행중의 행위인가의 여부 또는 차량 사용이 허가 없는 사용이냐의 여부에 관하여 분쟁이 일어나면 제 23조 2항에 규정된 한국인 중재인에게 그 결정을 의뢰하며, 이 경우 중재인의 결정은 최종적인 것이다. (제 23조 2항에 기한 한국인 중재인은 당분간 임명하지 않기로 한. 미간에 합의 되었음.)

6. ~~국내~~ 참고 ~~법규~~ 사항

 ~~가. 민사특례법~~

 ~~나. 국가배상법~~

 가. 피해자는 공무집행중 및 비공무집행중 받는 손해에 대하여 ~~민사특례법에 따라~~ ~~~~ 국가배상법의 적용을 받게 되므로 국가배상심의위원회에 배상청구를 하여 그 결정에 불복하는 경우에 ~~한국법의~~ 민사소송을 제기할수 있게 힘~~는 것임~~. 도는 배상청구제기후 3개월이 지난후에야

 나. 비공무집행중 받는 손해에 대하여 민사소송을 제기하는 경우에는 한미간이 이에 대한 절차생의 합의가 상호까지 이룩되어지지 않어 실효성이 없음.

109

청구권 신청 절차

1. 주한미군의 불법한 작위 또는 부작위에 의한 행위로서 공무
    집행중에 행하여진 것이 아닌 것으로부터 발생한 손실에 대한
    청구권은,

    첫째 :   한국 당국이 국가 배상법과 민사 특례법에 따라
              배상금을 사정하여 미군 당국에 송부하고,

    둘째 :   미군 당국은 보상금의 지급 여부와 보상금액을 결정
              하여 청구인과 한국 당국에 통고하며, (미국 정부에서
              한국인에게 보상하는 것은 확실하나 미국 정부가 미군
              개인에게 구상하는지의 여부는 불명)

    셋째 :   미군 당국의 보상금 지급 제의에 대하여 만족하지
              못하는 경우에는 청구인은 한국 법원에 정식으로 민사
              소송을 제기하여 해결하게 됨. (개인을 상대로 민사
              소송 제기)

2. 주한미군을 상대로 하는 민사재판을 제기함에 있어서는 상금까지
    미군 지위협정 제23조 9항의 시행에 관한 절차에 관하여 한.미
    간에 합의를 보지 못하고 있는 관계로 실효성이 없으나, 기지촌
    주민들은 현지 미군 당국의 협력에 호소하면서 한국 법원에 민사
    소송을 제기하고 있는 실정임.

110

3. 피청구인인 미군이 본국 정부로 전출되어 한국에 부재중인 경우
    에는 민법상 소송이 불가능한 실정임.

한밤의 난동 1시간30분

平澤 흑인 병사 100명「차별」불만

71. 7. 10 서울

백인 홀 돌아가며 습격

2천 주민과 충돌, 1백명 부상

釜山선 칼부림 소동…백인병사 숨져

흑인병사들의 난동에 격분한 안정리 주민 7백여명이 10일 규탄데모를 벌였다.

[平澤] 9일밤 9시30분쯤 경기도 평택군 팽성면 안정리캠프·험프리즈소속 흑인병사 1백여명이 백인들이 많이 출입하는「미미스」「킹」「드리」등「세븐클럽」에서「반드」와「손님」등 백인(白人)을 상대로 난동을 일으켜 백인병사들과 한국인들이 인종차별한다는 데에 흑인병사들이「난동」기롤····

1971. 7. 10 서울신문

112

홀 넷부수고 50명에 칼·몽둥이질

71.7.10 동아

千여住民과 投石戰

─ 평택 美基地村

白人에 둘맞고 韓人에도 트집··流血·恐怖 二시간

亂動규탄 데모

二千住民

二千住民 談過들고 解散

흑인사병들의 난동으로 박살난 터피스홀의 안팎 모습(위)과 흑인사병들의 난동에 항의, 데모행진을 벌이고 있는 시민들을 경찰이 제지를 하고있다.

☞ 1971. 7. 10 동아일보

裁判權행사 여부
現地報告 검토키
서울地檢

113

基地村의 黑白紛糾

—— 平沢乱動事件의 앞뒤

71. 7. /1. 조선

現場目撃

「劣等感」을 엉뚱하게
韓国人에게 화풀이

행패 참다못해「反美아닌 규탄데모」住民들

1971. 7. 11 조선일보

114

美兵들의 集団乱動을 抗議한다

71. 7. 11 조선

9일밤 京畿道 平沢에서 일어난 一団의 美軍兵士들의 乱動사건은 近来에 보기드문 衝撃的인 不祥事라 아니할수 없다. 報道에 따르면 이날저녁 平沢郡彭城面 安亭里 K-6 基地村에 자리한 美제23直接支援団司令部소속 黑人士兵 1백여명이 白人兵士와의 是非끝에 급기야 黑白 人種간의 패싸움으로 번져 韓国人経営의 白人専用遊興場들을 닥치는대로 습격하면서 器物을 파괴했을뿐 아니라 그들의 갑부림과 集団行悖로 従業員을 포함한 住民 90여명이 負傷 했다는 것이다. 이에 激憤한 1천여 住民들이 投石戦을 벌여 流血騷動이 빚어지는 통에 그일대가 한때 恐怖와 無法의 거리로 化했다하니 실로 기가 차다. 더우기 문제의 黑人兵들은 白人兵들의 人種差別에 대한 不満을 엉뚱하게도 韓国人에게 까지 돌려 集団暴行을 加했다는것은 단순히 빗나간 욕구불만의 過熱현상으로만 보아넘길수가 없다. 美軍基地村周辺에 이같은 不祥事가 처음있는 것은 물론 아니다. 지난 4월13일에도 같은 平沢基地村에서 1백여명의黑人兵들이 여러패로 떼를 지어다니며 술집 네곳에 휘발유병을 던져 불을지르고 몽둥이를 휘둘러 白人兵士및 慰安婦 10여명에게 重傷을 입혔으며 지난해 5월31일엔 汶山에서 30여명의 黑人兵과 住民2백여명이 投石戦을 벌인일도 있었다. 이밖에 東豆川夫婦殺害, 梨泰院 韓国青年狙銃射殺, 安養民家放火, 富平 카투사와의 衝突사건등 美兵에의한 殺傷및 暴行사건은 続起돼 왔으며 黑白간의 패싸움은 더욱 頻繁하게 일어나고 있었던 실정이다.

二

白人과 黑人간의 이른바 人種紛糾 문제는 오늘날 美合衆国이 안고있는 커다란 苦悶거리의 하나이자 또 그나라의 最大国内문제인 것을 우리는 잘 알고 있다. 따라서 우리는 아주 민망한 現実이라고 同情은 할망정, 美国의 黑白問題 자체에 介入할 処地는 아니다. 그들 国内問題인 黑白問題를 떠나 오직 세계에서 으뜸가는 民主法治国家의 規律있는 美国의 軍隊가 友邦의 安全을 돕겠다는 海外駐屯의 目的을 逸脱하여 駐屯地国民의 生命、財産을 위협한다거나 治安을 紊乱케하는 따위의 理性잃은 乱動을 저질렀다는데에 憤激하는것이며 被害를 입은 主権国家 国民의立場에서 厳重히 抗議하고자 하는 것이다. 물론 美軍将兵 역시 人間이기에, 그리고 멀리 집을떠나 異域兵舍에서 単調로운 생활을 하고있는 젊은이들이 그들 全員에게 모범적인 紳士가 될것을 期待하고 있진않다. 때로는 飲酒끝에 脱線하기도 쉬운일임을 너그러이 理解할 수는있다. 하지만 그度가 지나쳐 集団乱動이나 破壊行為로까지 번지고 누적됨으로써 우리 住民들의 国民感情을 刺戟하게될경우 韓美両国을 위해 몹시 不幸한 事態를 招来할지도 모른다는것을 銘念해야 할것이다. 敢一言하고 美軍当局은 이와같은 軍紀紊乱을 절대로 앞으로는 되풀이하지않게 隷下将兵을 철저히 団束해주어야 할것을 우리는 強力히 要求하는 것이며, 그러기 위해서도 이번의 乱動事件責任者를 厳断해주기 바란다. 同時에 우리 法務당국은 韓美行協에 의한 裁判権行使問題와 被害補償問題에 관해서 国民이 納得할만한 措処를 취해줘야 할것이다.

1971. 7. 11 조선일보

115

2. 공무 , 1975

116

6 Dead in Phantom Crash

PUSAN—Six people, mostly employes of a printing factory here, were killed and six others were injured when a U.S. Air Force Phantom jet crashed into the factory compound yesterday evening.

Five other people were missing and were presumed to be buried in the debris of the factory building.

The dead included Mrs. Kim Chung-nyo, 34, a cook at the factory kitchen, and her two daughters aged four and two. The body of a middle-aged man was found about 250 meters away from the factory building after being shot up by the impact.

In Seoul, a spokesman for the U.S. Forces in Korea said the RF-40 reconnaissance version of Phantom was en route to Kadena Air Base, Okinawa, from Osan Air Base, Korea, when it crashed at 8:35 p.m.

The two crewmen aboard the aircraft parachuted to safety and were picked up by a rescue helicopter from Osan Air Base, the spokesman said.

"A board of qualified officers has been appointed to investigate the cause of the accident.

They were rushing to the scene of the accident," he added.

The U.S. plane hit the dormitory section of the Hankuk Gravia Vinyl Co. building in the Sasang Industrial complex in Pusanjin-ku. About 20 factory employes were taking supper in the dormitory room.

After hitting the building, the Phantom jet slid some 100 meters and stopped at an open space.

The crash set fire to the guards room, dormitory section, kitchen and the bathroom of the factory building. Six male employes were injured in the initial impact and the subsequent fire. They were taken to the Pusan University Hospital.

Police, homeland reserve force members and neighbors rushed to the scene and picked up the victims from the debris.

But police kept people away from the aircraft for fear of explosion.

1975. 5. 16
Korea Times

美軍 팬텀機 工場기숙사에 추락

釜山 死亡6·실종5·중상5명

'75. 5. 16. 조선

TV보던 一家 날벼락

조종사 2명 탈출 세母女 참사… 건물 흔적도 없어

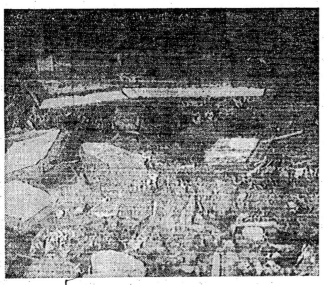

◁박살난 공장기숙사와 팬텀기의 잔해.【釜山發】

【釜山】훈련비행중이던 美軍機 팬텀기 1대가 15일 오후 7시 40분쯤 釜山市釜山鎭區 ○○洞568 韓國우라비안工業社(대표 文泰鉉)기숙사에 떨어져 TV를보며 저녁식사를 하던 기숙사주방 종업원 宋東今씨(34·여)등 6명이 죽고 공원 전봉순씨(21)등 5명이 실종됐으며 수위 전용배씨(47)등 5명이 중상을 입었다. 자세한 사고원인은 밝혀지지않았으며 사상자는 늘어날것 같다.

이 사고로 건평 1백여평의 2층슬라브단층짜리 기숙사와 식당은 흔적도없이 사라졌고 당은 긴급출동한 소방대에의해 30여분만에 진화됐다.

이 기숙사엔 여자공원 20여명이 기숙하고있는 이 기숙사엔 여자공원 10여명이 박숙...

사고후 당국은 시민 접근을 막고 군복발을처리반등 軍·현장 경찰 수습을 하고있었다.

1975. 5. 16
조선일보

배상
23조 (청구권)에따라 처리된다. 청구는 韓國군대의 경우에 적용하는 韓國의 법률에따라 제기하고 심사하며 합의가 되거나 裁判에의해 결정되면 처리된다. 이 경우 韓美측은 美國측에 즉시 통고, 2개월이내에 회답이 없을때엔 수락한것으로 간주된다.

韓美측은 美國측에 즉시 통고...

責任소재따라 兩國서 분담
美측이 공무집행중 사고를 일으켜 빚어지는 손해에 대한 청구권은 韓美행정협정 제...

To Assess Compensation

USFK Team Probes Crash Site

The U.S. Forces Korea (USFK) has dispatched an investigation team to the site of Thursday's American jet crash to determine the extent of damage as well as casualties in preparation for compensation.

It disclosed yesterday that the American aircraft which crashed in Pusan Thursday was an RC4C, a reconnaissance plane of the Phantom type, and the two pilots aboard the craft parachuted to safety.

According to the Status of Forces Agreement (SOFA), the United States is obliged to compensate 75 per cent of damages and casualties stemming from accidents which occur during performance of duty by American military personnel while the Korean government assumes 25 per cent of the total compensation.

Meanwhile, a report from Pusan yesterday said that Gen. Richard G. Stilwell expressed condolences over the death of Koreans in the accident and promised adequate compensation. Gen. Stilwell inspected the accident site.

Eleven persons were killed and five others were seriously injured when an American aircraft crashed into the dormitory of a factory in Kwepok-tong on the northeastern outskirts of Pusan at around 7:40 p.m. Thursday.

The American plane was on its way from a Korean air base to Okinawa and was flying over Mulkom, Yangsan-gun, Kyongsang Namdo, when it apparently developed engine trouble.

The plane crashed on the site some 4 km south of the point over which the pilots abandoned the craft, the report said.

The one-story dormitory of the Hanguk Gravure Industrial Co. owned by Mun Su-hyon, 41, was razed, the report said.

Some 20 employes of the package printing plant were watching television in the dormitory when the American plane crashed into it, turning into a ball of flame, the report said.

The report quoted an accountant of the plant, Kim Pyong-tae, 25, who was at the office, as saying, "All of a sudden, there was a deafening noise outside and then the dormitory was nowhere with only smoke billowing up from the debris."

1975. 5. 17
Korea Herald

한·미 청구권 배상 절차   '75. 5. 19.

(한.미 합동위 제 62차 회의시 합의)

1. 공무 집행중 민간인에 입힌 피해에 대한 배상 심의는 국가
    배상법에 의거 처리하게 되어 있음. (결정 전치주의)

2. 이에 따른 청구 절차는 다음과 같음.

    가. 배상 신청인 주소지나 사고 발생지 관할 구역 지방
         검찰청에 배상 신청

    나. 검찰청내 배상 심의회에서 (전국에 9개 배상심의회)
         공무집행 여부, 과실 여부 및 배상 금액 결정 후
         법무부에 이송 (법무부장관이 최종 결정)

    다. 법무부에서 결정 사실을 미측에 통지

    바. 그간 미측에서는 소청사무소 (Claims Office)
         에서 별도 조사후 이의가 없으면 합의 서명

    마. 이의가 있는 경우는 한.미 양측 실무자 회의에서 ~~합의~~ 조정
         배상심의회에 반송하여 재심의를 요청할 수 있고
         하며, 동 회의에서 해결되지 않으면 법관을 중재인으로
         선정하여 사정 함.

(120)

바. 중재인 사정으로 해결되지 않으면 배상 신청 후 3개월이 경과한 경우에 한하여 본안 소송에 들어 감.

사. 배상액이 결정되면 법무부에서 지급하고 미측 분담금을 변상 청구 함.

12

기록물종류	문서-일반공문서철	등록번호	21001		등록일자	93-09-27
분류번호	729.413	국가코드			주제	
문서철명	SOFA 한.미국 합동위원회 민사재판권 (청구권) 분과위원회, 1982					
생산과	안보과	생산년도	1982 - 1982		보존기간	영구
담당과(그룹)	미주	안보	서가번호	--		
참조분류						
권차명						
내용목차						

마/이/크/로/필/름/사/항

촬영연도	*롤 번호	화일 번호	후레임 번호	도관함 번호

법 무 부

송무 818-2 - 14962   (720-2804)   1982. 7. 7.

수신 외무부 미주국 안보문제담당관

제목 업무 협조

한.미 합동위원회 한국측 교체대표 및 민사청구권 분과위원회 한국측
위원장인 당부 법무실장의 인적사항 및 경력을 별첨과 같이 송부 하오니
업무에 참고 하시기 바랍니다.

첨부: 법무부 법무실장 인적사항 및 경력 1부. 끝.

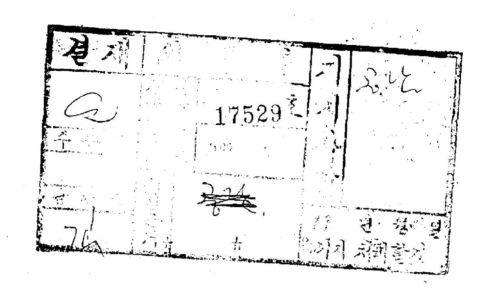

3

법 무 부 법 무 실 장
==

인 적 사 항 .

성   명 : 한 영 석 (Han Young Suk)

생 년 월 일 : ███████████████████████

본   적 : ███████████████████████

주   소 : ███████████████████████

경   력

1961. 3.25	서울 대학교 법과대학졸업
1961.10.10	제13회 고등고시 합격
1962. 2.26 – 65. 3.31	군 법무관
1966. 1. 1 – 66. 4. 3	변호사 개업
1966. 4. 4	광주지검 검사
1969. 7.18 –	부산지검 검사
1972. 8. 5	법무부 법무실 검사
77. 2.21	서울지검 검사
78. 2.11	법무부 법무과장
79. 3. 2	서울지검 영등포지청 부장검사
80. 8. 7	대검특별수사부 제2과장
81. 4. 27	서울지검 제2차장검사
81. 12. 17	법무부 송무담당관 (검사장)
82. 6. 18	법무부 법무실장 (")

4

기 안 용 지

분류기호 문서번호	미안 723-	(전화번호)		전결규정	조 창
				전결 사항	

처리기간		장 관
시행일자	1982. 8. 31.	
보존년한		

보 조 기 관	국 장	전결				협	
	과 장	수					
						조	
기안책임자	김영준	안 보 과				

경 유			발		동	
수 신	법무부 장관		30186		제	
참 조	법무실장, 검찰국장, 출입국관리국장					
재 목	SOFA 시행 현황 조사					

주둔군 지위협정 (SOFA) 시행과 관련 필요하오니 아래

사항에 대하여 구체적으로 통보하여 주시기 바랍니다.

- 아   래 -

		정서
1. SOFA 각분과위의 미결과제 (민사재판권 분과위 1건,		
형사 재판권 1건, 출입국 임시 분과위 2건) 처리현황		
[handwritten]		
2. ✓ 관할권별, 대상 자별(특히 한국계 미군), 범죄종별		관인
형사재판 관할권 행사통계		
3. 각 분과위의 SOFA 시행상 문제점. 끝.		발송

대 한 민 국
외 무 부

미안 723-   720-2239   198 2 . 8 . 31 .

수신 법무부 장관

참조 법무실장, 검찰국장, 출입국 관리국장

제목   SOFA 시행 현황 조사

주둔군 지위협정 (SOFA) 시행과 관련 필요하오니 아래 사항에
대하여 구체적으로 통보하여 주시기 바랍니다.

- 아   래 -

1. SOFA   각 분과위의 미결과제 (민사재판권 분과위 1건, 형사
    재판권 분과위 1건, 출입국 임서 분과위 2건) 처리현황.

2. 주둔군 지위협정 발효 이후 관할권별, 대상자별 (특히 한국군,미군),
    범죄종별 형사재판 관할권 행사동 계.

3. 각 분과위의 SOFA 시행상 문제점.   끝.

외   무   부   장

┌─────────────────────────────────────┐
│ ┌ 정부 공문서 규정 제27조 제2항의 규정 에의하여   │
│   미 주 국 장 김 석 규   전 결 │
└─────────────────────────────────────┘

6

법　무　부

송무 818.2 -　　　720-2804　　　　　1982.　9.　15

수신　외무부장관

참조　미주국장

제목　민사재판권 위원회 과제진행 상황

　　1.　미안 723 - 30186(82. 8. 31) SOFA시행현황조사와 관련입니다.

　　2.　미이 723 - 29262(68. 11. 8)로 민사재판권분과위원회에

부여된 과제 "민사재판 소송업무및 집행절차에 관한협정 제23조 규정 시행

절차"의 제정에 대한 한.미 양국간의 교섭경위와 교섭에서 합의된 사항 및

미합의된 사항을 별첨과 같이 통보합니다.

첨부 : 시행절차의 제정 교섭내용서　1부. 끝.

법　　무　　부　　장　　관

7

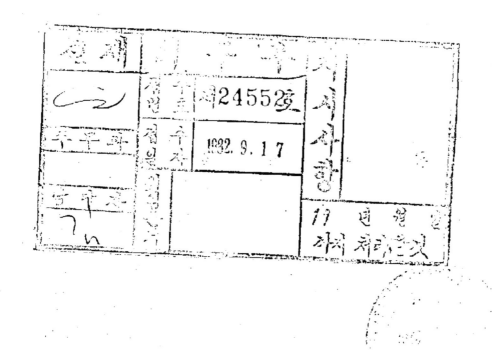

24552호

1932. 9. 17

8

군 대지위협정 제23조 9항 (가), (나)호
시행절차 제정 교섭 경위

9

1. 교섭 경위

   ○ 69. 11. 7 제32차 한·미합동위원회의에서 민사재판권분과위원회에
                시행절차제정에 대한 과제부여 (다측제의 과제).

   ○ 69. 1. 28 대법원행정처에 절차 협의에 따른 대표 선정 의뢰

   ○ 69. 2. 15 대법원측 대표 선정 법원행정처 특별과장 안보근

   ○ 69. 3. 14 시행절차에 관한 "법원측 안" 제서

   ○ 69. 8. 28 한·미 실무자회의 "법무부 송무과장실"

   ○ 69. 10   미측의 송달절차에 대한 "미측 안" 제시

   ○ 70. 5. 28 민사재판권 분과위원회 제3차 회의에서 동시행절차 제정
                을 위한 실무자회의 구성을 합의하고 양측 실무자 지정

                  한 국 측   미 국 측
          법 무 부 송무과장   주한미군배상사무소 소 장
                  송무과 검사   "   법률고문
          국 방 부 법무과장   "   ,   배상위원
          대 법 원 특별과장

   ○ 70. 6. 30 제1차 실무자회의 개최
                · 송달절차에 대한 "한국측 안"을 미측에 제시

   ○ 70. 11. 25 제3차 실무자회의에서 한국측 안을 기초로 토의 합의된
                부분은 조문화 하고 미합의된 부분은 계속 양측이 검토
                케로 합의

2. 합의된 사항

   (1) 합중국 사설 및 구역내에 거주하는자에 대한 소송서류의 송달은 합중
       국이 지정하는 연락사무소를 통하여 한다.

                                                              10

(2) 연락사무소는 송달서류를 신속한 방법으로 송달받을자에게 전달하여야 하며 송달기간은 21일로 한다.

(3) 연락사무소가 송달요청을 받은 날로 부터 송달기간내에 소장을 송달받을자에게 전달 할 수 없을때에는 송달기간의 연기를 요청 할 수 있다.

(4) 송달기간 또는 연기된 기간이 경과된 후 7일 이내에 대한민국 법원이 송달증명이나 송달불가능통지서를 접수 하지 못하였을때에는 기간만료일에 송달이 된것으로 간주한다.

(5) 송달서류중 소장은 송달받을자에게 전달되었을때 송달 효과가 발생하고 그 이외의 모든 서류는 연락사무소 또는 대리인에게 송달됨으로써 송달 효과가 발생한다.

(6) 합중국 시설 및 구역 밖에 있는 사유재산을 집행할때에는 국내법에 따라 직접 집행 할 수 있으나 합중국 시설 및 구역내에 있는 사유재산을 집행하고자 할 때에는 미리 연락사무소의 동의를 얻어야 집행 할 수 있다.

(7) 연락사무소는 대한민국 집행관리의 집행에 편익를 제공 하여야한다.

(8) 대한민국 법원은 비형사소송의 재판을 집행하기 위하여나 진술의 선서를 강요하기 위하여서나 를 막론하고 관계 미국 요원의 신체적 자유를 박탈 할 수 없다.

(9) 합중국 당국은 대한민국법원의 확정된 재판에 의한 채무를 정당한 채무로써 인정하며 그 변제를 위하여 협조한다.

//

3. 미합의된 사항

사 항	한 국 측	미 국 측
(1) 합중국시설 및 구역 밖에 거주하는 자에 대한 송달방법	연락사무소를 통하여도 할수 있고 법원에서 직접 송달할수도 있다.	연락사무소를 통하여 하여야 한다.
(2) 송달기간 연기 불허가시의 송달간주 여부	연락사무소의 소장에 대한 송달기간 연기신청에 대하여 법원의 연기불허가 통지가 있을때에는 그후 14일이 경과되면 송달된것으로 간주 한다.	소장은 반드시 송달받을자에게 전달되어야 송달효과가 발생한다.
(3) 공시송달의 인정 여부	일정한 경우 공시 송달을 할 수 있다.	합중국 당사자에 대하여는 공시나 공고를 통하여 송달 할수 없다.
(4) 집행보전처분의 인정 여부	채권의 집행보전을 위한 가압류 및 가처분의 집행은 일반판결의 집행에 준하여 집행한다.	합중국 당사자의 재산에 대한 가압류 및 가처분은 인정되지 않는다.
(5) 봉급청구권에 대한 강제집행의 인정 여부	합중국 당사자의 봉급 청구권은 법원의 강제집행명령의 대상이되고 그 집행에는 봉급사무취급자가 협조하여야 한다.	합중국 정부가 지불하는 봉급청구권은 법원의 집행명령의 대상이 되지 않는다.

* 70. 11. 25 이후는 본건에 대하여 논의가 없었음.

12

기안용지

분류기호 문서번호	미안 723-	(전화번호)	전결규정	조 항
			전결사항	

처리기간		장 관		
사행일자	1982. 9. 20.			
보존년한				

보 조 기 관	국 장	전결		협	
	과 장				
가 안 책 임 자	김영준	안 보 과		조	

경 유			발		봉	
수 신	법무부 장관				제	
참 조	법무실장		신 3273C			
제 목	민사재판권 분과위원회 과제처리					

대 : 송무 818.2-21116 (82. 9. 15.)

연 : 미안 723-30186 (82. 8. 31.)

68. 11. 7. 한.미주둔군 지위협정 (SOFA) 제 32차 합동위

회의에서 민사재판권 분과위에 부여된 대호 과제 ("민사재판 소송

업무 및 집행절차에 관한 협정 제 23조 규정 시행절차"의 제정)는

70. 11. 25. 이후 교섭 중단상태에 있는 바 ~~미측과 관속 합의하여~~

~~주시고 그 결과를 합동위에 건의하여주~~동 건 완결하여 주시기 바랍니다.

0201 - 1 - 8 A(갑)
1969. 11. 10. 승인

정직 질서 창조

190mm×268mm (2 급인쇄용지 60g/m²)
조 달 청(3,000,000매 인 쇄)

13

SOFA 한.미국 합동위원회 민사재판권 (청구권) 분과위원회, 1982 145

대 한 민 국
외 무 부

미안 723-   720-2239   198 2 . 9 . 21 .

수신 법무부 장관

참조 법무실장

제목 민사재판권 분과위원회 과제처리

          다 : 송무 818.2-21116 (82. 9. 15.)

          연 : 미안 723-30186 (82. 8. 31.)

    68. 11. 7. 한.미주둔군 지위협정 (SOFA) 제32차 합동위 외의 에서 민사재판권 분과위에 부여된 대요 과제 ("민사재판 소송업무 및 집행 절차에 관한 협정 제 23조 규정 시행절차"의 제정)는 70. 11. 25. 이후 교섭 중단상태에 있는바, 동건 완결을 위한 필요한 조치를 취하여 주시기 비랍니다.   끝.

외   무   부   장   관

14

1982年11月4日

大韓民国法務部訟務課長

　　申　鉉　武　貴下

　　　　　　　駐韓日本大使館
　　　　　　　防衛駐在官

　　　　　　　/等陸佐　織田基生

　　日本의 防衛行政에 있어서 損害賠償処理를 적정히 하고저 別紙事項에 関하여 調査하고 있으므로 支障없는 範囲内에서 回答하여 주시기 바랍니다.

　　　　　　　　　　記

　　質問事項（英文質問書添付）

（　82.11.4 다나까 武官書記官의 提出한 参考資料　）

15

Investigation into processing of claims Arising from Accident or Incident Caused by Armed Forces of the Sending Status in NATO Countries, etc.

1. This is to investigate actual states on the processing of the followings claims:

a. Claims arising out of acts or omissions of members or employees of the United States armed forces, including those employees who are nationals of or ordinarily resident in the Republic of Korea, done in the performance of official duty, or out of any other act, omission or occurrence for which the United States armed forces are legally responsible, and causing damage in the Republic of Korea to third Parties, other than the Government of the Republic of Korea. (Accidents caused in official duty)

b. Claims against members or employees of the United States armed forces arising out of tortious acts or omissions in the Republic of Korea not done in the performance of official duty. (Accidents caused in non-official-duty)

2. Matters to be investigated:

a. Obtaining of relevant laws and regulations (Only portions falling under the provisions of claims processing):

(1) Other international agreements and matters of agreement on claims made between the sending and receiving States, (except for "Agreement under Article IV of the Mutual Defense Treaty Between the United States of America and the Republic of Korea, Regarding Facilities and Areas and the Status of United States Armed Forces in the Republic of Korea.")

(2) Relevant laws and regulations as well as implementation instructions , etc., of the receiving State.

b. Actual status on processing of claims:

(1) Name of governmental agency in charge of claims (including related local bureaus or offices).

(2) Actual status on the claims processing. (To the extent possible of the investigation)

16

(a) In case of official duty.

    1 Administrative procedures stipulated from the occurrence of a mishap (including the obtaining of necessary information associated with the mishap) to the payment of compensation for the claims.

    2 Periods required for processing of claims. (Classification shall be made by such different periods as "Regular", "Maximum" and "Minimum", in the light of the actual results on the process of claims executed for two or three Years in the past.)

    3 In the payment of compensation to victims, are there such systems as advance payment, easy payment or loan and alike? (If any, details of the relevant system and the actual results thereof are requested.)

    4 Statistics of the number of accidents occurred and the amounts of compensation paid so far by year and by type. (For the statistics, it is requested to be divided into by each type, e.g. by sending state, traffic accident, aircraft accident, criminal case and accident arising from defect in the operation and maintenance of military facilities.)

    5 Handling of maritime claims.

(b) In case of non-official duty.

    1 Administrative procedures stipulated from the occurrence of a mishap (including the obtaining of necessary information associated with the mishap) to the payment of compensation for the claims.

    2 Periods required for processing of claims. (Classification shall be made by such different periods as "Regular", "Maximum" and "Minimum", based on the actual results on the process of claims executed for two or three years in the past.)

    3 In the event of payment of compensation to victims, are there such systems as easy payment and emergency payment, etc. in the sending state? (If any, details of the relevant system and the actual results thereof are requested.)

2

         <u>4</u> Are there any relief measures againest victims taken by the receiving State? (Providing such measures are in the receiving State, details of the measures and the actual results thereof are requested.)

         <u>5</u> Handling of accident or incident caused by an unknown person.

         <u>6</u> Statistics of the number of mishaps occurred and the amounts of compensation paid by year and by type. (e.g. by sending State, traffic accident, aircraft accident, criminal case, etc.)

        (c) If there are any claims matters whereby victims have so far filed lawsuits against the State, because of no settlement through the regular procedures for claims, details and handling of such claims cases are requested.

3. Target dates to be desired obtainning a result of envestigation:

    a. Request that relevant legislative documents and administrative procedures, etc. contained in paragraph 2a be provided at the earliest possible date.

    b. Request that data and information for actual status on the processing of claims referred to in paragraph 2b be provided at least by 30 November 1982.

3

別添. 3

(Reference)

Claims services involving the U.S. Forces in Japan:

Claim for damages of a person who has been damaged illegally by the United States Armed Forces etc. is dealt with in the following items:

(1) The accident occurred in the performance of the official duty:

Claims arising out of acts or omissions of members or employees of the United States armed forces done in the perfarmance of official duty, or out of any other act, omission or occurrence for which the United States armed forces are legally responsible, and causing damage in Japan to third parties, other than the Government of Japan, is dealt with in accordance with the laws and regulations of Japan with respect to claims arising from the activities of Self-Defense Forces, Japan (paragraph 5, Article XVIII of the Status of Forces Agreement).

The Law for Special Measures concerning Civil Cases to Implement Agreement under Article VI of the treaty of Mutual Cooperation and Security between Japan and the United States of America, regarding Facilities and Areas and the Status of United States Armed Forces in Japan (Law No. 121 in 1952, hereinafter referred to as Law for Special Measures concerning Civil Cases) is established as a supporting law of the provision of paragraph 5, Article XVIII of the Status of Forces Agreement.

The enforcement procedures etc. of the provisions are ordained by the Prime Minister's Office Ordinance concerning payments etc. of compensation to the victims etc. sustained damage through the activities etc. of the United States armed forces (The ordinance No. 42 of the Prime Minister's Ordinance in 1962.)

The criterion of payment of compensation is based on the regulation relevant to the compensation of damage involving the Self Defense Forces to be made by Defense Agency, which it is provided by Director General of Defense Agency (Minister of State for Defense), (the Cabinet decision, 23 June 1964).

.19

And the amount of compensation is distributed between Japan and the United States as follows:

Where the United States alone is responsible, the amount awarded or adjudged is distributed in the proportion of 25 percent chargeable to Japan and 75 percent chargeable to the United States. (Paragraph 5 (e(i)), Article XVIII, the Status of Forces Agreement)

(2) The accident not caused in the performance of official duty:

Claims against members or employees of the United States armed forces arising out of tortious acts or mission in Japan not done in the performance of official duty are dealt with in the following manner.

a. The Defense Facilities Administration Agency considers the claim and assesses compensation to the claimant in a fair and just manner, taking into account all the circumstances of the case, and prepares a report on the matter. The report is delivered to the appropriate United States authorities.

b. The appropriate United States authorities then decide whether they will offer an ex gratia payment, and if so, of what amount.

c. If an offer of ex gratia payment is made, and accepted by the claimant in full satisfaction of his claim, the United States authorities shall make the payment themselves.

The total amount of the ex gratia payment is borne by the United States. (paragraph 6, Article XVIII, the Status of Forces Agreement)

(3) Solatium:

In the case of the proximate damage is not redressed by the Law for Special Measures concerning Civil Cases, other Laws and Regulations (including Foreign Laws and Regulations) or the provision of paragraph 6, Article XVIII, the Status of Forces Agreement, when the state has admitted that the damage is in need of the redresser, the solatium for the damage may be paid. (the Cabinet decision, 23 June 1964)

2

20

(4) Specific maritime damage:

Claim for property damage arising in connection with a vessel is not dealt with by general principle of paragraph 5, Article XVIII, the status of Forces Agreement pursuant to the provision of paragraph 5(g), Article XVIII, the Status of Forces Agreement. Accordingly, in compliance with a request of mediation of the claim from the claimant, the mediation of the claim to the United States or the necessary assistance for the claimant's action against the United States is dealt with under the provisions of a law for special measures concerning specific maritime damage compensation claims (Law No. 199 in 1961)

However, according to the special circumstances of coastal fishery in Japan, small maritime claim is dealt with under the provisions of paragraph 5, Article XVIII, the Status of Forces Agreement. (agreeded by Japan-U.S. Joint Committee, 25 June 1952 & 7 September 1961)

(Notice)

The accident falling under the provisions of Article XVIII, the status of Forces Agreement, which was occurred in 1981, is showed as follows:

A. Total of Accident (recognized by this Agency) 2.433 (100%

    Breakdown:

        a. Traffic accident 83%

        b. Criminal case & aircraft crash etc. 17%

B. The amount of compensation paid to claims for damage of the accident occurred in the performance of official duty in 1981:

        Approximate amount   ¥306,850,000

C. The amount of compensation paid to claims for damage of the accident not caused in the performance of official duty in 1981:

        Approximate amount (all U.S. share)
                        ¥18,820,000

3

기 안 용 지

분류기호 문서번호	미안 723-	(전화번호)		전결규정	조 항
					전결사항

처리기간		장 관
시행일자	1982. 11. 15.	
보존년한		

보조기관	국 장 전결		협조
	과 장		
기안책임자	김영준 안보과		

경유		
수신	법무부 장관	신 1982. 11. 16 외무부 통제
참조	법무실장	
제목	주한미군 관련 손해 배상 처리 실태 조사	

일본대사관이 주한미군대 구성원 또는 고용원의 공무집행

중 또는 비공무집행중 대한민국 정부 이외의 제3자에 입으킨

손해에 대한 배상처리 실태 파악을 위해 아래와 같이 문의하여

왔는 바 이에 대한 국내 관계법규 및 시행령, 기타 처리 실태에

관하여 알려 주시기 바랍니다.

- 아   래 -

공무집행중의 합중국 군대의 구성원이나 고용원의

작위 또는 부작위, 또는 합중국 군대가 법률상 책임을지는

기타의 작위, 부작위 또는 사고로서 대한민국 안에서

대한민국 정부 이외의 제3자에 손해를 가한 것으로서

발생하는 청구권 (SOFA 제 23조 제 5항) 및 대한민국

| 정서 |
| 관인 |
| 발송 |

1205-25(2-1)A(갑)
1981. 12. 18 승인

정직 질서 창조

190㎜×268㎜(인쇄용지 2급 60g/㎡)
조 달 청 (0,000애 인 쇄)

22

안에서 불법한 작위 또는 부작위로서, 공무집행중 에

행하여진 것이 아닌것으로부터 발생한 미합중국 군대외

구성원 또는 고용원에 대한 청구권 (동조 제 6항) 처리

실태에 관하여,

1. 국내 관계법규 및 시행령

2. 손해배상 처리 정부 기관

3. 처리 실태:

　　가. 공무 집행중의 경우

　　　　(1) 사고발생에서 배상금 지불시까지의 절차

　　　　(2) 배상처리 기간 (과거 2~3년의 실적으로
　　　　　　서 통상, 최장 및 최단기간)

　　　　(3) 피해자에의 일체지불, 분할지불, 융자등
　　　　　　의 제도 유무 (있을경우, 그 내용 및
　　　　　　실적)

　　　　(4) 사고발생 건수 및 배상금액의 통계
　　　　　　(~~판결국별~~, 교통·항공·형사등 종류별)

　　　　(5) 해사 손해의 취급

　　나. 비공무중의 경우

　　　　(1) 사고발생에서 배상금 지불시까지의 절차.

　　　　(2) 배상처리 기간 (통상, 최장 및 최단기간)

　　　　(3) 합중국에 의한 분할지불, 긴급지불등의
　　　　　　제도 유무 (있을경우, 그 내용 및 실적)

　　　　(4) 대한민국의 피해자 구제 조치의 유무
　　　　　　(있을경우, 그 내용 및 실적)

(5) 가해자 불명의 사고취급

(6) 사고발생 건수 및 보상금액의 통계

(~~판결구분~~ 종류별)

다. 손해배상 절차에 의해 해결되지않고 소송이

제기된 사안 및 그 취급

첨부 : 일본대사관의 질문사항 사본 1부.   끝.

대 한 민 국
외 무 부

미안 723-   720-2032   198 2 · 11 · 16 ·

수신 법무부 장관

참조 법무심장

제목 주한미군 관련 손해배상 처리 실태조사

    일본대사관이 주한미군대 구성원 또는 고용원의 공무집행중 또는
비공무집행중 대한민국 정부 이외의 제 3자에 입으킨 손해에 대한
배상처리 실태 파악을 위해 이래와 같이 문의하여 왔는 바, 이에대한
국내 관계법규 및 시행령, 기타 처리 실태에 관하여 알려 주시기
바랍니다.

                    - 아   래 -

    공무집행중의 합중국 군대의 구성원이나 고용원의 작위
또는 부작위, 또는 합중국 군대가 법률상 책임을 지는 기타의
작위, 부작위 또는 사고로서 대한민국 안에서 대한민국 정부
이외의 제3자에 손해를 가한 것으로서 발생하는 청구권 (SOFA
제 23조 제 5항) 및 대한민국 안에서 불법한 작위 또는 부작위로서,
공무집행중에 행하여진 것이 아닌 것으로부터 발생한 미합중국
군대의 구성원 또는 고용원에 대한 청구권 (동조 제 6항) 처리
실태에 관하여,

1. 국내 관계법규 및 시행령

2. 손해배상 처리 정부 기관

3. 처리 실태 :

                                                    25

　가.　공무집행중의 경우

　　(1)　사고발생에서 배상금 지불시까지의 절차

　　(2)　배상처리 기간 (과거 2~3년의 실적으로서
　　　　　통상, 최장 및 최단기간)

　　(3)　피해자에의 답책지불, 분할지불, 융자등의
　　　　　제도 유무 (있을경우, 그 내용 및 실적)

　　(4)　사고발생 건수 및 배상금액의 통계 (교통·
　　　　　항공·형사등 종류별)

　　(5)　의사 손해의 취급

　나.　비공무중의 경우

　　(1)　사고발생에서 배상금 지불시까지의 절차

　　(2)　배상처리 기간 (통상, 최장 및 최단기간)

　　(3)　합중국에 의한 분할지불, 연금지불등의 제도
　　　　　유무 (있을경우, 그 내용 및 실적)

　　(4)　대한민국의 피해자 구제조치의 유무
　　　　　(있을경우, 그 내용 및 실적)

　　(5)　가해자 불명의 사고취급

　　(6)　사고발생 건수 및 보상금액의 통계 (종류별)

－ 2 －

26

미안 723-   1982. 11. 16.

　　　다. 손해배상 절차에 의거 해결 되지않고 소송이 제기된
　　　　　　사안 및 그 처리

첨부 : 일본대사관의 질문사항 사본 1부.   끝.

　　　　　　외　　　무　　　부　　　장　　　관

　　　　　정부 공문서 규정 제12조 재위임 규정 에의하여
　　　　　미　주　국　장　검　석　규　　　전

須向事次

1. 公務執行中의 派遣國單隊의 構成員 또는 被歡用者의 作為거나 不作

為 또는 派遣國單隊가 法律上責任을 지는 其他의 作為、不作為 또는

事故(公務上의 事故)로 받아들이는 나라(受入國)에서 受入國政府 以外

받아들이는나라의정부

의 第三者에게 損害를 끼치므로서

2. 發生하는 請求權 및 받아드리는나

라안에서의 不法的인 作為 또는 不作為로 公務執行中에 行해지지아

니한것(公務外의 事故)으로부터 發生

GA-6   外務省

하는 派遣國軍隊의 構成員 또는 被

雇用者에 대한 請求權処理의 実態

에 關하여.

(1) 根拠規定의 收集、(損害賠償

処理에 關한 部分만)

가. 損害賠償에 관한 細部協

定 및 合意, (地位協定은 除外.)

나. 国内関係法令、実施通達등

(2) 損害賠償処理의 実態.

가. 処理하는 政府機関 (地方

支分部句는 包含)

나. 処理의 実態, (調査可能

한 範囲에서 可함)

GA-6 外務省

29

(ㄱ) 公務上의 경우

a. 事故發生 (그 情報入手를 包含함.) 에서 賠償金支拂

에 이르기까지의 節次

b. 賠償処理에 要하는 期間 (過去 2∼3年의 実績으로서

通常、 最長 및 最短)

c. 被害者에의 立替拂、分割拂、融資 등의 制度의 有無

(있을 경우에는 그 内容 및 実 績)

d. 事故發生件数 및 賠償金 額의 統計 (派遣国別、交通

GA-6　　　　　　　　　　　　　　　　外務省

30

航空、刑事、施設管理瑕疵등
種類別)

e. 海事損害의 取扱

(ㄴ) 公務外의 경우

a. 事故發生（그 情報入手를 包含함.)
   으로부터 補償金支拂에 이르기까지

   의 節次

b. 補償處理에 要하는 期間（過
   去 2~3年의 実績으로서 通常、最

   長 및 最短)

c. 派遣國側에 의한 分割拂、累
   意拂 등의 有無（있은경우에는 그
   委   制度의

GA-6

內容 및 實績)

d.   받아들이는 側이 취하고 있는 被
害者救濟措置의 有無（있을 경우에

그 內容 및 實績）

e.   加害者不明의 事故取扱

f.   事故發生件數 및 補償金額의
統計（派遣國別、交通、航空、

刑事등 種類別）

(ㄷ). 損害賠償節次에 의해 解決되지
않고 訴訟이 提起된 事案 및 그

取扱.

参考 : 調査対象国은 下記와 같음。

大韓民国﹑ 連合王国﹑ 西独﹑ 벨즘 (베루기)

1

駐留軍關係損害賠償業務

　合衆国軍隊등에 의해 違法的인 損害를 받은 者의 損害賠償의 請求는 다

음과 같이 処理된다。

(1) 公務上의 事故

　合衆国軍隊의 構成員 또는 被顧用者의 公務中의 作為거나 不作為 또는

合衆国軍隊가 法律上責任을 지는 其他의 作為、不作為 또는 事故로 인하여.

日本国에서 日本国政府以外의 才三者에게 損害를 끼치므로서 發生하는 請求

權은、自衛隊의 行動에서 發生하는 請求權에 關한 日本国의 法令에 따라

CA-6　　　　　　　　　　外務省

34

2

処理된다。(地位協定 第18条 5項) 이것을

뒷받침하는 国內法으로서 日本国과 美国間

의 相互協力 및 安全保障条約 第6条에

의거한 施設 및 区域 그 日本国에 있어서
하고

의 合衆国軍隊의 地位에 관한 協定実施
의

에 따른 民事特別法 (1952年 法律 第121号。

以下「民事特別法」이라 한다。) 이 있으며,

또한 合衆国軍隊등의 行爲에 의한 被
등

害者등에 대한 賠償金의 支給등에 관한

総理府令 (1962年 総理府令 第42号。) 은、

그 実施節次등을 定한 것이다。

損害賠償의 支給基準은、防衛方이 行

하는 自衛隊와 関連된 損害賠償에

GA-6   外務省

35

대해서 防衛方長官이 定하는것에 의거하고 있으며 (1964年 6月 23日 閣議決定) 또한, 賠償金은 그 25%를 日本國이、75%를 合衆國이 各各 分担하기로 되어있음

(地位協定 第18条 第5项 (e)(i)).

(2) 公務外의 事故

合衆國軍隊의 構成員 또는 被傭用者의 公務外에 行한 不法的인 作為 또는 不作為에 의해서 發生한 請求權에 관해서는、当方이 当該事件에 관한 모든 事情을 考慮해서 公平하고도 公正하게 請求를 審査하여 請求人에 대한 補償金을 算定하며、그 事件에 관한 報告書를 作

成한다。合衆國当局은、이 報告書를 参考로하여 慰藉料를 支拂해야 될지의 与否

를 決定하고 또한 그 額数를 決定한 後、請求人이 그 請求를 完全히 充足한 것으로써

이것을 受諾했을 時는 自発的으로 支拂한다。
이 慰藉料에 관해서도、合衆國이 全額負担

한다 (地位協定 第18条 第6項)。

(3) 慰向金

    民事特別法. 其他 法令 (外国 法令을 包含함。) 또는 地位協定 第18条 第6項에 救

의하여

済되지 않은 直接的인 被害로서, 나라가 救済의 必要를 認定했을 때는 慰向金을

支給할수가 있다。(1964年 6月 23日 閣議 決定)

GA-6

外務省 3)

(4) 特殊海事損害

地位協定 第18条 第5項 (g)의 規定에 의하여 船舶에 關聯해서 發生한 財産上의 損

害에 관한 請求權은 地位協定 第18条 第5項의 一般原則으로도 処理되지 않으므로

特殊海事損害賠償請求에 관한 特別措置法 (1961年法律 第199号)에 의거 当事者로

부터의 申請에 의해 合衆国에 대해서 損害賠償請求의 幹旋 또는 女客한 訴訟

援助를 할수 있게 되어 있다.

그러나, 日本国의 沿岸漁業 등의 特殊 事情으로, 소위 小規模海事損害에 관해서는

地位協定 第18条 第5項의 一般原則 의해서

GA-6

処理된다。(1952年 6月 25日 및 1961年 9月 7日付 日米合同委員会合意。)

(参考)

1981年度에 發生한 地位協定 第18条 該当 事故件数는, 2,433件 (当方이 把握한것) 이며, 이中, 事故의 大部分 (83%)는 交通事故로, 나머지 17%는 刑事関係事故、航空機

事故 등이다。

同年度에 公務上의 事故의 請求에 대해서는 約 30,685円、公務外의 事故의 請求에 대해서 約 1,882万円 (美側負担)이 各各 支拂됐다。

GA-6　　　　　　　　　　外務省 37

법   무   부

송무 818·2 - 26561   (720-2804)   1982. 12. 3.

수신 외무부장관

참조 미주국장

제목 행협배상신청사건 처리현황 송부

　　　1. 미안 723-40138 (82. 11. 16) 과 관련입니다.

　　　2. 행협배상신청사건 처리에 따른 국내관계법규 및 처리실태를 별첨

과 같이 송부합니다.

첨부: 행협배상신청사건 처리현황 1부. 끝.

　　　　　법　　　무　　　부　　　장　　관

40

행협 배상신청사건 처리현황

1. 국내관계법규 및 시행령

   ○ 한미군 대지위협정제23조 (청구권)의 제5,6 및 7항의 시행절차
     (1971. 5. 20 개정 동년 7. 1 시행)

   ○ 대한민국과 아메리카합중국간의 상호방위조약에 의한 시설과
     구역 및 대한민국에서의 합중국 군대의 지위에 관한협정의 시행
     에 관한민사특별법
     (1967. 3. 3 제정)

   ○ 동 민사특별법시행령
     (1982. 2. 4 개정 시행)

   ○ 국가및행협배상업무처리지침
     (1982. 7. 1 시행)

2. 손해배상처리 정부기관

   ○ 법무부소속 국가배상심의위원회

     · 본부배상심의위원회 (법무부내 설치)

     · 지구배상심의위원회 (각 지방검찰청내 설치)

3. 처리실태

   가. 공무집행중의 경우

     (1) 사고발생에서 배상금 지불시까지의 절차
         신청인이 법무부소속 지방검찰청에 설치되어있는 지구배상
         심의회에 손해배상신청을하면 지구심의회는 이를 심의, 배
         상금을 결정하고 심의액이 1,000만원 이상사건일때에는 법무
         부내에 설치되어 있는 본부배상심의회에서 배상금을 결정함
         결정된 배상금은 해당지방검찰청검사장이 지급하며 배상금의
         분담비율은 한국 25% 미측 75% 임

44

(2) 배상처리기간 : 일정하지 않음 (관련통계 무)

(3) 피해자액의 입체지불, 분할지불, 융자등의 제도 유무

　　• 사전 지급제도 : 신청인(피해자)에게 긴급한 사유가 있을때
　　　　에는 장례비 전액과 요양비 배상액의 $\frac{1}{2}$ 까지 지급

(4) 사고발생건수 및 배상금액의 통계

　　• 1981년도에 발생한 한미행정협정배상사건은 총 511건이며
　　　이중 고용사고 133건, 기타사고 378건이고, 1981년도 총 배상
　　　액수는 56,235만원 가량임

(5) 해사 손해의 취급

　　• 선박의 항해나 운용 또는 화물의 선격운송이나 양육에서 발생
　　　하거나 또는 이와 관련하여 발생하는 청구권 중 신체 생명에
　　　　해를 입은 청구권 이외의 청구권은 행협사건으로 할 수 없다.
　　　신체 이의의 손해는 미 대외청구법 규정에 의거 주한미군 배상
　　　사무소에 직접 신청하고 동 사무소에서 처리한다.

나. 비공무중의 경우

　(1) 사고발생에서 배상금 지불시까지의 절차

　　신청및 심의과정은 공무사고와 같으나 지구배상심의회의 심의결과
　　를 토대로 해당지방검찰청검사장이 배상금을 사정하여 미측에 배
　　상 자료로서 통보하고, 배상심의액이 1,000만원 이상사건은 본부
　　배상심의회의 심의를거쳐 법무부장관이 배상금을 사정하여 미측에
　　통보하면, 미측은 이를 기초로 보상금을 결정하여 직접 신청인에
　　게 지급함 (미측 100% 부담)

　(2) 배상처리기간 : 일정하지 않음 (관련통계 없음)

　(3) 합중국에 의한 분할지불, 긴급지불등의 제도 유무

42

• 사건지급 제도 : 신청인(피해자) 에게 긴급한 사유가 있을
때는 장례비, 요양비, 화재시(가옥) 등에 1,000$ 이내 지급

(4) 대한민국의 피해자 구제조치의 유무

• 없 음

(5) 가해자 불명의 사고 취급

• 가해자가 행협 적용 대상자임이 객관적으로 입증될때 에만
보상이 가능함

(6) 사고발생건수 및 보상금액의 통제

• 1981년도 공무외사고 배상건수는 104건, 배상금액43,966만원
가량임

다. 손해배상절차에 의해 해결되지 않고 소송이 제기된 사안 및 그취급

• 1981년도 소송 제기된 사건은 배상심의회 결정 충635건중 5건임

* 82. 12. 8 일본 대사관 "아라키" 一等書記官 동자로 잘못읽음
에게 我.

43

정 리 보 존 문 서 목 록

기록물종류	일반공문서철	등록번호	32205	등록일자	2009-01-22
분류번호	729.413	국가코드		보존기간	영구
명 칭	SOFA 한.미국 합동위원회 민사재판권 (청구권) 분과위원회, 1985-86				
생 산 과	안보과	생산년도	1985~1986	담당그룹	북미국
내용목차					

001

이롤

국　방　부

민정 24140-245　　　　(793-0317)　　　　1985. 11. 13.

수신　수신처참조　이루

제목　주한 미군 훈련시 대민피해 보상 협조

　　1. 최근 주한 미군의 훈련등으로 발생한 각종 대민 피해의 보상처리
에 있어 보상이 지연되거나 관계 당국의 미온적인 자세로 인해, 피해주민들
로부터 대정부 및 군에 불만을 토로하는 민원이 야기되어 이에 대한 대책이
요망되고 있읍니다.

　　2. 따라서 첨부와 같이 이에 관한 실태와 대책(안)에 대한 관계부처의
협조를 요청하오니 관련사항에 대한 필요한 대책을 강구해 주시기 바랍니다.

첨부 : 미군훈련에 따른 대민 피해 실태 및 대책 1부. 끝.

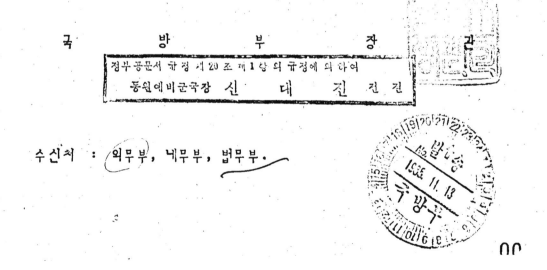

국　　　방　　　부　　　장　　　관

정부공문서 규정 제 20 조 제 1 항 의 규정에 의하여
동원예비군국장　신　대　진　전견

수신처 : 외무부, 내무부, 법무부.

1985. 11. 13
국방부

003

美軍訓練에 따른 對民被害實態 및 對策

國 防 部

004

美軍訓練에따른對民被害實態및對策

△ 概 要

o 最近 駐韓 美軍機 飛行 및 野外機動訓練時
  爆音이나 헬機 바람 또는 無秩序한 戰車 機動
  等으로 道路, 家屋, 田畓 被害 發生

o 被害補償 處理에 있어

  ― 地域行政官署는 軍에 依한 被害라는 理由로
    軍에 業務處理를 委任하려는 姿勢

  ― 美軍은 加害 事實을 否認하거나 業務
    解決에 非協調로 因해 補償 業務가
    遲延되고 있는 實情

o 關聯 法規나 補償 節次에 無知한 被害 住民
  들은 每事를 軍의 無誠意로만 認識하고,
  對軍 不信 乃至는 怨聲을 吐露하고 있음을
  감안, 早速한 解決策 講究가 要望됨.

1

005

△　被害補償　關聯　法規

o　韓·美　行政協定　第 23 條 "請求權"

 —　被害規模가　1,400 $ 以上일　때만　適用

  ※　以下　金額은　我則　自體에서　解決

 —　美軍　責任일　境遇, 美側이　75 %,

  我側이　25 %를　分擔

 —　韓·美　兩國　共同　責任일　境遇　均等分擔

---

o　補償 節次

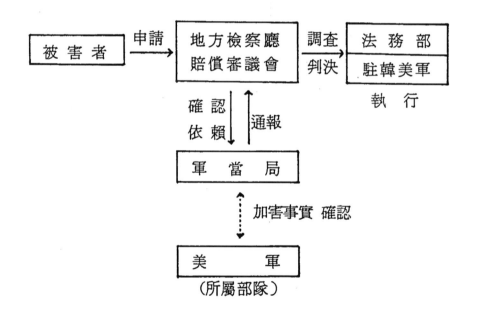

△ 現實態 및 問題點

o 駐韓美軍 操縱士들의 飛行軍紀 不良에 對한

 強力한 統制가 없어 飛行規則 (空域, 航路, 高度,

 速度 等) 未遵守

 ※ 地上軍 野外機動訓練時도 同一

o 行政官署(地方檢察廳)에서는 被害 住民들이 國家

 賠償 申請時 行政節次를 모르거나 複雜함을

 理由로 軍에 委任하는 傾向

 ※ 美軍機임에도 我國 軍用機라고 一蹴,

  被害者에게 隣近 軍部隊에 申請토록 誘導

3   007

o 加害者가 美軍이라고 判斷되어 美側에다

   被害內容 通報 및 補償 要請時 大部分 加害

   事實을 否認하거나, 責任回避로 被害補償에

   微溫的

o 被害 住民들은 補償이 遲延되거나 關聯 部署間

   責任回避 行爲에 激憤, 靑瓦台 및 政府 部處에

   民願 提起하는 等 對政府 또는 對軍 不滿 吐露

4

008

△ 代表的 事例

o 京畿道 南楊州郡 榛接面 內閣里 一帶는
85.6 ～ 9 月間 美軍 헬機 編隊의 夜間 低空飛行
訓練으로 因해 住民 41 世帶 約 2 萬餘坪의
벼가 倒伏되어

— 郡廳, 面事務所, 支署 等에 被害補償을
要請하였으나 補償 節次를 모르고 軍에
委任해 버리므로서

— 9.12 靑瓦台, 國防部長官, 美 8 軍司令官에게
陳情書를 提出하는 等 不必要한 時間을
消耗한 後 9.25 頃에야 서울地方檢察廳에
被害 補償 申請

o 京畿道 金浦郡 月串面 葛山里 地域 住民
███는 85.9.9 所屬 未詳의 美軍 헬機가
低空飛行하면서 數回 논길에 着陸을
試圖하므로서 500 餘坪의 벼가 倒伏
※ 美 2 師團에 飛行 與否 確認하였으나 否認

5   009

o 京畿道 揚平郡 龍門面 馬龍里 地域은

85.10.10 ~ 10.22 間 美 2 師團의

野外機動訓練時,

事前 協調도 없이 戰車 및 裝甲車의

無秩序한 運行으로 鋪裝工事 工程 74 %인

道路에 1 億餘원의 被害를 입힌 것을 비롯,

48 家口의 排水路와 담장破損, 農作物

被害 等 都合 1 億 1,500 餘萬원 被害 發生

※ 被害地域 住民들은 關係 要路에

美軍側의 謝過와 被害 全額 補償을

强力히 要求하는 陳情 提起 움직임.

010

6

o　忠南　燕岐郡　南面　葛雲里　住民　███은

　85.8.6　所屬　未詳　戰鬪機　2臺의　爆音으로　因해

　建坪　24坪中　부엌　8坪이　完破되고　壁에　금이

　가는　等　被害　發生

—　17戰飛團은　同　事實을　接受後　現場에　出動

　被害原因을　調査한　結果

　低高度　飛行中　速度를　急上昇시킬때

　發生하는　後爆風으로　被害가　發生한

　것으로　判斷

—　作司는　事故　日時를　前後로한　我　空軍機

　飛行　與否　點檢時　我側과는　無關함을

　確認後　美314師團에　同　內容을　通報,

　事實　與否를　確認　依賴하였으나

　信憑性이　없다는　理由로　一蹴

　※　空軍에서는　國家　賠償으로　負擔키로　決定

011

7

△　要求되는　對策

o　訓練　軍紀　尊守토록　對美　協調

※　我軍　操縱士의　境遇　飛行　軍紀　違反

行爲時는　飛行中止　等　强力히　處罰함을

强調

o　美軍에　依한　對民　被害　發生時는

地域　行政官署와　軍部隊間　緊密한

協調下에　被害補償이　早速히　解決될　수

있도록　對民　支援姿勢　確立

8　　　　　　　　　012

△ 協調 및 措置事項

部 處 別	協調 및 措置 事項
外 務 部	o 駐屯軍 地位 協定（SOFA）檢討 補完
內 務 部	o 各級 行政官署의 被害申告 接受時 補償節次 案內 o 住民 被害 補償 節次等 關聯法規 弘報（班常會等을 通해서）
法 務 部	o 迅速한 對民 被害 補償 對策 o 補償業務 遂行에 따른 有關 機關과의 協調 및 支援 獲得 方案
國 防 部	o 對 美軍 訓練 軍紀 遵守 및 被害補償 責務 履行 促求 o 被害補償에 따른 軍의 對民 積極 支援 姿勢 確立 o 其他 軍의 對民 支援 對策

9

013

기 안 용 지

분류기호 문서번호	미안 20294-	(전화번호)	전 결 규 정	조 항
				전결사항

처리기간	43093	장 관
시행일자	1985.11.19.	
보존연한		

보 조 기 관	국 장	전결		협
	심의관			
	과 장			조
기 안 책 임 자	이종국	안 보 과	

경 유	
수 신	국방부 장관
참 조	동원예비군 국장
제 목	주한미군 훈련시 대민피해보상...주

1. 민정 24140-215(85.11.13.) 과 관련임.

2. SOFA 협정상 주한미군 훈련중 대민피해에 대하여 미측이

전적인 손해배상을 하지 않고 일정한 비율에 따라 아국이 일부 분담

하도록 규정하게된 배경은 다음과 같습니다.

    가. 미·일 SOFA, NATO SOFA 등에서도 파견국과

        접수국간의 분담비율을 75%:25%로 규정하고 있는

        국제적 관례

    나. 만일 미국측에 손해배상을 일임하게될 경우 손해

        배상청구 절차도 미측의 절차를 따르도록 요구하게

        될것이며, 이러한 경우 충분한 배상이 어렵다는

        우려에서 아국의 배상액의 일부를 분담하는 대신

        그절차는 아국의 법령상의 절차에 따르도록하는 고려

/ 뒷면계속 /

정서
관인
발송

1205-25(2-1)A(갑)
1981. 12. 18승인

정 직 질 서 창 조

190mm×268mm(인쇄용지 2급 60g./㎡)
가 40-41 1985. 8. 7.

014

다. 아국의 방위를 위하여 주둔하고 있는 미국군대가

  이러한 주둔 목적과 관련한 공무 수행중에 야기한

  손해에 대해 수혜국 정부로서의 공동 책임부담이라는

  취지

  3. 따라서 한·미간의 일정한 비율에 따라 손해배상을 분담

토록 규정한 SOFA 협정내용은 국제관례등에 비추어 불공평한 내용

이라고 보기는 어려울 것으로 사료됩니다.

  4. 한편, 당부는 주한미대사관에 동문제를 제기, 주한미군

훈련시 민간피해가 발생하지 않도록 충분한 사전주의를 기울이도록

주한미군 당국에 환기시켜줄 것을 요청한바 있음을 참고하시기

바랍니다. 끝.

015

기 안 용 지

분류기호 문서번호	미안 20294-	(전화번호)	전결규정	조 항
처리기간	**45595**	장 관		전결사항
시행일자	1985. 12.6.			
보존연한				

보조기관	국 장	전결		협	
	심의관				
	과 장				
기 안 책 임 자	이종국	안 보 과		조	

경 유					
수 신	법무부장관	발		통	
참 조	SOFA 민사청구권 분 과위원장		1985.12 07	제	
제 목	주한미군 훈련 피해 보상문제				

1. 국방부는 주한미군의 훈련시 발생하는 대민피해의 보상

처리에 있어서 청구 처리절차에 대한 지방행정관서를 비롯한 관계기관의

지식부족으로 군당국에 위임하는 사례가 있으며, 보상의 지연으로

국민의 대정부 및 군에 대한 불만이 야기되는 경우가 있음을 통보하고

SOFA 제23조의 원활한 시행을 위한 협조를 요청하여 왔읍니다.   정서

2. 보상문제 해결의 지연은 한.미 관계와 국민의 대정부 및

군에 대한 신뢰에도 좋지 않은 영향을 줄 것이므로 청구권 관련 문제의   관인

원만한 해결을 위한 필요한 조치를 취하여 주시기 바라며 미군측의

협조가 필요한 경우에는 당부에 통보하여 주시면 SOFA 합동위를

통하여 미측의 협조를 요청할 것임을 참고하시기 바랍니다. 끝.   발송

기 안 용 지

분류기호 문서번호	미안 20294-	(전화번호)	전 결 규 정	조 항
처리기간	46-98			전결사항
시행일자	1985.12.13.	장 관		
보존연한				

보 조 기 관	국 장	전결		협	
	심의관				
	과 장	(서명)		조	
기 안 책 임 자	이종국	안 보 과			

경 유					
수 신	국방부 장관	발	(발송 스탬프) 발송 1985.12.14 외무부	통 제	검 열 1985.12.14 동제관
참 조	정책기획관, 동원예비군 국장신				
제 목	주한미군 훈련 피해 보상에 대한 (협조요청)				

민정 24140-215(85.11.13.)과 관련임.

1. 주한 미군의 군사 훈련시 발생하는 대민 피해의 보상처리 문제의 원만한 해결을 위해 당부는 주무 부처인 법무부에 필요한 조치를 취하도록 요청한바 있읍니다.

2. 또한 주한미대사관에 동 건을 제기한바, 미대사관측은 대민피해 처리과정에 주한미군 당국이 한국 관계 당국에 충분한 협조를 제공 토록 조치할 것을 약속하고, 만일 미군측의 비협조 사례가 있을 때에는 동 사실을 즉시 통보하여 줄 것을 요청하였는바, 미군측의 비협조적인 태도로 문제가 야기되는 경우 당부에 통보하여 주시기 바랍니다. 끝.

		정서
		관인
		발송

1205-25 (2-1) A (갑)
1981. 12. 18승인

정직 질서 창조

190mm×268mm (인쇄용지 2급 60g./㎡)
가 40-41 1985. 8. 7.

SOFA 한·미국 합동위원회 민사재판권(청구권) 분과위원회, 1985-86 193

공   란

공 란

기름탱크 폭발 14명 死亡

駐韓 美基地서

美軍 1명포함

男女인부 12명火傷 1명失踪…불길5시간

어제낮 地下서 "펑"… 事故원인조사

[美空軍○○기지=金民培기자] 5일 오후1시10분쯤 충북전선의 주한미공군○○기지의 앤셔...

(이하 기사 본문)

1986. 4. 6
조선일보

020

韓電、美軍상대 20억 배상 訴訟

"두차례 헬機추락으로 고압선등 被害"

【淸州=聯】한국전력(사장 朴正基)은 12일 지난해12월9일 오후10시30분름 2차례에 걸쳐 충북 진천에서 미군헬기가 한 전소유 동서울송전선로(철탑번호152번~1523번)에 미〇〇부대 헬기2대가 잇따라추락 가공지선, 전력선, 철탑2기, 현수애자및 금구류등을 파손시켜 모두 20억9천7백81만7천3백41원의 재산상의 손해를 입었던것을 전소유의 고압선에 걸려 파손하면서 철탑 고압선 등을파괴한 사고에대해 20억9천7백여만원의 손해배상신청을 청주지 검에 냈다.

한전측에 따르면 지난해 12월9일 오후5시50분름 같은날

1986. 2. 13
조선일보

021

공 란

공 란

공   란

주한미군지위협정(SOFA) 민·형사재판권 분과위원회

SOFA - 한·미합동위원회 형사 재판권 분과위원회, 1967

0001

색 인 목 록

분류번호	등록번호	생산과	생산년도	필림번호		화일	후이필번호	
				주제	번호	번호	시작	끝
729.412 1967	2205	안보담당관실	1967	G-0007	01	0001	~0261	

기능명칭 : SOFA-한·미 합동위원회 형사재판권 분과위원회, 1967

필림번호	내 용	페이지
1.	Agenda, 1967. 2. 21	0,0,0,4
2.	재판권행사 결정통고서, 1967. 3.6-3.10	0,0,5,6
3.	구금시설의 수준, 1967. 3.23	0,0,6,8
4.	제3차 1967. 4. 4	0,0,9,7
5.	재판권 행사 결정에 관한 미측과의 면담요약 4건.	0,1,1,1
	1967. 3. 30 - 4. 4	
6.	의안송부 (Agreed view no.8-11) 1967. 5. 31	0,1,2,8
7.	美. 콕스(Billie J. Cox)하사 범죄사건	0,1,3,4
8.	제 5차 1967. 8. 29	0,2,3,0
9.	각서 및 서한. 1967. 9. 14 -11. 17	0,2,3,8

0002

분류번호	729.412 1967	등록번호	2205	보존기간	
기능명칭	SOFA-한·미 합동위원회 형사재판권 분과위원회, 1967				
생산과	안보담당관실		생산년도	1967	

내용: 1. Agenda, 1967. 2. 21
2. 재판권행사결정통고서, 1967 3.6~3.10
3. 구금시설의 수준, 1967 3. 23
4. 제3차, 1967. 4. 4
5. 재판권행사결정에 관한 미측과의 면담요약 4건,
   1967. 3. 30~4.4
6. 의견서(Agreed view no.8~11) 1967. 5. 31
7. 美, 콕스(Billie J. Cox) 하사 법관사건
8 제5차, 1967. 8. 29
9. 각서 및 서한, 1967. 9. 14~11.17

	M/F No.	

0003

SOFA 한·미국 합동위원회 형사재판권 분과위원회, 1967 203

1. Agenda , 1967. 2. 21

기 안 용 지

분류기호 문서번호	외구디 721-	(전화번호. 74-3073)	전결규정 3 조 7 항 구미국장 전결사항

처리기간		기 안 자	결 재 자
시행일자		미주과 김수한 67. . 11.	구
보존년한			

보조기관

미주과장

협 조

경유 수신 참조		발 13 일 공	결 재

제 목   ....의 .... 회한 조회

1. .....

2. .....

유첨: .....

동통서식 1-1-1(갑)   (18절지)

0005

외 · 무 부

외구미 721.   1967. 2. 13.

수 신 : 법무부 장관

제 목 : 미군 피의자 제시용 척도에 대한 외견 조회

　　　1. 한·미 군대 지위협정 발효에 따라 미군 으범들이
항시 휴대하며, 우리나라 당국에 제포되었을 경우에 제시하도록
할 목적으로 주한 미군 사령부는 별첨과 같은 척도를 작성하였다
합니다.

　　　2. 동 척도의 내용에 대한 귀부의 외견을 알려
주시기 바랍니다.

첨부 : 상기 척도 2매.

외 무 부 장 관

0008

법 무 부

형제위 : 380(   )   1967.2.11.

수신 각 위원

제목 분과위원회 소집

　1. 한미행정협정에 의하여 설치된 한미 합동 위원
회 상설분과위원회의 한국측 대표단 구성요령에 관한
1966.12.3. 의 국무회의 결의에 따라 관계부 장관의
협의를 거쳐 귀하가 형사재판권 분과위원회의 한국측
위원으로 위촉되었음을 알려드립니다.

　2. 당 위원회 제1차 한국측 대표위원회를 다음과
같이 소집합니다.

　　가. 일 시　　　1967.2.26. 14.00

　　나. 장 소　　　법무부 회의실

　3. 각 위원은 형사재판권에 관한 협정 제22조의
시행상 문제점등을 정리하셔서 회의에 임하시기 바랍니
다.

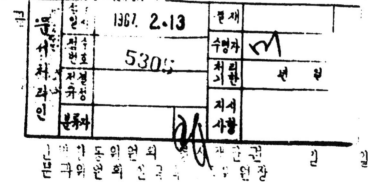

접수일자	1967. 2·13	분재	
접수번호	5305	수령자	
전결		처리기한	선 열
분류과		지시사항	

한미합동위원회 형사재판권
분과위원회 한국측 위원장　　　김 길 두

2
16

0009

형사재판권분과위원회 한국측 대표단

위원장	법무부	검 찰 국 장	김일두	22-8368
간 사	"	검찰국 ○○과장	한공열	23-6406
	"	검찰국 인권과차장	김용환	22-0425
	"	검찰국 검찰과검사	최상엽	63-6406
		교정국 교정과장	박재학	22-4075
	외무부	미주국 미주과장	신정섭	74-3073
	내무부	치안국 수사지도과장	정상천	22-0212
	노동부	직안국 외사과장	김봉근	22-1354
	재무부	세관국 지도과장	김억수	72-4705
	국방부	검사국 법무과장	김정구	4-6246
	법무부	과○국 미주국	민수룡	74-3073

Asst. Secretaries		Ph Number
Mr. Kenneth B. Chang	Chief, SOFA Criminal Jurisdiction Div. Judge Advocate Section Hq, Eighth US Army	YS2353
Mr. Won Khyll Kang	Legal Assistant, SOFA Criminal Jurisdiction Div. Judge Advocate Section Hq, Eighth US Army	YS2353

0011

AGENDA
CRIMINAL JURSIDICTION SUBCOMMITTEE MEETING
21 February 1967

1. Opening Statement by ROK Chairman.

2. Introduction of ROK Subcommittee by ROK Chairman.

3. Presentation of ROK Credentials by ROK Chairman. *njen*

4. Opening Statement by US Chairman.

5. Introduction of US Subcommittee by US Chairman.

6. Presentation of US Credentials by US Chairman.

7. Discussion of Urgent Tasks assigned by Joint Committee and adoption of those agreed upon.

   a. U. S. Notice of Incident, Arrest and Receipt

   b. Supplemental Information to U.S. Notice of Incident, Arrest and Receipt.

   c. Custody Request and Receipt Form.

   d. Official Duty Certification and Receipt.

   e. Civilian Request to be taken into Custody By U.S. Military Authorities.

   f. Agreed View No. 1. Appropriate Means of Identification of USFK Personnel.

   g. Agreed View No. 2. Fees and Other Payments for Witnesses.

   h. Agreed View No. 3. Procedures for Obtaining Citizens or Residents of the Republic of Korea as Witnesses at U.S. Military Courts-Martial.

   i. Agreed View No. 4. Designation of U.S. Agent to Receive Copies of All Criminal Writs.

8. Responsibility for Preparation of Report to Joint Committee.

9. Adjournment.

0012

경년반정제28도에 의하여 설치된

합동위원회

1967.1.19.

형사재판권 소분위원회 의장에게 보내는 각서

제주 소분위원회 귀하

     소분과위원회 합동 4차 건의과제에 관하여 연구와
검토 ... 결과 다음 ... 의료 재일대 석입을 가
지게 되었다.

     ... 발기된 형사재판권 형사절차에
... 해당되는 것인 기본 서식에 따라
... 할의할것.

     ... 서식은 U.S.PD 7-19   의
... 사며 다음의 것을 보았거나 이에
... 하는 것은 아님.

(가) 구금도요청서 및 인수증 (제22조 5(가)
         및 5(다))

(나) 사건발생통고서 (제22조 5(나))

(다) 구속영장증명서 (제22조 5(가)에 관한 ...
         ... 서식 1항)

(라) 소환인의 미군당국에 의한 구금요청서

     ... (1, 2, 3.)

0013

바. ... 증거서(제 ... ...)

2. 미군당국이 ... 지역 ... 또는 ... 되도록 요청을 받고 ... 국민 ... 또는 거주자에 대한 보수및 ... ... 구하는 질병적 관리에 ...

... (...의사록 ... 제5조 ... 무반 ...항)

3. ... 변경(합중국 군당국이 지정한) ... ...

4. 실기 ... ...

0014

19 January 1967

MEMORANDUM FOR: Chairmen, Criminal Jurisdiction Subcommittee

SUBJECT: Urgent Initial Tasks

Your Subcommittee will meet as soon hereafter as practicable for consideration and recommendations pertaining to the following urgent initial tasks.

1. Reach mutual agreement on the various forms intended for use by USFK in connection with criminal jurisdiction proceedings after the SOFA enters into effect. In general, these forms are contained as inclosures to USFK PD 7-10 and include, but are not limited to the following:

a. Form of Custody Request and Receipt. (Para 5(c) and 5(c), Article XXII.)

b. Incident Report. (Para 3(b), Article XXII.)

c. Official Duty Certificate. (Para 1 of Agreed Minute Re Para 3(a), Article XXII.)

d. Civilian Request to be Taken into Custody by US Military Authorities. (Para 5(c), Article XXII.)

e. Appropriate means of identification of USFK personnel. (Paras 3 and 4, Article VIII and Paras 1, 2, and 3, Agreed Minute Re Article VIII.)

f. Form of notice of arrest. (Para 5(b), Article XXII.)

2. Reach mutual agreement as to the amounts of fees and other payments for and the procedures to obtain citizens or residents of the Republic of Korea, who are required as witnesses or experts by the military authorities of the US. (5th and 6th unnumbered paragraphs of Para 1 to Agreed Minute Re Para 6, Article XXII.)

3. Reach mutual agreement as to the agent (designated by US military authorities) to receive copies of all criminal writs. (4th unnumbered paragraph of Para 1 to Agreed Minute Re Para 6, Article XXII.)

0015

4. Your recommendations on the above subjects are to be transmitted to the Joint Committee.

/s/
B. O. DAVIS, JR
Lieutenant General
United States Air Force
United States Representative
Joint Committee

/s/
YOON IN JONG
Republic of Korea Representative
Joint Committee

0016

REPUBLIC OF KOREA
CRIMINAL JURISDICTION SUBCOMMITTEE

Ph Number

Chairman

Mr. KIM Il Doo   Director   22-8368
Bureau of Prosecution
Ministry of Justice

Secretary

Mr. WHANG Kong Rial   Chief, Prosecution   23-6406
Section
Bureau of Prosecution
Ministry of Justice

Member

Mr. KIM Yong Hwan   Chief, Human Rights   22-4074
Section   22-0425
Bureau of Prosecution
Ministry of Justice

Mr. CHOI Sang Yup   Prosecutor   22-4083
Prosecution Section
Bureau of Prosecution
Ministry of Justice

Mr. PARK Jae Hak   Chief, Penal Adminis-   22-4075
tration Section
Bureau of Penal
Administration
Ministry of Justice

Mr. SHIN Chung Sup   Chief, America Section   74-3073
Bureau of European and
American Affairs
Ministry of Foreign
Affairs

Mr. CHUNG Sang Chun   Chief, Investigation   22-0212
Section
National Police Head-
quarters
Ministry of Home Affairs

Mr. KIM Bong Kyun   Chief, Foreign Affairs   22-1354
Section
National Police Head-
quarters
Ministry of Home Affairs

0017

Mr. KIM Yuk Soo	Chief, Guidance Section Bureau of Customs Ministry of Finance	72-4705
Mr. KIM Jung Koo	Chief, Judge Advocate Section Bureau of Personnel Ministry of National Defense	4-6746
Mr. MIN Soo Hong	America Section Bureau of European and American Affairs Ministry of Foreign Affairs	74-3073

2

U. S. NOTICE OF INCIDENT ARREST AND RECEIPT
사건 발생, 체포 통지서 및 영수증

Date _____
날짜

_____ District Prosecutor
지방 검찰청 검사장 귀하
_____ Branch Prosecutor
지청장 귀하
_____, Korea

Dear Sir:

Pursuant to paragraph 5b, Article XXII and to the exchange of
한미 행정 협정 제 22조 5항(나) 및 3항(나)에 관한 합의 의사록
letters between the Republic of Korea and the United States of America
제 4항에 관한 대한민국과 합중국간의 1966년 8월 7일자 교환 서한에 의거하여
of 9 July 1966 regarding paragraph 4 of the Agreed Minute to paragraph
                          본 형 일 시경   에서
3(b), Art XXII, ROK/US Status of Forces Agreement, this is to notify you
                                        (성명, 계급, 소속기관)와(과)
that on _____ at about _____ at _____
        (Date)   (Time)   (Location)
                                        (관련된자의 성명 또는
an incident allegedly occurred involving _____
                                         (Name)
그의 인상 서술)가(이) 관련되었다는   (사건

_____
(Rank) (Serial Number)   (Organization)
개요)사건이 발생하였다 함으로 이를 귀하에게 통지하여 드리는바입니다.
and _____
    (Name or Description of other party or parties and brief description

_____.
of incident.)

This notification does not imply any finding or opinion by United
본 통지서는 상기인이나 또는 위에 인상서술한 자가 이사건에 관련된
States authorities as to the nature or extent of the involvement in this
사건의 성질이나 범위에 대한 미국 당국의 의견이나 사실 인정 또는 미국 당국 의
incident of the individual or individuals named or described above, nor
공식적 결정을 표시하는 것은 아닙니다.
does it imply that the United States has made an official duty determina-
tion.

[CONTINUED ON REVERSE SIDE]
뒷면에 계속

USFK SOFA CJ FORM

0019

被逮捕者의 住所、分類이경우)

Date of Arrest (if any) by Korean/US (strike one) Law Enforcement
미국 또는 한국 수사 당국에 의한 처포 (해당 경우)일자는 ____년 ____월
Authorities was _____. Suspect is presently at
____일이며 현재   에 구금 되어 있읍니다.
_____.
(Location of Individual)

Sincerely yours,

_____
(Name, Rank) (성명, 계급)

_____
(Organization) (소속 기관)

Area Provost Marshal
Phone Number _____
지구 헌병대 전화 번호

_____
(Date) 날자

Receipt of the notification of the above described incident involving
상술한자가(들이) 관련된 사건 발생 통지서를 접수하였읍니다.
the named individual(s) is acknowledged.

_____
(Signature) (서명)
(District or Branch Prosecutor)
(지방 검찰청자 검사장 또는 지청장)

Copies to:
  Commander, USFK, ATTN: JAJ
  CO of major subordinate command of individual
  CO of individual
  Local ROK Police Authority
  File

2

0020

INSTRUCTIONS

1. Prepare this form in an original and six copies and type in as
a letter head the organization preparing this form.

2. Leave the original and the first copy with the ROK Branch
or District Prosecutor.

3. Have either the Prosecutor or someone he designates sign the
receipt on the back of the second, third, fourth and fifth copies.

4. Send the second receipted copy immediately to the Commander, USFK,
ATTN: JAJ.

5. Send the third receipted copy immediately to the CO of the major
subordinate command of the individual. Such commands are the 314th
Air Division; I Corps; 2d Infantry Division; 7th Infantry Division;
38th Artillery Brigade; 4th US Army Missile Command; Eighth US Army
Support Command; Eighth US Army Depot Command/Eighth US Army Rear;
Special Troops, Eighth US Army; and the US Naval Forces, Korea.

6. Send the fourth receipted copy immediately to the CO of the
individual concerned.

7. Retain the fifth receipted copy.

8. Deliver the six copy to the local ROK police authority.

(This sheet is to be separated prior to final distribution.)

3   0021

SUPPLEMENTAL INFORMATION
TO
U. S. NOTICE OF INCIDENT, ARREST AND RECEIPT
사건 발생 체포 및 인수증의 보충 통보

Date _____
날자

_____ District Prosecutor
지방 검찰청 검사장 귀하
_____ Branch Prosecutor
지청장 귀하
_____, Korea

This is to inform you that in regard to an incident which was
너 원 일에
reported to you on _____ concerning _____ ~~(한한된~~
(Date) (Brief Description
피고인의 아니라의 상황이나 또는 그(들)의 현상 사송~~(들)~~이 감련됨
_____ involving
of Incident)
(사건의 개요) 사건을
the following additional information is provided:
통보한 바 있아오나 다음과 같은 사항을 첨가하여 보충 통보하나이다.

_____
(Name and Rank of Individual)
성명, 직급

_____
(Date of Arrest (if any) of Individual)
체포일자 (해당 경우)

_____
(Location of Individual)
3항자의 소재지

                                    Sincerely,

                              _____
                              (Signature) 서명
                              Name, Rank 성명, 계급

                              _____
                              (Organization) 소속 기관

                              Area Provost Marshal
                              Phone Number _____
                              지구 헌병대 전화 번호

USFK SOFA CJ FORM 7IA

0022

1. Prepare this form only when information was omitted from the USFK SOFA CJ Form #1.

2. Prepare this form in an original and six copies and type in as a letter head the organization preparing this form.

3. Leave the original and the first copy with the ROK Branch or District Prosecutor.

4. Send one copy immediately to the Commander, USFK, ATTN: JAJ.

5. Send one copy immediately to the CO of the major subordinate command of the individual. Such commands are the 314th Air Division; 7 Corps; 2d Infantry Division; 7th Infantry Division; 38th Artillery Brigade; 4th US Army Missile Command; Eighth US Army Support Command; Eighth US Army Depot Command/Eighth US Army Rear; Special Troops, Eighth US Army; and the US Naval Forces, Korea.

6. Send one copy immediately to the CO of the individual concerned.

7. Deliver a copy promptly to the local ROK police authority.

8. Retain one copy.

2

0023

CUSTODY REQUEST AND RECEIPT
구급 언도 요청서 및 엄수증
Date
날자 _____

TO: ~~District prosecutor~~
Branch prosecutor, Korea
귀하

Pursuant to the provisions of Article XXII, paragraph 5c of the
한미 행정 협정 제 22조 5항 (다)에 의거하여 구급된
ROK/US Status of Forces Agreement, request is hereby made for the
(피 외자의 성명)의 구급을 미국당국에 언도하여 주시기를 이에
transfer of custody to the US Authorities of _____.
                                              (name of suspect)
요청합니다.

In accordance with Article XXII, paragraph 5c of the ROK/US Status
한미 행정 협정 제 22조 5항 (다)에 따라서 상기
of Forces Agreement, the said _____ will be held ready
                               (Name of Accused)
법적 절과에 의한 요청이 있으면 언제 어느 곳에든지 대한민국의 검찰 수사
for appearance during an official investigation or before a competent court
기관이나 법원에 출두할수 있도록 구급하여 두겠읍니다.
of the Republic of Korea at such times and places as required by legal

process.
                              (Signature) (서명)
                              Name, Rank, Organization
                              Title 성명, 계급, 소속, 직책

I hereby certify that I have this date received custody of the person
본인은 금일
of _____, stationed at _____
                              (사건의 내용)(으)로 엄어서   (nearest
알 으로 있을지도 모르는 수사나 혹은 재판에 대비하여
_____, from the _____, pending
Korean town or city)   (appropriate Korean authority)
(가가운 도시나 동리명)에 구급되었던
possible investigation and/or trial resulting from _____ (소속,
                              (brief description
성명)의 신병을   (한국 기관) 당국으로부터
_____.
of the alleged offense)
언도 받았음을 확인함.

                              (Signature)(서명)
                              Name, Rank, Organization, Title
                              성명, 계급, 소속, 직책

Copies to: Commander, USFK, ATTN: JAJ
           CO of major subordinate command of individual
           CO of individual
           File

USFK SOFA CJ FORM #2
                                              0024

<u>CUSTODY REQUEST AND RECEIPT</u>
구금 인도 요청서 및 인수증

Date
날짜 _____

TO: ~~District Prosecutor~~
    Branch Prosecutor, Korea

귀하

Pursuant to the provisions of Article XXII, paragraph 5c of the
한미 행정 협정 제 22조 5항(다)에 의거하여 구금된
ROK/US Status of Forces Agreement, request is hereby made for the
(피의자의 성명)의 구금을 미국당국에 인도하여 수사기를 이에
transfer of custody to the US Authorities of _____.
                                              (name of suspect)
요청합니다.

In accordance with Article XXII, paragraph 5c of the ROK/US Status
한미 행정 협정 제 22조 5항(다)에 따라 상기
of Forces Agreement, the said _____ will be held ready
                               (Name of Accused)
법적 절차에 의한 요청이 있으면 언제 어느 곳에든지 대한민국의 검찰 수사
for appearance during an official investigation or before a competent court
기관이나 법원에 출두할수 있도록 구금하여 두겠읍니다.
of the Republic of Korea at such times and places as required by legal

process.

                                   (Signature) (서명)
                                   Name, Rank, Organization
                                   Title 성명, 계급, 소속, 직책

I hereby certify that I have this date received custody of the person
본인은 금일   (사건의 내용)(으)로 임하여
of _____, stationed at _____
                                                            (nearest
날 으로 있을지도 모르는 수사나 혹은 재판에 대비하여
_____, from the _____, pending
Korean town or city)   (appropriate Korean authority)
(가까운 도시나 동리명)에 구금되었던
possible investigation and/or trial resulting from _____ (소속,
                                                    (brief description
성명)의 신병을   (한국 기관) 당국으로부터
of the alleged offense)
인도 받았음을 확인함.

                                   (Signature)(서명)
                                   Name, Rank, Organization, Title
                                   장성, 계급, 수속, 직책

Copies to: Commander, USFK, ATTN: JAJ
            CO of major subordinate command of individual
            CO of individual
            File

USFK SOFA CJ FORM #2

0025

INSTRUCTIONS

1. Prepare this form in an original and five copies and type in as a letter head the organization issuing the forms. Address it to the local Korean authority who is the arresting agency.

2. Leave the original and one copy with local authorities who have arrested the US Armed Forces personnel.

3. Send one copy immediately to the CO of the major subordinate command of the individual. Such commands are the 314th Air Division; I Corps; 2d Infantry Division; 7th Infantry Division; 38th Artillery Brigade; 4th US Army Missile Command; Eighth US Army Support Command; Eighth US Army Depot Command/Eighth US Army Rear; Special Troops, Eighth US Army; and the US Naval Forces, Korea.

4. Send one copy to the immediate commanding officer of the accused.

5. Send one copy to the Commander, USFK, ATTN: JAJ.

6. Retain one copy.

2

0026

Date _____

CIVILIAN REQUEST TO BE TAKEN INTO CUSTODY BY U.S. MILITARY AUTHORITIES

1. I, _____, a citizen of the United States,
        (full name of civilian)

present in the Republic of Korea as a _____,

having been charged with _____,
                           (brief description of the alleged offense)

by the authorities of _____, Republic of Korea,

hereby request that I be taken into custody by the United States

military authorities pending investigation and possible subsequent

trial, in accordance with Article XXII paragraph 5c of the US/ROK

Status of Forces Agreement.

2. In consideration of the foregoing, I hereby agree to hold

myself ready for appearance during an official investigation or before a

competent court of the Republic of Korea at such times and places as

required by legal process. I further agreed that if confinement in a

U.S. facility is deemed by USFK Law Enforcement Authorities, that it is

done with my express consent.

Witness*   (Signature)
                                 NAME, STATUS

Copy to:
  Commander, USFK, ATTN: JAJ
  Commanding Officer of major subordinate command area
    where individual is located
  Immediate supervisor or sponsor of the individual
  File

*This may witnessed by the MP/AP affecting the transfer of custody.

USFK SOFA CJ #5

0027

INSTRUCTIONS

1. Prepare this form in an original and four copies.

2. Send the original to the CO of the major subordinate command of the area where the individual is located. Such commands are the 314th Air Division; I Corps; 2d Infantry Division; 7th Infantry Division; 38th Artillery Brigade; 4th US Army Missile Command; Eighth US Army Support Command; Eighth US Army Depot Command/Eighth US Army Rear; Special Troops, Eighth US Army; and the US Naval Forces, Korea.

3. Send one copy to the Commander, USFK, ATTN: JAJ.

4. Send one copy to the immediate supervisor or sponsor of the individual.

5. Give one copy to the individual signing this request.

6. One copy retained by PMO or Sec. and Law Enforcement Officer preparing and issuing this form.

2

0028

OFFICIAL DUTY CERTIFICATION AND RECEIPT
공 무 집 행 증 명 서 및 영 수 증

_____
(Date) 날 자

_____ District Prosecutor
          지 방 검 찰 청 검 사 장 귀 하
_____ Branch Prosecutor
          지 청 장 귀 하
_____, Korea

Dear Sir:

        Pursuant to the provisions of the Agreed Minute Re Paragraph 3(a)
        한미 협정 협정 제 22조 제 3항 (가)에 관한 합의 의사록에 대한 합의
of Article XXII of the ROK-US Status of Forces Agreement and after receiving
        상예사항에 규정된 바에 의하여 법무 참모   (성명과 계급)의 권고를
that advice of _____, a staff judge advocate, I certify
               (Name and Rank)

        듣고   (성명, 군빈, 계급,
that _____ was in the
     (Name, SN, Grade and Unit)

        소속 부대)은(는) 사건 발생 당시에 Worldiim of official duty 년 월 일
performance of official duty at _____ on _____ in the
                                   (Time)   (Date)

        (사건발생 장소)투군에서 아래에 상술한 (피예자가 있을시는 그의
vicinity of _____ when he was involved in an
            (Location of Incident)

        성명과 주소를 상세히 기입할것) 사건에 관련되었을시 공무 집행중이었음을
incident described as follows: (Describe in detial including name and
        증명합니다.
address of any injured party.)

                              Sincerely,

Copies to: _____
   Commander, USFK, ATTN: JAJ   (General or Flag Officer)
   CO of Individual concerned   장성 또는 제독급의 서명
   File
              ACKNOWLEDGEMENT OF RECEIPT
              접수 확인서

                    _____
                         (Date) 날자

        Receipt of the Official Duty Certificate pertaining to the above
        위에 기재된 사건에 관련된 상기자에 대한 공무집행증명서를
described incident involving the named individual is acknowledged.
        접수하였음을 확인합니다.   0029

                    _____
                    (Signature and Title of Receiving Official)
                    접수자의 서명 및 직책
USFK SOFA CJ FORM #4

INSTRUCTIONS

1. Prepare this form in an original and four copies.

2. Type in as a letter head the organization preparing this form.

3. Leave the original and one copy with the Branch or District Prosecutor.

4. Have either the Prosecutor or someone he designates sign the receipt on the bottom of the second, third and fourth copies.

5. Send one copy to Commander, USFK, Attn: JAJ.

6. Send one copy to the CO of the individual concerned.

7. Retain one copy.

2   0030

Agreed View No. 1

APPROPRIATE MEANS OF IDENTIFICATION OF USFK PERSONNEL
주한 미군의 신분을 밝히는 적합한 방법

Pursuant to paragraphs 3 and 4, Article VIII and paragraphs 2 and 3,

한미 협정 협정 8조에 대한 합의 의사록 8조 3항과 4항 및 2항과 3항에

Agreed Minutes regarding Article VIII, ROK-US Status of Forces Agreement,

의거한 신분 증명서는 영어로 제정된 신분증으로 한다. 동 카드에는 카드

the identity card will be the standard English language identity card

소지자의 성명, 서명, 생년 월일, 발급 일자, 유효 기간, 군인일 경우에는

issued by the United States Armed Forces. This card will contain the

군번등을 밝히고 또 소지자의 사진을 붙여야 한다. 12세 이하인 자는 동

name, signature, date of birth, date of issue, date of expiration, service

신분증을 필요로 하지 않는다.

number if a member of the US military, identity card number and will

contain the holder's picture. No identification will be required for

persons under twelve years of age.

Pursuant to paragraph 1 of the Agreed Minutes regarding Paragraph

한미 협정 협정 8조 3항(가)에 대한 합의 의사록 1항에 의거한 카드는

3(a), Article VIII, ROK-US Status of Forces Agreement, the identity card

양국어로 만들고 카드에는 카드의 소지자의 성명, 지위와 동 소지자가

will be a bilingual card containing the bearer's name, position, and the

법령 집행 기관원임을 밝혀야 한다.

fact that he is a member of a law enforcement agency.

0031

Agreed View No. 2

FEES AND OTHER PAYMENTS FOR WITNESSES
종언에 지급되는 일당 여비 및 숙박료

Pursuant to the 6th unnumbered subparagraph of paragraph 1 of
한미 행정 협정 제 22조 제 6항에 종한 한국의사록에 확기
the Agreed Minute regarding paragraph 6, Art XXII, ROK-US Status
하기한 일당 여비 및 숙박료 예수를 지급한다.
of Forces Agreement the following fees and other payments shall be
utilized:

In Korean courts and before official Korean investigative agencies
합중국 군대 구성원, 민간인 혹은 그들의 가족을 한국 법정이나
the rates and pay scales for members of the United States Armed Forces,
혹은 수사당국에서 종언으로물두한 자에게는 한국 법정에서 사용하는 예수로
the civilian component, or their dependents as witnesses shall be those
지급한다.
used by Korean courts for witnesses.

When the US Armed Forces desire the presence of Korean witnesses
미군 당국이 미군 법정에 한국인 종인의 출두를 원할 대에 지급되는
before US courts, the rates and pay scales for witnesses set out in
일당 여비 및 숙박료는 미국 지시 각서에 명시된 예수로 지급하던가 혹은
directives of the United States Armed Forces, or the pay scales used
한국 법정에서 사용하는 예수로 지급한다.
by Korean courts for witnesses will be utilized.

0032

Agreed View No. 3

PROCEDURES FOR
OBTAINING CITIZENS OR RESIDENTS OF THE REPUBLIC OF KOREA AS WITNESS
AT U.S. MILITARY COURTS-MARTIAL
미 군사재판에 한국인이나 한국 내 거주자를 증인으로 출두케 하는 절차

Pursuant to the 5th unnumbered subparagraph of paragraph 1 of the
한 미 행정 협정 제 22조 제 6항에 관한 합의 의사록 제 1항에 의거하여
Agreed Minute regarding paragraph 6, Art XXII, ROK-US Status of Forces
미 군사 재판에 한국인이나 한국내 거주자를 증인으로 출두케 하는 절차를
Agreement the following procedures are adopted for obtaining citizens
아기 와 같이 채택한다.
or residents of the Republic of Korea as witnesses at US military

courts-martial:

When the United States Armed Forces require a citizen or resident
미군 당국에서 미군사 가관계 한국인이나 한국내 거주자를 증인으로
of the Republic of Korea as a witness before a military court of the
재대 그저 합대에 소환로저 하는 재판관이나 혹은 그의 대리자는 증인을
United States, the Commander convening the court or his designee will
필요로 하는 시간과 장소를 명시한 신청서를 증인의 최종 거주지라고
submit a written request stating the time and place the witness is required
인지되는 관할 지방 검찰청 혹은 지청 또는 한국 경찰 당국에 제출한다.
to appear, either to the branch or district prosecutor or to the ROK
증인이 요청된 시간과 장소에 출두하도록 하는것은 지방 검찰청, 지청
police authority who has jurisdiction over the area wherein the requested
혹는 경찰당국의 책임으로 한다.
witness was last known to reside. It will be the responsibility of the

branch or district prosecutor or the local police authority to secure the

attendance of such person at the requested time and place.

0033

Agreed View No. 4

DESIGNATION OF US AGENT TO RECEIVE COPIES OF ALL CRIMINAL WRITS
형사상의 영장을 접수할 합중국 군 당국이 지정한 대리인

Pursuant to 4th unnumbered paragraph of paragraph 1 to Agreed
한미 행정 협정 제 22조 6항에 관한 합의 의사록 제 1항에 규정된바에
Minutes regarding paragraph 6, Article XXII, ROK-US Status of Forces
의거하여 합중국 군대의 구성원, 군속 또는 가족에게 발급하는 형사상의
Agreement, the agent designated by US military authorities to receive
영장을 영수할 합중국 당국이 지정한 대리인은 주한 미군 사령관으로 한다.
copies of all criminal writs issued to members of the US Armed Forces,
이와 같은 형사상의 영장은 주한 미군 사령관 법무감실로 송달해야 한다.
civilian component and dependents is the Commander, United States Forces,

Korea. Such copies should be addressed to Commander, United States

Forces, Korea, ATTN: JAJ.

0034

한미행정협정 제28조에 의하여 설치된 합동위원회

1967.2.23.

형사재판권 분과위원회 위원장에게 보내는 각서

제목 형사재판권 분과위원회에 할당된 새과제

1. 다음과 같은 새로운 과제가 형사재판권 분과위원
회에 할당되었읍니다.

　　가. 범죄종류 별로 사건 보고와 통고절차를 다룰
　　　　기준의 채택 (1966.7.9. 자의 한미간의 교환서한)

　　나. 관련된 관습 법규 명백히 상호 교환
　　　　(제22조 2(가)에 관한 합의 의사록)

　　다. 사건처리결과 통고방법 (제22조 6(나))

　　라. 필요하다면 아기 사항에 대한 주한미군 법령
　　　　집행기관의 기능행사에 관하여 고려하고 종료
　　　　하여야할것.

　　　　(1) 주한미군이 사용하는 구역과 시설 외부에서
　　　　　　의 행정협정 피적용자에 따른 질서와 기강
　　　　　　의 유지 및 그들의 안전보장
　　　　　　(제22조 5(가) 및 10(나), 제22조 10(가)
　　　　　　(나)에 관한 합의 의사록)

　　　　(2) 지역조 □□과 □□□ □□ □□ □□□□ 및
　　　　　　□□□□ □□□, □□□□□ □□
　　　□ □□□ □□□ □□□ □□및 □□에 있어
　　　□□ □□□□□ □□ □□ □□□ □□□□

0035

2. 상기 가지에 대한 국위원회의 권고를 합동위원
회에 제출기가 나겠다.

0036

JOINT COMMITTEE
ESTABLISHED BY ARTICLE XXVIII OF THE
STATUS OF FORCES AGREEMENT

23 Feb.1967

MEMORANDUM FOR: Chairmen, Criminal Jurisdiction Subcommittee
SUBJECT: New Tasks Assigned the Criminal Jurisdiction Subcommittee

1. The following new tasks are assigned to the Criminal Jurisdiction Subcommittee:

a. Establich standard operating procedures for the reporting of incidents and related notification by classed. (Exchange of Letters between the Republic of Korea and the United States of America, 9 July 1966.)

b. Mutual exchange of lists of security offenses. (Agreed Minute Re Para 32(c), Article XIII.)

c. Manner of notification of disposition of offenses. (Para 6(b), Article XIII.)

d. Consider and reach mutual agreement, if practicable, concerning the exercise by USFK law enforcement agencies of their functions(a) of maintaining order and discipline of the persons subject to SOFA, or in ensuring their security, outside the areas and facilities of the USFK (Para 5(a) and 10(b), Article XXII and Agreed Minutes Re Para 10(a) and (b), Article XXII) and (b) to put into effect the security measures referred to in Para I of Article III, the Agreed Minute to Articlw III, and Article XXV.

e. Mutually agreed procedures for cooperation in the conduct of investigations and in the collection and production of evidence.(Para 6(a), Article XXII and Agreed Minutes thereto.)

2. Your recommendations on the above subjects are to be transmitted to the Joint Committee.

0037

23 February 1967

MEMORANDUM FOR: Chairmen, Criminal Jurisdiction Subcommittee

SUBJECT: New Tasks Assigned the Criminal Jurisdiction Subcommittee

1. The following new tasks are assigned to the Criminal Jurisdiction Subcommittee:

a. Establish standard operating procedures for the reporting of incidents and related notification by classes. (Exchange of Letters between the Republic of Korea and the United States of America, 9 July 1966.)

b. Mutual exchange of lists of security offenses. (Agreed Minute Re Para 2(c), Article XXII.)

c. Manner of notification of disposition of offenses. (Para 6(b), Article XXII.)

d. Consider and reach mutual agreement, if practicable, concerning the exc ...!se by USFK law enforcement agencies of their functions (a) of maintaining order and discipline of the persons subject to SOFA, or in ensuring their security, outside the areas and facilities of the USFK (Para 5(a) and 10(b), Article XXII and Agreed Minutes Re Para 10(a) and (b), Article XXII) and (b) to put into effect the security measures referred to in Para 1 of Article III, the Agreed Minute to Article III, and Article XXV.

e. Mutually agreed procedures for cooperation in the conduct of investigations and in the collection and production of evidence. (Para 6(a), Article XXII and Agreed Minutes thereto.)

2. Your recommendations on the above subjects are to be transmitted to the Joint Committee.

Incl 6

0038

한미행정협정제 28 조에 의하여 설치된 합동위원회

형사재판권 분과위원장에게 보내는 각서

제목 사격장에 대한 상호보안

1. 한미행정협정 제 3 조 및 제 25 조에 의거 사격장의 보안문제에 대하여 상호협의가 필요합니다.

2. 동문제에 관련된 사실

가. 한미수집자들의 미군사격장 잠입이 계속 증가 되고 있는바 이러한 수집자들의 행동은 최근 사격장(연천부근)에서 발생한 사고에서 실증된 바와같이 사격연습에 방해가 될뿐만 아니라 특히 그들의 생명을 극히 위협출격 하고 있음.

나. 이러한 잠입을 방지 내지 감소하기 위하여 과거 미군당국이 여러차례 노력한바 있으나 미군 당국한에 의한 노력은 적절한 해결책이 되지 못한다는 것이 입증되었음.

3. 이러한 사격장의 안전을 보장하는데 필요한 상호 노력의 방법과 그범위에 대한 귀위원회의 권고를 합동 위원회에 제출하기 바랍니다.

0039

9 March 1967

MEMORANDUM FOR: Criminal Jurisdiction Subcommittee

SUBJECT: Mutual Security of Firing Ranges

1. Mutual agreement is required on the subject of the security of firing ranges pursuant to Paragraph 1, Article III, and to Article XXV, ROK-US Status of Forces Agreement.

2. Facts bearing on the problem:

a. There is a continuing and increasing encroachment upon US acquired firing ranges by scrap collectors. Not only do the activities of such collectors interfere with the use of such ranges for practice firing but more importantly they place such individuals in extremely and inherently dangerous positions, as was demonstrated in the recent unfortunate accident at the Camp St. Barbara Range (near Yonchon, Korea).

b. Efforts by the US military authorities alone to prevent or reduce such encroachments have not in the past proven to be an adequate solution to the problem.

3. Your recommendation on the manner and scope of the mutual efforts required to effect the security of such firing ranges is to be transmitted to the Joint Committee.

B. O. DAVIS, JR.
Lieutenant General
United States Air Force
United States Representative

YOON HA JONG
Republic of Korea Representative

APPROVED BY JOINT COMMITTEE
ON 9 MARCH 1967 AT THIRD MEETING

0040

7

합의사항 5.

사건통고의 포기

한미행정협정 제22조 제3의 (나)항에 관한 합의 의사록 제4항및 이에 관한 대한민국과 합중국간에 1966년 7월 9일자 교환서한에 의거하여 대한민국의 제1차 재판관할권에 속하는 범죄중 하기에 속하는 범죄는 통고를 필요로 하지 않는 것으로 합의한다.

가. 미국군인이 아닌자가 부상이나 또는 사망한 경우를 제외한 교통사고

나. 한국법률에 의하여 1년 이하의 처벌이 인정되는 범죄

다. 하기와 같은 범죄

　(1) 과실상해 (형법제 266 조)

　(2) 폭행 (제 260 조 ― 미국법의 구타와 폭행의 개
　　　념과 대등)

　(3) 주거침입 (제 391 조 ― 폭력에 의한 주거침입은 제외)

　(4) 보통단독심 판결에 이새서 재판되는 범죄

0041

합의사항 6.

사건처리에 관한 통고

한미행정협정 제22조 6의(나)항에서 요구되는 통고는 하
기의 경우에 의해서 이행되어지는 것으로 간주한다.

(가) 한미협섭 제22조 제3항에 명시된 바와같이 상호
    연계보고서는 제1차적 재판관할권을 갖지않은 일방
    국가에 의해서 재판된 사건의 최종 처리를 하는
    미군 또는 한국당국에 의해서 합동위원회를 통하여
    통고한다.

(나) 상호 연계보고서는 재판관할권을 행사하는 제1차적
    권리를 갖고 있는 국가에 의해서 재판된사건 (타방
    국가나 또는 그국민에게 가해진 범행에 속하는 사건)
    의 최종처리를 하는 미군 또는 한국 당국에 의해서
    합동위원회를 통하여 통고한다.

(다) 상기 (가) 와 (나) 에서 언급된 보고서에는 피고인의 소
    속과 성명·직명·형량과 처리일자 그리고 처리당국
    명을 기재한다.

(라) 본건은 미국이나 한국당국이 타방국가의 요청에 의
    해서 재판이나 또는 그이외의 다른 방법으로 처리
    된 사건의 비공식 보고를 금지하는 것은 아니다.

0042

합의4항 7.

<u>미국 시설및 지역외에서의 미국재산의 보호</u>

한미협정 제22조의 제3조1항에 의가하여 다음 사항을 합의한다.

합중국 법숙집행기준원은 한국내의 기느곳이나를 막론하고 선박, 항공기, 고장, 주요무기, 군수품 또는 비밀물자와 같은 중요한 미군재산이 있는 부근에서 미국재산에 대한 법희의 기수 또는 미수의 연행범을 한국 법령집행 당국에 그 조치를 요구할 시간이 없을때는 영장없이 체포할 수 있으며 그러한 범행을 제지시킬 수 있다.

0043

합의사항 8.

한국당국에 의해서 검거되는 경우 미국재산의 안전조치

한미행협 제2~조 두번째 문강에 의거하여 다음 사항을
합의한다.

미국정부의 재산이나 미군 개인의 재산을 보유하고 있
거나 책임을 맡고 있는 미군군인·군속과 그들의 가족, 또
는 그런기관에 고용되어 있는 한국인을 검거하는 경우에는
그들이 맡고 있던 재산이 미국당국에 인계될때까지 한국
수사기관에서 보호한다.

0044

합의사항 9.

수사도중 증인의 이반에 대한 건

한미행정 제22조 6의(가)항국 합의 의사록에 의거하여
한미행정 사건에 관련된 미국 증인이 본인 한국을 출발해야
하는 경우

미국 당국은 기를 곧 한국수사당국에 통고하는것에 합의
하며 한국당국은 증인의 진술서가 필요하다고 사료되면 적어
도 증인의 출발예상일 2일전에 그를 미국당국에 통고해야
하며 이에 따라 증인은 한국수사당국에 출두하여 진술을 하
고 서약할 것은 합의한다.

0045

Agreed View No. 5

Waiver of Notice of Offense in Certain Cases

Pursuant to paragraph 4 of the Agreed Minute to Paragraph 3(b), Article XXII, and to the 3rd unnumbered paragraph of the Exchange of Letters between the Republic of Korea and the United States of America of 9 July 1966 regarding Paragraph 4 of the Agreed Minute to Paragraph 3(b), Article XXII, ROK-US Status of Forces Agreement, it is agreed that notification of an offense falling with the primary jurisdiction of the ROK is not necessary where:

a. The offense involves a traffic incident except where a non-US Forces personnel is injured or killed.

b. The offense is one for which the punishment authorized by ROK law is less than one year.

c. The offense is one of the following:

(1) Inflicting bodily injury through negligence (Criminal Code, Sec 266).

(2) Crime of Violence (Article 260-equivalent to Assault and Battery).

(3) Trespass (Article 319, except where trespass was accomplished by force).

(4) Such other offenses that are normally tried by a one-judge court.

0046

Agreed View No. 6

Notification of Disposition of Cases

The notification required by paragraph 6(b), Article XXII, ROK-US Status of Forces Agreement shall be deemed satisfied by the following:

(a) Reciprocal monthly reports through the Joint Committee by United States Armed Forces and Korean authorities of the final disposition of those cases tried by the party not having the primary jurisdiction over the case as defined in paragraph 3, Article XXII, ROK-US Status of Forces Agreement; and

(b) Reciprocal monthly reports through the Joint Committee by United States Armed Forces and Korean authorities of the final disposition of the cases tried by either State under its primary right to exercise jurisdiction which involve offenses committed against the other State or nationals of the other State.

(c) The reports mentioned in (a) and (b) above shall contain the name and organization of the accused, name of offense, substance and date of disposition and name of the authorities which made the disposition.

(d) Nothing herein shall prohibit informal reports at the local level by United States or Korean authorities to the authorities of the other State, upon request, of the disposition of any cases either by trial or otherwise.

0047

Agreed View No. 7

Protection of US Property Outside US Installations and Areas

Pursuant to Paragraph 1, Article III and to Article XXV, ROK-US Status of Forces Agreement, it is agreed that:

The United States law enforcement personnel may, in the vicinity of vital U.S. military property, such as vessels, aircraft, bridges, major weapons, ammunition and classified material, wherever situated in Korea, take into custody without warrant any person in the commission or attempted commission of an offense against the security of that property or check him from the commission of such offense, when they have no time to request the action of Korean law enforcement authorities.

0048

Agreed View No. 8

Security of US Property in the Event of an Arrest by ROK Authorities

Pursuant to the second sentence of Article XXV, ROK-US Status of Forces Agreement it is agreed that:

In the event a ROK arresting agency arrests a member of the US Armed Forces, civilian component, Korean employee of such forces, or dependent who at the time is in the possession of or has the responsibility for US property or personal property of US forces personnel, such property will be secured by such arresting agency until such time as it is turned over to U.S. authorities.

0049

Agreed View No. 9

Departure from Korea of Witnesses at Investigations

Pursuant to para 6(a), Art XXII and Agreed Minute thereto of the ROK-US Status of Forces Agreement, it is agreed that U.S. authorities will notify the local ROK investigative authorities if a U.S. witness to a SOFA incident is due to depart Korea in the near future. The witness may then give a sworn statement to the ROK investigative authorities if the ROK authorities, at least two days before his scheduled departure, notify U.S. authorities that they consider such a statement necessary.

0050

法律第1903號   1967年 3月3日公布

大韓民國과 아메리카合衆國間의 相互
防衛條約 第4條에 의한 施設과 區域및
大韓民國에서의 合衆國軍隊의 地位에
관한 協定의 施行에 관한 刑事特別法

法 務 部

0051

法律 第1903號   1967年3月3日公布

大韓民國과 아메리카合衆
國間의 相互防衛條約第4
條에의한 施設과 區域및 大
韓民國에서의 合衆國軍隊
의 地位에관한 協定의 施行
에관한 刑事特別法

第1條(目的) 이 法은 大韓民國과
아메리카合衆國間의 相互防衛條約第4
條에의한 施設과 區域及 大韓民國에서의
合衆國軍隊의 地位에관한 協定 (이하 "
協定" 이라 한다) 中 刑事裁判權
에 관한 事項을 規定함을 目的으
로 한다

                              0052

第2條 （僞證등） ① 協定에 의하여 아
메리카 合衆國軍隊의 軍法會議 （이하
"合衆國軍法會議"라 한다） 에서
虛僞의 證言·鑑定·通譯 또는 飜
譯을 한 者는 刑法第152條 내
지 第154條의 例에 의하여 處
罰한다

② 合衆國軍法會議가 裁判權을 행사
하는 刑事事件에 관한 證據를 湮
滅·隱匿·僞造 또는 變造하거나
僞造 또는 變造한 證據를 사용한
者와 證人을 隱匿 또는 逃避하게
한 者는 刑法第155條의 例에

0053

의하여 應贖한다

第3條 (證人의 출석등에 관한 協力) 合議制 或은 法會議의 要請이 있는 證人 또는 鑑定人의 召喚과 證人의 拘引에 관하여는 刑事訴訟法 第15○條 내지 第155條 및 第177條의 規定을 準用한다

第4條 (搜査에 대한 協力) 協定에 의한 아메리카合衆國軍隊 (이하 "合衆國軍隊"라 한다)의 要請이 있는 刑事事件의 搜査에 관하여는 檢事 또는 司法警察官은 刑事訴訟法 기타 法令에 規定된 權限을

0054

，형사줄 수 있다

第5條 (裁判의 執行에 대한 協力)

合衆國軍法會議가 宣告한 裁判의
執行에 관하여 合衆國軍隊의 要請
이 있는 때에는 檢事는 刑事訴訟
法 기타 法令에 規定된 權限을
행사할 수 있다

第6條 (施行令) 이 法과 이 法에
規定된 것 이외에 協定 第22條
의 施行에 관하여 필요한 事項은
大統領令으로 정한다

0055

附　　則

이　法은　協定의　效力이　발생한　날
로부터　適用한다

-1-

0056

2. 재판권 행사 결정통고서,
1967. 3. 6 ~ 3. 10

0057

대 한 민 국 외 무 부

번호 ... 6.
수신 ... 사령관
참조 법 무 감
제목 재판권행사 ...
... 관한 ... 의사를 ...
...고 ...권을 행사하기로
결정하였음을 ...

피의자	소속	...
	직급	
	군번	
	성명	
	생년월일	
죄명	...	
범죄사실의 요지	... 판결 ... 위반 ... 여 ... 하여 ... 현 ... 지에서 ... 시 ...	
사건발생통고를 받은 일자	... 수원지청에	
접수기관		
비고		

대한민국 ... 관 권 오 병

0058

0059

경 수 확 인 서

빠회 · 적히 · 곳스(동명)와 가격 및 상세 적명)

사건에 대한 지산권리 서 등지 후 접수하였옥음

확인합니다.

소속

직급

성명

0060

0061

MP -   1967. 3. ██

No: ██████████, ███████ ██████ ██ ██ Forces, █████
ATTN: ████ ███████████ ████ ███ ███ █

SUBJECT: ███ █████████ ██ ████████ Jurisdiction

          ██████ ██ ██████ ██████ of laborers belonged to ██ █████ ██████
as ███ █████████ ███████ of ███ ██████ ███████ paragraphs of the agreed
Minutes, ██████ ██ ████████ ██████, article XIII, ██ ███ Status of Forces
Agreement, ██ ██ ██ notify ██ ████ ██ ██████ of Korea ███ ████████ to
███████ ██ ████████ ██ ███ ██ ██ ███ ████ ██████:

                          ██
                          ███
                          ███████████████████████████████████
                          █████████████████████
                          ███████████████████████████████████████
                          ██ ██ marks,
                          ███ ███████████████████████████ ████████████,
                          █████████████████████████████████ of violence,
                          ██
                          ████████████████████████████████ of ██ all organi-
                          ██ █████ Tommy
                          ██ plstable
                          ████████████████████████
                          ███████████████████████████████ ████ ███ ███ to
                          ████████████ attack, █████████████ ██ ██ ground,
                          ██████████████████████████████ █████ actual trusi-
                          ███
                          ██████████████████████ ████ ██ █████ ████████ ████,

                                                    ████████████████████████
                                                    ██████████
                                                    ██ ████ Justice
                                                    ██████ of Korea

0064

별지

～ 버 리사 ～

～ ～ P.X ～ ～

한국인 ～ P.X ～

～

　2월 초～

녹음 떼어프 5 　10 , 동 7 　10

시가

～ ～

T.V

P.X

0067

Attached Pr...

...ris...

The...
...US Ko...
...Kor...

0068

3. 구금시설수준, 1967. 3. 23

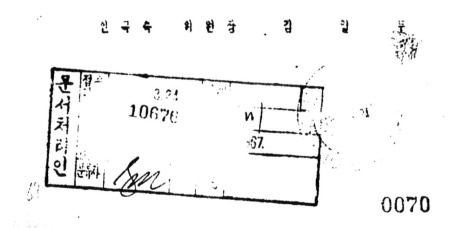

한미합동위원회
형사재판권분과위원회

형재권 - - 551

수신 외무부미주과장
제목 국회 송부

1. 한미합동위원회 형사재판권분과위원회에
색토의 부과한 과제화 이에 다한 미국측안을 송부
하니 면밀히 검토한후 이에 다한 의견이나 대안을
1967. 5. 까지 서면으로 제출하여 주시기 바랍니다.

2. 한미합동위원회 및 각분과위원회 위원명단을
송부하는 우고 하시기 바랍니다.

첨부 1. 각과제깃 미국측안 1부.

2. 위원명단 1부. 끝.

한국측 위원장 김 일

문서처리인

3.24
10670

67.

0070

한미합동위원회
형사재판권 분과위원회

형재제 - - 5591
수신 외무부미주과장
제목 과제 송부

1. 한미합동위원회에서 형사재판권분과위원회에
새로이 부과산 과제와 이에 대한 미국측안을 송부
하니 면밀히 검토한후 이에 대한 의견이나 대안을
1967. . . 까지 서면으로 제출하여 주시기 바랍니다.
  한미합동위원회및 각분과위원회 위원명단을
송부하니 참고 하시기 바랍니다.
첨부 과제및 미국측안 1부.
     위원명단 1부. 끝.

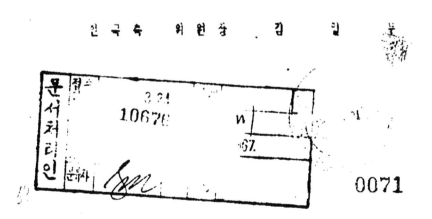

한국측 위원장 김 일

0071

DEPARTMENT OF THE ARMY
HEADQUARTERS, EIGHTH UNITED STATES ARMY
APO SAN FRANCISCO 96301
IN REPLY REFER TO   Office of the Staff Judge Advocate

EAJA   23 March 1967

MEMORANDUM FOR: MINISTER OF JUSTICE

SUBJECT: Pretrial Custody of Members of US Armed Forces

1. This memorandum is submitted pursuant to your verbal request of March 14, 1967. Its purpose is to inform you of our understanding of the issue which arose on that date in regard to the custody of SSG Cox.

2. SSG Billie J. Cox, who had been under restriction at his base since February 21, 1967, was requested by Prosecutor Kun Kai Lee to appear at the Prosecutor's Office, Seoul District, at 1100 hours on March 14, 1967 for interrogation. Upon the arrival of SSG Cox, who was escorted by a military policeman, the prosecutor expressed his intention to secure immediately a writ of arrest and to take SSG Cox into custody while he was at the prosecutor's office. The prosecutor stated that SSG Cox was not in the custody of the US Military authorities because he was not in pretrial confinement in a confinement facility of the United States.

3. The contemplated action of the prosecutor was not in accord with Paragraph 5(c), Art XXII, ROK-US Status of Forces Agreement. It is this agreement which controls the exercise of criminal jurisdiction over a member of the US Armed Forces, civilian component or dependent.

4. The minutes of the negotiation and the very wording of the SOFA make it clear that the purpose of Paragraph 5(c) is to authorize the US Armed Forces to maintain custody of its members until all ROK judicial proceedings are complete. This is accomplished in Paragraph 5(c) by two methods. Firstly, it provides that if the US initially has custody it will keep custody. Secondly, if the ROK initially has custody it will transfer such custody to the United States military authorities upon request.

5. The prosecutor's contention that the word "custody" as used in paragraph 5(c) is synonomous with the word "confinement" has a basis neither in the English language, in the minutes of the negotiating sessions, in the treaty itself, nor in the practice in Japan or in any other state with which the US has SOFA arrangements.

0072

EAJA   23 March 1967
MEMORANDUM FOR: Minister of Justice

      a. "Custody" in legal as well as in lay dictionaries is
not restricted to "confinement" but also includes a much broader con-
cept. By way of illustration, Funk and Wagnalls New Standard Dictionary
of the English Language (1956) defines "custody" as follows:

> "1. A keeping as by one who in the act assumes responsibility
> for the safety of that entrusted; watch; care; guardianship;
> charge; as, the law should be in the custody of upright
> officials."

> "2. The state of being held in keeping or under guard;
> restraint of liberty; confinement; imprisonment."

It is possible the Korean translation of the word "custody" in the SOFA
may have misled the prosecutor.

      b. The minutes of the negotiating sessions are devoid of any
contention by the ROK negotiators that the US military authorities
must keep every suspect in a US confinement facility or risk his
arrest by the ROK. The negotiators were certainly aware of the
common practice of custody in most military forces as well as the
interpretation given such term in all other countries where a SOFA
is in operation. There is nothing to indicate that they intended a
narrow and unique interpretation of the term.

      c. The treaty itself uses the term "pretrial confinement"
when it means that particular form of custody. In the Agreed Minute Re
Paragraph 9 it states

> " . . . a member of the United States Armed Forces or civilian
> component, or a dependent who is prosecuted by the authorities
> of the Republic of Korea . . . . (b) shall have credited to
> any sentence of confinement his period of pretrial confinement
> in a confinement facility of the United States or Republic of
> Korea."

Such form of custody is so drastic that a right was specifically given
an accused to count it toward any sentence he might receive.

      d. The treaty in paragraph 5(c), as mentioned above, requires
the ROK to transfer custody to the US military authorities upon request.
If the prosecutor had arrested SSG Cox during the interrogation he would
have had to transfer him immediately to the very US authorities who
escorted the subject . . . . Such a fruitless procedure
would never have been contemplated by the drafters of the SOFA.

0073

6. The legitimate rights of the ROK are protected by the SOFA.
The United States has given its assurances in paragraph 5(c), Art XXII
that it

"shall promptly make any such accused available to the author-
ities of the Republic of Korea upon their request for purposes
of investigation and trial, and shall take all appropriate
measures to that end add to prevent any prejudice to the course
of justice."

In addition, in this same paragraph, the United States military author-
ities must "take full account of any special request regarding custody
made by the authorities of the Republic of Korea."

7. The SOFA was intended by both governments to govern the exercise
of criminal jurisdiction. Its signing was a sovereign act of two nations.
To ignore this agreement or to change its meaning puts in jeopardy the
whole process of solemn international commitments.

8. I recommend that ROK Prosecutors coordinate their contemplated
actions in controversial areas with your Ministry prior to implementing
such actions. Such coordination would afford us the opportunity of
putting forward our views prior to taking the actions, and would help
to prevent situations which might prove embarrassing to both governments.

WILSON FREEMAN
Colonel, JAGC
Army Staff Judge Advocate

3

0074

한미행정협정에 의하여 설치된 한미합동위원회

1967. 3. 23.

수신 형사재판권분과위원회 위원장
제목 구금시설의 수준

　　1. 한미행정 제22조 제9항에 관한 합의 의사록
제7 항번호 또는 합중국군대의 구성원, 군속, 또는
가족에 대한 사형의 집행 또는 구금, 금고나 징역형의
집행기간중 또는 유기를 위하여 이용되는 시설은 합동
위원회에서 합의된 최소한도의 수준을 충족시켜야 한다고
규정하고 있습니다.

　　2. 상기 1항에 언급된 행정협정의 관계 조문에
포함되어 있는 표정에 따른 구금시설의 수준을 상오 협
의 하여 결정하여 주시기 바랍니다.

　　3. 상기 과계에 대한 귀하의 건고를 합동위원회에
제출하시기 바랍니다.

0075

JOINT COMMITTEE

UNDER THE REPUBLIC OF KOREA-UNITED STATES OF AMERICA

STATUS OF FORCES AGREEMENT

23 March 1967

MEMORANDUM FOR: Chairmen, Criminal Jurisdiction Subcommittee
SUBJECT: Standards of Confinement Facilities

1. SOFA provides in the 7th unnumbered subparagraph of the Agreed Minute Re Paragraph 9, Article XII, that facilities utilized for the execution of a sentence of death or period of confinement, imprisonment, or penal servitude, or for the detention of members of the United States armed Forces or civilian component or dependents, will meet minimum standards as agreed by the Joint Committee.

2. Mutual consultation is required to determine standards of confinement facilities consonant with the requirement as contained in the SOFA provision referenced in paragraph I above.

3. Your recommendation on the above subject is to be transmitted to the Joint Committee.

YOON HA JUNG
Republic of Korea Representative
Joint Committee

[illegible]
Lieutenant General
United States Air Force
United States Representative
Joint Committee

0076

구금시설에 대한 의거기준

제1편 설 비

1. 위 치
   가. 구금시설을 올라며 공공도로 청번 기타
      복잡한 장소로 부터 어느정도 떨어진
      곳에 위치하여야 한다
   나. 수형자들이 작업을 하거나 사용할 지역
      에 근접되어야 한다
   다. 수형자들이 사용할 운동장도 갖추어야한다
   라. 지역은 지형의 돌출부가 없이 평탄하고
      전체적으로 경사가 져서 배수가 잘되어야
      한다

2. 소요장소
   가. 각 수용자에게는 최소한 72명방쳐드의
      취침실이 갖추어져야 한다
   나. 행정 혹은 징벌적의 감방으로 사용하기
      위하여 건조된 감방은 길이8쳐드 넓이
      6쳐드(마루면적48명방쳐드)보다 적어서
      는 안된다

3. 건 물
   일반적으로 건물은 그속에 구금되어 있는 수용
   자의 안전과 그물에 대한 관리에 용이하도록

/

0077

그리하여 건조되어야 한다

가. 감방 및 간막이

　(1) 넓은 감방 또는 넓은 간막이를 아어 나누어야 한다

　(2) 준위를 모함한 장교들을 구분 수용하기 위한 시설이 갖우어져야 한다

　(3) 행정적의 감방은 양옥편이 매세되고 전면은 철창 그리고 개방형 분이 있어야 한다

　(4) 징벌적의 감방은 양옥편과 전면이 매세되고 전면에 개방형 분이 있어야 한다

　(5) 모-든 개인 감방은

　　(가) 적당하게 보온 점등 환기되어야 하며

　　(나) 보조관의 조건과 함께 관수어 면의하도록 하여야 한다

　　(다) 구금시설이 있는 마저먹에 점동이 된 동안에는 감방도 점동이 되어야 한다

　　(마) 수세식 변소와 세면수가 갖우어져야 한다

　(6) 모-든 감방의 마루 벽 그리고 천정은 물이나 가엄된 파이프 후은 수영자의 자해 행위를 도을 위험물이 없는 명단한 표면으로 되어 있어야 한다

2

0078

(7) 감방이 있는 건물이나 사동에는 출입
구 이외에 화재나 비상시에 사용할수
있도록 밖으로 인도되는 비상구가 있
어야 한다

나. 교실과 교회당
최소한 넓은 방 하나를 교실 또는 교회
당으로 사용할수 있도록 해야 한다

다. 접견실
방문객이 사용할 접견실이 따로 있어야
하며 방문객과 수형자들을 위하여 아늑하
고 부드러운 분위기를 조성해 주어야한다
방문객과 수형자 사이에는 철망이나 또
는 다른 장애물이 설치되어서는 안된다

마. 목욕설비
구내 목당과 샤워설비를 갖추어야 한다

마. 세탁설비
의복의 청결을 유지하기 위하여 수형자들
이 사용할 물통 물 그리고 건조시설이
있는 세탁장을 갖추어야 한다

바. 부엌시설

(1) 식사준비에 사용될 시설은 그 목적만
을 위해서 설계 건조되고 유지된 장
소에 위치하여야 한다
그러한 시설에는 압력에 의한 냉온수
공급이 되어야 하며 냉수는 물은 00079

3

견마게 가동되는 위생적인 장치가 된 아수구역 에머 져야 한다

(가) 마루

음식물이 저장되고 조리되고 그리고 공급되는 마루는 명단하고 쉽게 청소할수 있는 또 수선이 용이하며 물이 스머들지 않는 재료로 전조되어야 한다

(나) 벽 및 천정

벽과 천정은 물이 되고 명단아어야 아며 청소에 용이하고 천정은 본모용 살충제가 닿을수 있는 높이로 건조되어아 한다 모-든 벽과 천정은 엷은 색으로 한다

(다) 스크린 장치

음식이 조리되고 또 공급되는 모든 장소에는 냉방장치 또는 견고한 문으로서 곤충의 미어를 막게되어 있지 않는한 스크린 장치를 어야한다

(아) 점등

조리실 또는 서사통구와 석기를 닦는 모든 방은 마루로 부터 30인치 높이에서 최소한 양조20기에 상당아는 강도를 고르게 발산아는 정도의 점등이 되어야 한다

0080

창고로 사용하는 방은 마루에서 30인치 높이의 장소에서 적어도 양초 5개 정도의 조명이 되어야 한다

(마) 환기장치

치사장은 연기 또는 수중기 등이 잘 빠질수 있도록 적절한 환기장치를 해야한다 냉방장치가 되어 있는 부엌이나 또는 환기장치가 되어있는 건물에서는 부엌에서 나오는 모—든 공기가 다시 순환되지 않고 밖으로 나가도록 되어야 한다 다른 장치가 되어 있지 않는한 모든 취사용 스토브군는만 그리고 식기 볶는기계들은 배기장치 틀호개 아래에 두어야 한다 동기지 않는 배식대에 있는 군는만 에는 배기장치 덥개가 필요하지않다

(바) 변소와 세면시설

변소는 음식을 다루거나 보관하는 방 또는 식기 및 기구를 다루는 방에 직접적으로 연결되어서는 안된다 세면시설은 부엌에 마련되어야한다 이의 같은 시설은 냉온수 장치 비누 및 개개인의 수건을 포함한다

(사) 식기 기구의 설계 및 건조

음식물이 접촉되는 식기 및 기구를 건조하는데 사용되는 모든 재료는 카드뮴 또는 납이 포함되지 않은것

으로 만들어 졌거나 또는 도금되어야 한다
단 껍질에는 납을 사용안수 있다 모-든 식기와
기구는 쉽게 깨끗이 닦을수 있도록 설계되어야 하며
완전이 정비된 상대로 보존되어야 한다
접시 식기 통 혹은 기구들이 무마스틱으로 만들어
졌으면 동 무마스틱은 고온수 세척제 업소 또는 비
누에도 영향을 받지 않는 종류라야 안다 그것은
모면이 전과하고 그르고 또 쉽게 닦을수 있는
것이라야 안다

(아) 조리와 석사에 대한 청소시설
조리 기구 및 식기를 닦는데 사용
할 냉온수 시설과 함께 기솟대와
기수에 필요한 재료도 갖추어져야
안다

(차) 냉장고에는 다음 사항을 포함한다
냉각을 요하는 물품에 사용한 기구
는 화씨44도 이상의 온도속에 오
넛동안 보관해야 안 신선한 과일이
나 채소를 제외하고는 화씨32도
내지 44도의 온도를 유지해야 한
다 백식할떼까지 화씨0도나 그 이
아의 온도로 보관해야 알 아시스크
림을 제외한 냉각된 음식은 화씨
10도 이아의 온도에 보관 되어야
안다 모-든 냉장고는 쉽게 청소할
수 있도록 아기 위아여 모-든

6

0082

간막이와 선반을 땔 수 있도록 설계한다
냉장고의 배수구멍은 하수 또는 하수관에 직접 연결
되어서는 안된다
쉽게 볼수 있는 온도계를 각 냉장고 한쪽에 마련되
어야 한다.

    (차) 저 장
     적당한 저장시설을 갖추어야 한다
   (2) 이러한 시설들은 보통은 한국측에 의
    하여 갖추어져야 할지라도 미군측은
    어떤 설비를 갖추는데 필요한 경우에
    는 가능하다면 한국측을 도울수 있다
 사. 기 구
   (1) 소화기와 경보기를 포함한 충분한 화
    재 방지장치가 모-든 참방 시설내에
    언제라도 사용할수 있는 상태로 시설
    또는 유지되어야 한다
   (2) 카-드 께임 또는 운동비품을 포함아
    는 오락기구는 언제라도 수형자들이
    사용할수 있도록 마련돼어야 한다
   (3) 수형자들의 취침에 적당한 취침설비와
    충분한 덮개를 갖추어 주어야 한다
그   그러한 취침 설비로는 침대1대 침대
    요 1매 배게1개 홋이불2매 벼갯잍
    1매 보로2매 (필요에 따라 벽 많이)
    그리고 겨울용 이불 1매를 포함한다

7

0083

제 2 절 미군수형자의 처우

1. 접견실
접견실에서는 수형자와 방문객 사이에 직접
물품을 교환할수 없다
물품의 교환은 교도관을 통하여 전달되어야한다

2. 목욕시설
각 수형자는 청결을 유지하기 위하여 최소한
5일에 1회씩은 목욕할수 있는 기회를 부여
받어야 한다

3. 식사준비
미군인 수형자는 다른 미군에게 공급되는 것과
같은 양과 질 그리고 형태를 갖춘 종류의
유익하고 충분한 음식을 미군당국으로 부터 받
을수 있도록 해야 한다 그것은 다음과 같은
방법으로 한다
가. 미군 당국이 미군인 수형자에게 식사를
제공할수 있도록 허용해야 한다
그렇지 않으면
나. 수형자들이 가까운 미군 당국으로 부터
공급된 음식물로서 그들 자신이 식사
를 준비할수 있도록 허용되어야 한다
이러한 경우에는 음식물을 저장하고 조리
할수 있도록 부엌 시설을 갖추어야 한다

8

0084

4. 수형자들의 건강 및 복지

　가. 수형자에게는 미군 당국에서 지급하는
　　　내의 구두 및 양말의 사용이 허용된다

　나. 각 수형자의 지휘관 의무장교 법무장교
　　　헌병감 또는 기타의 장교는 정기적으로
　　　수형자를 방문할수 있으며 지휘관은 수형
　　　자가 필요로 하는 물품을 수형자 개인의
　　　돈으로 구입해 주도록 허용되어야 한다
　　　필요한 물품이라 함은 안전면도날 면도용
　　　솔 치솔 빗 세면비누 목욕수건 손수건
　　　치약 면도크림등의 물품이다

　다. 수형자들은 매주마다 이발을 그리고 최소
　　　한 2일에 1회씩은 면도를 하도록 하여
　　　야 한다 면도와 면도날은 수형자들이 사
　　　용하지 않을 때에는 구금시설 당국자가
　　　보관한다 면도는 구금시설 당국자의 감독
　　　하에 해야한다

　라. 수용자는 미군사 우편망을 통하여 우편물
　　　을 수발할수 있으며 미군대표는 교도관과
　　　협조하여 임의로 우편검열을 할수있다

　마. 필요할 때는 미군에서 의료조처를 제공할
　　　수 있다

　바. 수형자들에게 하루 12시간을 초과한 노
　　　동을 과할수 없다.

9 .

0085

제 3 편   보 용

상기안 기준은 필요에 따라 미8군헌병대와 대한민국
법무부의 합의아에 수정될수 있다.

10

.

0086

MINIMUM STANDARDS FOR CONFINEMENT FACILITIES
PART I - PHYSICAL PLANT

1. **Location**.

    a. The confinement facility shall be located at some distance from perimeter fences, public thoroughfares, main gates and other congested areas.

    b. It shall be accessible to areas where prisoners will be employed or utilized.

    c. Area shall provide an exercise field for use by prisoners.

    d. Area shall be even terrain without abrupt breaks in contour but shall have an overall slope to insure proper surface drainage.

2. **Space Requirement**.

    a. At least seventy-two square feet of sleeping space shall be provided for each prisoner.

    b. Cells constructed for use as close-confinement cells, such as administrative and disciplinary segregation cells, shall not be less than 8 feet long by 6 feet wide by 8 feet high. (48 square feet of floor space)

3. **Buildings**.

    In general, buildings should be constructed and arranged to provide for control and safety of all prisoners confined therein. Specific requirements which shall be met include the following:

    a. **Cells and compartments**.

        (1) Large cells or rooms shall be divided into compartments.

        (2) Separate accommodations shall be provided for officers, including warrant officers.

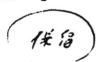

0087

(3) Administrative segregation cells shall have closed sides, open secure fronts, and open type front doors.

(4) Disciplinary segregation cells shall have closed sides, closed fronts, and open type front doors.

(5) All individual cells shall: (a) be adequately heated, lighted and ventilated; (b) afford a maximum amount of natural light and observation consistent with custodial requirements; (c) be lighted during periods when other areas of the confinement facility are lighted; (d) be provided with a flush type toilet and lavatory.

(6) The floors, walls and ceilings of all cells shall be of smooth surface with no exposed water or heating pipes or any objects that would aid a prisoner in self-injury.

(7) Rooms or buildings in which group and individual cells are located shall have in addition to the entrance door, another door leading outside for use in case of fire or emergency.

b. <u>Classroom and Chapel</u>.

A minimum of one large room shall be provided to serve as a classroom for training and when necessary, for use as a chapel.

c. <u>Visitor's Room</u>.

A separate room shall be provided for use by visitors and shall be arranged and equipped to provide comfortable surroundings and a desirable atmosphere for both visitors and prisoners. Visitors and prisoners shall not be separated by wire screens or other types of barriers.

d. <u>Bathing facilities</u>.

Indoor bathing and shower facilities shall be provided.

2

0088

e. __Laundry facilities__.

There shall be provided a laundry room containing tubs, water, and drying facilities to allow prisoners to maintain their clothing in an acceptable standard of cleanliness.

f. __Kitchen facilities__. ((Only when it is not feasible for the b-United States to provide precooked meals. See Part II, 3b)

(1) Facilities used for the preparation of food will be located in areas designed, constructed, and maintained for that purpose only. Such facilities will be served by hot and cold water under pressure,. and liquid wastes will be discharged to a properly functioning sanitary sewer system.

(a) __Floors__. All floors in areas where food is stored, prepared, and served will be constructed of an impervious material which is smooth, easily cleanable, and in good repair.

(b) __Walls and ceilings__. Walls to a level reached by splash and spray will be of smooth construction and will be constructed to facilitate cleaning. All walls and ceilings will be of light color.

(c) __Screening__. All areas where food is prepared and served will be screened against insects unless other measures such as air conditioning, solid doors, etc., preclude the need.

(d) __Lighting__. All rooms in which food is prepared or dishes and utensils washed will be lighted by an evenly diffused and distributed light which provides an intensity of at least 20 foot-candles measured 30 inches above the floor. Rooms use for storage will be provided with illumination of at least 5-foot candles at a distance of 30 inches above the floor.

0089

3

(e) <u>Ventilation</u>. All kitchens and dishwashing rooms will be provided with adequate exhaust ventilators to rapidly remove all smoke and steam from the area. In airconditioned kitchens or those served by a building ventilation system, all air from the kitchen will be exhausted to the outside and not recirculated. Unless otherwise provided for, all stoves, grills, and dishwashing machines will be located under hoods which exhaust to the outside. Grills at serving counters which do not create a smoke or odor problem need not be provided with hoods.

(f) <u>Toilet and handwashing facilities</u>. No toilet room should open directly into any room concerned with the handling or storing of food or the washing of dishes and utensils. Handwashing facilities will be provided in the kitchen. Such facilities will consist of hot and cold running water, soap, and individual towels.

(g) <u>Design and construction of utensils and equipment</u>. All materials used in the construction of utensils and equipment which come into contact with food will be constructed or plated with materials which contain no cadmium or lead, provided that solder containing lead may be used for jointing. The design of all utensils and equipment will permit easy and thorough cleaning and all such items will be kept in good repair. Where plastic is used in the construction of dishes, utensils, containers, and equipment, it will be of a type which is unaffected by high water temperature, detergents, chlorine, and soaps. It should maintain a hard, smooth and easily cleanable surface.

(h) <u>Cleaning facilities for cooking and eating</u>. A sink with cleaning materials shall be provided equipped with hot and cold running water to be used in the cleaning of both cooking and eating utensils.

(i) <u>Refrigerators will be provided</u>. Equipment used for

4   0090

holding chilled items will be operated at temperatures between 32 degrees F. and 44 degrees F., except fresh fruits and vegetables which may be held in refrigerators above 44 degrees F. when this is necessary to promote longer storage life. All refrigerators should be designed to expedite cleaning with all shelves and racks removable. Boxes with drains will not be directly connected to sewers or waste lines. Easily readable thermometers will be conveniently located in every box.

(j) Storage. Adequate storage facilities will be provided.

(2) Even though these facilities will be normally provided by the ROK, the US may, if feasible, assist the ROK in meeting the requirements by providing certain equipment..

g. Equipment.

(1) Sufficient fire protection devides, to include an alarm system and fire extinguishers shall be installed and maintained in an operational condition throughout the confinement facility.

(2) Recreation equipment including cards, games, and sporting gear shall be readily available for use by the prisoners.

(3) Prisoners shall be provided adequate sleeping accomodations with sufficient covering during sleeping hours. Such accomodations shall consist of one bed, one mattress, one pillow, two sheets, one pillow case, two blankets (or more as required), and one comforter per prisoner.

PART II - TREATMENT OF US PRISONERS

1. Visitor's Room.

There shall be no direct exchange of items between prisoners and visitors. Items to be exchanged shall be delivered through prison officials.

0091

2. Bathing Facilities.

    Each prisoner shall be afforded an opportunity to bathe/shower, no less frequently than once every five days, in order to maintain an acceptable standard of cleanliness.

3. Food Preparation.

    US prisoners shall be given wholesome and sufficient food from US issued rations of the same type, quality, and quantity as furnished other US Forces personnel. This may be accomplished by:

        a. US Forces shall be permitted to furnish cooked meals for US prisoners, or

        b. Prisoners shall be authorized to prepare their own meals from food supplies furnished by the nearest US military installation. In this event kitchen facilities shall be provided to store and to cook the food as outlined in Part I, para 3f.

4. Health and Welfare of Prisoners.

        a. Prisoners are authorized to wear underclothing, shoes and socks provided by the US Forces.

        b. The individual's commander, medical officer, legal officer, provost marshal or other officials are authorized to make periodic visits and the commander is authorized to purchase, with the prisoner's personal funds, personal items needed by the prisoner. Items generally needed are safety razor blades, shaving brush, tooth brush, comb, toilet soap, bath towel, handkerchief, tooth paste, shaving cream and other items.

        c. Prisoners shall be barbered every week and shall shave no less frequently than every 2 days. Razors and blades will be secured by the detention facility authorities when not in actual use by the

6

0092

prisoners. Shaving will be done under the supervision of the detention facility authorities.

d. Prisoners shall be allowed to send and receive mail through US Forces APO channels and a representative of the US Forces shall have the option to censor mail in coordination with prison officials.

e. Medical care may be furnished by US Forces as required.

f. Prisoners will not be required to perform labor/work details in excess of 12 hours total per day.

PART III   IMPLEMENTATION

When necessary, rules and regulations implementing the above standards will be evolved by joint agreement of Eighth Army Provost Marshal and Korean Ministry of Justice.

7

0093

CUSTODY. The care and keeping of anything; as when an article is said to be "in the custody of the court." People v. Burr, 41 How.Prac., N.Y., 296; Emmerson v. State, 33 Tex.Cr.R. 89, 25 S.W. 290; Roe v. Irwin, 32 Ga. 39. Also the detainer of a man's person by virtue of lawful process or authority; actual imprisonment. In a sentence that the defendant "be in custody until," etc., this term imports actual imprisonment. Smith v. Com., 59 Pa. 320; Turner v. Wilson, 49 Ind. 581; Ex parte Powers, D.C. Ky., 129 F. 985. Detention; charge; control; possession. The term is very elastic and may mean actual imprisonment or physical detention or mere power, legal or physical, of imprisoning or of taking manual possession. Jones v. State, 26 Ga. App. 635, 107 S.E. 166; J. C. Messen Lumber Co. v. Ray W. Bennett Lumber Co., 223 Mich. 349, 193 N. W. 789, 790; State ex rel. Bricker v. Griffith, Ohio App., 36 N.E. 2d 489, 491; Willoughby v. State, 87 Tex. Cr. R. 40, 219 S.W. 468, 470; Carpenter v. Lord, 88 Or. 128, 171 P. 577, 579, L.R.A. 1918D, 674; Little v. State, 100 Tex. Cr. R. 167, 272 S.W. 456, 457; Randazzo v. U.S., C.C.A. Mo., 300 F. 794, 797.

The word is defined as the care and possession of a thing, and means the keeping, guarding, care, watch, inspection, preservation or security of a thing, and carries with it the idea of the thing being within the immediate personal care and control of the person to whose custody it is subjected; charge: immediate charge and control, and not the final, absolute control of ownership, implying responsibility for the protection and preservation of the thing in custody. Southern Carbon Co. v. State, 171 Misc. 566, 13 N.Y.S. 2d 7, 9.

"Custody" of property means such a relation towards it as would constitute possession if the person having custody had it on his own account. State v. Columbus State Bank, 124 Neb. 231, 246 N.W. 235, 238. "Custody" means a keeping, guardianship, the state of being held in keeping or under guard, restraint of liberty, imprisonment, and "fetter" is a synonym. Crowder v. Cook, D.C. Idaho, 59 F. Supp. 225, 231.

0094

현 황
STATUS BRIEFING

서 울 교 도 소
Seoul Correctional Institution
Ministry of Justice

연   혁

Brief History

1. 당소는 1906년 현위치에 착공하여 1908년 준공 현재에 이르고 있는 바

   The construction work of Seoul Correctional Institution was started

   1960년 외국인을 수용하기 위하여 구치감 제4사하 서측에 5개 사방을 개

   at the present location in 1906 and completed in 1908. In 1960 five (5)
   quarters on the west side of No. 4 detention house were renovated in

   축하였고 1966.7.9. 한미행정협정이 조인된 후 외국인의 기본인권을 의대한

   order to accommodate offenders of the foreign nationals. An additional
   renovation has been completed since the Status-Of-Forces Agreement was

   보장하기 위하여 재보수하였음.

   signed on July 9, 1966 to provide foreign offenders with the protection
   of the basic human rights to the maximum extent.

2. 위   치

   Location

   당소 외국인 감방은 구내 남단인 조용한 곳에 위치하고 있으며 철하여 100

   The detention house of foreign nationals is located at the south-end,
   a quiet place within the premises, where a playground of more than 100

   여평(355.86 평방휘-트)의 운동장이 있음.

   pyong (355.86 sq.ft.) is available.

3. 건   물

   Structure

A. 사방은 5개방으로서 2개방는 4.36평(155.15평방휘-트) 3개방는

   The detention house is consisted of <u>five (5)</u> cells, two (2) of which
   are 4.36 Pyong (155.15 sq.ft.) each and the rest three (3) are 5.59

   5.59평(198.93평방휘-트)으로 원칙으로 하나 수용인원이 증가될

   pyong (198.93 sq.ft.) each in the floor space. Although it is the
   principle of the Institution to provide solitary confinement to

   시는 2명까지 수용할 계획이며 평시에는 장교 및 준사관은 큰 방, 사병는

   foreign nations, an additional detention up to two (2) persons is
   planned if the number of offences by foreign nationals increases.

   작은 방에 수용할 것임.

   Officers and NCO will be accommodated in large quarter, while enli-
   stedmen in small quarter.

0096

실 내 구 조

Quarter Structure

구 분 Classification	거 실 (침실) Bedroom	화장실 및 세면실 Toilet & Wash Room	욕 실 Bath Room (Shower)
대 형 Large	3.43 Pyong (122.06sq/ft)	2.16 Pyong (76.87 sq/ft)	2.16 Pyong (76.87 sq/ft)
소 형 Small	2.74 Pyong (96.51sq/ft)	1.62 Pyong (57.65 sq/ft)	

B. 감방구조는 측면이 폐쇄되어 있고 전면은 창문 및 출입문이 있어 시찰
   The front of each cell has a window and door designed to open and

   과 개폐가 용이하게 되어 있음.
   shut easily with closed side walls.

C. 각 사방내에는 난방시설은 물론 변소는 수세식으로 되어 있고 채광은
   heating system, flushing toilet and natural ventilation facility

   극히 양호하며 환기는 자연적으로 봉종이 되겠금 시설이 되어 있음.
   with better lighting are available in each quarter.

4. 시 설
   Facilities

A. 접견실은 의뢰자와 수형자간의 명랑한 분위기가 조성되도록 되어 있으며
   The interview room has neither a wire-screen nor an obstruction

   철망이나 장애물이 없음.
   in order to provide the convict and visitor with jovial atmosphere.

B. 각 사방마다 1.62형 (57.65형방휘-트)의 세면장이 설치되어 있을뿐만
   A washing stand of 1.62 pyong (57.65 sq/ft) and a bath room of 2.16

   아니라 2.16형 (76.87형방휘-트)의 목욕당이 별도로 설치되어 있으므로
   pyong (76.86 sq/ft) in the floor space are available separately for

- 2 -

0097

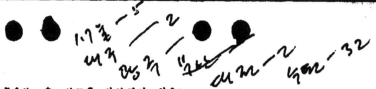

수시 세면 및 목욕할 수 있도록 설치되어 있음:
each quarter to provide the convict with free sanitary environment.

5. 장 비
   Equipment

장비로서는 항상 활용할 수 있는 충분한 방화기구가 설치되어 있으며 오락
Fire prevention equipment is made available at all times, including

기구로서는 탁구대가 비치되어 있고 실내오락용으로 장기를 비치할 계획이며,
such recreational equipment as table-tennis court. As an indoor amuse-

실내에는 침대 및 침구일체와 탁자 및 의자를 비치하고 있으며 일상생활에
ment, chess will be additionally furnished. A complete set of beddings,

필요한 주전자, 거울, 컵등이 완비되어 있음.
table and chair is also made available together with such daily necessi-
ties of kettle, mirror, and cup, etc.

6. 처 우
   Treatment

수용자의 처우는 행형법에 의거하여 기본권이 보장되도록 처우하며 생활양식
The basic rights of the detainee will be preserved to the maximum extent
in accordance with the provisions of the Status-of-Forces Agreement.
과 풍습이 다른 저 조건에 부합되도록 외국인에 대한 처우규정을 제정중에
The establishment of proper regulations concerning the treatment of the
individual foreign convicts is now in progress so as to provide them
있음.
with the most suitable environment to their peculiar way of life and
customs.

A. 접견, 서신은 행형법과 한미행정협정에 의하여 매일 실시할 수 있음.
   Interview and exchange of correspondences are allowed on the free
   basis every day as stipulated in the laws and Status-of-Forces Agreement.

B. 식사는 미결 동안은 각자의 부담으로 차입이 허가될 것이며 자변이 불
   The present of meals to the detainee is allowed, in principle, at his
   own expense during the period of detention pending trial. If such
   농시는 법무부에서 제정한 메뉴에 의거 급식함.
   present of meals is not possible, it will be properly arranged in
   accordance with the menu provided by the Ministry of Justice.

C. 일상생활에 필요한 의류 및 용품는 행형법에 의거 차입이 허가됨.
   Clothings and other daily necessities are allowed to be presented to
   the detainee in accordance with the criminal law of ROK.

D. 하사라도 의무시설을 이용할 수 있음.
   Sufficient facilities for proper medical care are available at all
   times.

- 3 -   0098

4. 제3차, 1967.4.4

AGENDA
CRIMINAL JURISDICTION SUBCOMMITTEE
THIRD MEETING

4 April 1967
1967년 4월 4일

1. Discussion of tasks assigned by the Joint Committee and adoption
    합동 위원회에서 위임한 오의 과제 및 책의

of those agreed upon.

    a. Custody Request and Receipt Form.
    구금 인도 요청서 및 인수증 서식

    b. Agreed View on - Waiver of Notice of Offense in Certain Cases
    동의 사항 - 사건 통고의 포기

    c. Agreed View No. 5 - Notification of Disposition of Cases
    동의 사항 5 - 사건 처리에 관한 통고

    d. Agreed View No. 6 - Protection of US Property Outside US
    동의 사항 6 - 미국 시설 및 지역 외에서의 미국 재산의
    Installations and Areas
    보호

    e. Agreed View No. 7 - Security of US Property in the Event of
    동의 사항 7 - 한국 당국에 의에서 검거되는 경우 미국 재산의
    an Arrest by ROK Authorities
    안전 보의

    f. Agreed View No. 8 - Departure from Korea of Witnesses at
    동의 사항 8 - 수사 도중 증언의 의안에 대한 건
    Investigations

2. Responsibility for Preparation of Report to Joint Committee.
    합동 위원회에 제출할 보고서

3. Adjournment.
    폐의

0100

<u>CUSTODY REQUEST AND RECEIPT</u>
구금 인도 요청서 및 인수증

Date: _____
날짜

TO:

　　　　　　　　귀하

　　Pursuant to the provisions of Article XXII, paragraph 5c of the
한미 협정 법집 제22조 5항(다)에 의거하여 구규됨

ROK/US Status of Forces Agreement, request is hereby made to the prosecutor,
(피 의자의 성명)의 구금을 미국당국에 인도하여 추시기물 검사 혹은 체포관서를

or through the arresting agency to the prosecutor, for the transfer of
검유하는 검사에게 요청합니다.

custody to the US Authorities of _____
　　　　　　　　　　　　　　　　　　　(name of suspect)

　　In accordance with Article XXII, paragraph 5c of the ROK/US Status
한미 협집 법성 제22조 5항(다)에 따라 상기　　　　　　　　은(는)

of Forces Agreement, the said _____ will be held
　　　　　　　　　　　　　　(Name of Accused)
법서 검사에 의한 요성이 있으미 선제 어느곳에던지 대한민국의 경찰 수사

ready for appearance during an official investigation or before a competent
기관이나 법원에 출누만수 있도록 구금하여 두겠읍니다.

court of the Republic of Korea at such times and places as required by

legal process.

　　　　　　　　　　　　　　　_____
　　　　　　　　　　　　　　　　(Signature)　(서명)

　　　　　　　　　　　　　　　Name, Rank　(성명, 게급)

　　　　　　　　　　　　　　　_____
　　　　　　　　　　　　　　　　(Organization)　(소속)

　　　　　　　　　　　　　　　Area Provost Marshal　(지구 헌병대 전화 번호)
　　　　　　　　　　　　　　　Phone Number _____

Copies to: Commander, USFK, ATTN: JAJ
　　　　　　CO of major subordinate command of individual
　　　　　　CO of individual
　　　　　　File

USFK SOFA CJ FORM #2 (provisional)　　　　　　0101

_한림_

CUSTODY RECEIPT
구금 인수증

Date _____
날 자

I hereby certify that I have this date received custody of the person
본인은 금일   (사건의 내용)(으)로 인하여

of _____, stationed at _____
    (Name of the Individual)   (nearest

알으로 있을지도 모르는 수사나 혹은 재판에 대비하여

_____, from the _____,
Korean town or city)   (appropriate Korean authority)
(가까운 도시나 동리명)에 구금 되었던   (소속,

pending possible investigation and/or trial resulting from _____
                                          (brief description
성명)의 신병을   (한국 기관) 당국으로 부터

_____.
of the alleged offense)
인도 받았음을 확인함.

                        (Signature) (서명)
              Name, Rank, Organization, Title
              (성명, 계급, 소속, 직책)

0102

INSTRUCTIONS

송의

1. Prepare this form in an original and five copies and type in as a letter head the organization issuing the forms. Address it to the local Korean authority who is the arresting agency, or to the nearest branch or district prosecutors office.

2. The request shall be signed by the area Provost Marshal or in his absence by his designee who is a commissioned officer.

3. Leave the original and one copy with local authorities who have arrested the US Armed Forces personnel, or at the nearest branch or district prosecutor's office.

4. Send one copy immediately to the CO of the major subordinate command of the individual. Such commands are the 314th Air Division; I Corps; 2d Infantry Division; 7th Infantry Division; 38th Artillery Brigade; 4th US Army Missile Command; Eighth US Army Support Command; Eighth US Army Depot Command/Eighth US Army Rear; Special Troops, Eighth US Army; and the US Naval Forces, Korea.

5. Send one copy to the immediate commanding officer of the accused.

6. Send one copy to the Commander, USFK, ATTN: JAJ.

7. Retain one copy.

0103

Agreed View No.

Waiver of Notice of Offense in Certain Cases
사건 통고의 포기

Pursuant to paragraph 4 of the Agreed Minute to Paragraph 3(b),
한미 행정협정 제22조 (나)항에 관한 합의 의사록 제4항 및
Article XXII, and to the 3rd unnumbered paragraph of the exchange of
어에 관한 대한민국과 합중국간에 1966년 7월9일자 교환 서한에
Letters between the Republic of Korea and the United States of America
의거하여 대한민국의 제1차 재판관할권에 속하는 범죄를 아기에 속하는
of 9 July 1966 regarding Paragraph 4 of the Agreed Minute to Paragraph
범죄는 통고를 필요로 하지 않는 것으로 합의한다.
3(b), Article XXII, ROK-US Status of Forces Agreement, it is agreed that

notification of an offense falling with the primary jurisdiction of the

ROK is not necessary where:

    a. The offense involves a traffic incident except where a non-
    가. 미국 군인이 아닌자가 부상이나 또는 사망한 경우를 제외한
US Forces personnel is injured or killed.
교통 사고.

    b. The offense is one for which the punishment authorized by
    나. 한국 법률에 의하여 1년 이하의 처벌이 인정되는 범죄
ROK law is less than one year.

    c. The offense is one of the following:
    다. 아기의 범죄:
        (1) Inflicting bodily injury through negligence (Criminal
        (1) 과실 상해에 관한 건. (법법 제266조)
Code, Art. 266).

        (2) Crime of Violence (Article 260-equivalent to Assault and
        폭력죄 (제260조 - 미국법의 구타와 폭행에 관한 개념과 더동)
Battery).

        (3) Trespass (Article 319, except where trespass was accom-
        불법 주거 침입 (제319조 - 폭력에 의한 주거침입은 제외)
plished by force).

        (4) Such other offenses that are normally tried by a one-judge
        보통 단독심 판사에 의해서 재판되는 범죄.
court.

0104

Agreed View No. 5

<u>Notification of Disposition of Cases</u>
사건 처리에 관한 통고

The notification required by paragraph 6(b), Article XXII, ROK-US
한미협정입장 제22조 6의(나)항에서 요구하는 통고는 아기의 경우에
Status of Forces Agreement shall be deemed satisfied by the following:
의에서 이행되어지는 것으로 간주한다.

(a) Reciprocal monthly reports through the Joint Committee by
한미협입 제22조 제3항에 밀시된 아략강어 상오협에 보고서는
United States Armed Forces and Korean authorities of the final disposition
제1차적 재판권을 갖지않은 일방국가에 의에서 재판된 사건의 최종
of those cases tried by the party not having the primary jurisdiction over
처리를 아는 합중국 군당국 또는 한국당국에 의에서 합동위원회를
the case as defined in paragraph 3, Article XXII, ROK-US Status of Forces
통하여 보고한다.
Agreement; and

(b) Reciprocal monthly reports through the Joint Committee by United
상오 협에 보고서는 재판 간힐련을 행사하는 제1차적 권리를
States Armed Forces and Korean authorities of the final disposition of the
갖고있는 국가에 의에서 재판된 사건 (타방국가나 또는 그 국민에게 가메진
cases tried by either State under its primary right to exercise jurisdiction
법법에 속하는 사건)의 최종처리를 아는 미군 또는 한국당국에 의에서 합동
which involve offenses committed against the other State or nationals of
위원회를 통하여 보고한다.
the other State.

(c) The reports mentioned in (a) and (b) above shall contain the
상기 (가) 와 (나)에서 언급된 보고서에는 피고의 소속과 성명,
name and organization of the accused, name of offense, brief description
죄명, 법죄내용, 입양각 처리일자, 그리고 처리당국명을 기재한다.
of offense, substance and date of disposition and name of the authorities

which made the disposition.

(d) Nothing herein shall prohibit informal reports at the local
본건은 합중국 혹은 한국 당국의 실무자가 요청에 의에서
level by United States or Korean authorities to the authorities of the
타방국가에게 재판이나 또는 그 밖의 다른 방법으로 처리한 사건의
other State, upon request, of the disposition of any cases either by trial
비공식 보고를 금지 하지 아니한다.
or otherwise.

0105

Agreed View no. 6

Protection of US Property Outside US Installations and Areas
미국 시설 및 지역 외에서의 미국재산의 보호

Pursuant to Paragraph 1, Article III and to Article XXV, ROK-US
한미 협정 제22조와 제3조1항에 의거하여 다음 사항을 합의한다.
Status of Forces Agreement, it is agreed that:

    The United States _military_ law enforcement personnel may, in the vicinity
한국 법의 집행 기관원은 한국내의 어느곳 어디를 막론하고
of vital U.S. military property, such as vessels, aircraft, bridges,
선박, 항공기, 교량, 주요무기, 군수품, 또는 비밀 문자와 같은 중요한
major weapons, ammunition and classified material, wherever situated
미군 재산이 있는 부근에서 미국 재산에 대한 현행범을 한국 법의
in Korea, take into custody without warrant any flagrant offender
집행 당국에 그 조처를 요구할 시간이 없을때는 영장없이도 체포
against the security of that property or prevent him from the commission
할수 있으며 그러한 범법을 제지시킬수 있다.
of such offense, when they have no opportunity to request the assistance of Korean

law enforcement authorities.

0106

Agreed View No. 7

<u>Security of US Property in the Event of an Arrest</u>
<u>by ROK Authorities</u>
대한민국 당국에 의하여 검거되는 경우 미국재산의 안전 조치

Pursuant to the second sentence of Article XXV, ROK-US Status of
한미행정 제25조 두번째 문장에 의거하여 다음사항을 합의한다.
Forces Agreement it is agreed that:

In the event a ROK arresting agency arrests a member of the US
미국 정부의 재산이나 미군 기관의 재산을 보유하고 있거나
Armed Forces, civilian component, Korean employee of such forces, or
책임을 맡고 있는 미국군인, 군속과 그들의 가족, 또는 그와같은 미국
dependent who at the time is in the possession of or has the responsibility
가정에 그들피어 있는 한국인을 검거하는 경우에는 그들어 맡고 있던
for US property or personal property of US forces personnel, such property
재산을 미국당국에 인계될때가지 한국수사 기관에서 보오한다.
will be secured by such arresting agency ~~until such time as it is turned~~

~~over to U.S. authorities.~~

0107

보류

Agreed View No. 8

Departure from Korea of Witnesses at Investigations
수사 노중 증인의 여만에 대한 건

Pursuant to para 6(a), Art XXII and Agreed Minute thereto of the
한미 협정 제22조 6의(가)항과 합의 의사록에 의거하여 한미협정
ROK-US Status of Forces Agreement, it is agreed that U.S. authorities
사건에 관련된 미국 증인이 분런 한구을 출발하여야 하는 경우 미국
will notify the local ROK investigative authorities if a U.S. witness
당구은 어를 군 한국 수사당국에 통고하는 것에 합의하며 동 증인은
to a SOFA incident is due to depart Korea in the near future. The witness
저어도 출발 예정일 2일전에 한구 당구어 미구 당구어 한국법에 의한
shall then comply with all necessary measures to preserve   evidence   which
증거 보른 초치가 필요하다는 것을 통고하면 한구 당구어 위하는 모른
may be required by the ROK Authorities and if ROK authorities, at least two
증거 보른 초치에 응하여야 한다.
days before his scheduled departure, notify the US authorities that preservation

of such evidence is necessary.

0108

AGENDA
CRIMINAL JURISDICTION SUBCOMMITTEE
THIRD MEETING

4 April 1967

1. Discussion of tasks assigned by the Joint Committee and adoption of those agreed upon.

   a. Custody Request and Receipt Form.

   b. Agreed View on - Waiver of Notice of Offense in Certain cases

   c. Agreed View No. 5 - Notification of Disposition of Cases

   d. Agreed View No. 6 - Protection of US Property Outside US Installations and Areas

   e. Agreed View No. 7 - Security of US Property in the Event of an Arrest by ROK Authorities

   f. Agreed View No. 8 - Departure from Korea of Witnesses at Investigations

   g. Request for Statement on Actions to be taken for Accomplishment of Range Security Task.

2. Responsibility for Preparation of Report to Joint Committee.

3. Adjournment.

0103

Agreed View No. 6

Protection of US Property Outside US Installations and Areas

Pursuant to Paragraph 1, Article III, and to Article XXV, ROK-US Status of Forces Agreement, it is agreed that:

The United States military personnel may, in the vicinity of vital U.S. military property, such as vessels, aircraft, bridges, major weapons, ammunition, and classified material, wherever situated in Korea, take into custody without warrant any flagrant offender against the security of that property or prevent him from the commission of such offense, when they have no reasonable opportunity to request the action of Korean law enforcement authorities.

0110

Agreed View No. 7

**Security of US Property in the Event of an Arrest
by ROK Authorities**

Pursuant to the second sentence of Article XXV, ROK-US Status of
Forces Agreement it is agreed that:

In the event a ROK arresting agency arrests a member of the U.S.
Armed Forces, civilian component, Korean employee of such forces, or
dependent who at the time is in the possession of or has the responsibility
for U.S. property or personal property of US forces personnel, such property
will be secured by such arresting agency and turned over to U.S. authorities
upon the request of such authorities.

0111

Agreed View No. 8

Departure from Korea of Witnesses at Investigations

Pursuant to para 6(a), Art XXII and Agreed Minute thereto of the ROK-US Status of Forces Agreement, it is agreed that U.S. authorities will notify the local ROK investigative authorities if a U.. witness to a SOFA incident is due to depart Korea in the near future. The ROK authorities will then notify the U.. authorities at least two days before the witness' scheduled departure if they consider it necessary to preserve any evidence he may posses. Such preservation of evidence may, according to article 184 and 185, ROK Code of Criminal Procedure, consist of examination of the witness before a judge or the inspection of documents or other real evidence in his possession. The U.S. authorities will insure the witness' attendance at such proceedings and the ROK authorities will insure that such proceedings are conducted in such a manner as not to interfere with the scheduled date of departure of the witness.

0112

공 란

공 란

공 란

공 란

공 란

공 란

공   란

공   란

공   란

공   란

주한미군지위협정(SOFA) 민·형사재판권 분과위원회

공   란

공   란

공   란

공   란

공   란

공   란

공   란

6. 의안송부(Agreed view no.8-11)

1967. 5. 31

0130

법 무 부

영제위 3 - 10770 (4083)   1967.5.31

수신 각 위원 (외무부구미국 미주과장)

제목 의안송부

    1. 당 위원회에 계속중인 의안에 관한 미측제안을

송부하니 검토후 이에 대한 의견이나 대안을 1967.6.10

까지 보내주시기 바랍니다

    2. 의견이 기일내에 제출되지 아니하면 이견이

없는 것으로 보겠읍니다

별첨 의안 1부   끝.

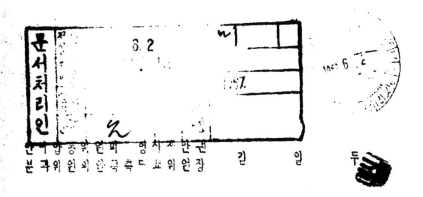

한미합동위원회 형사재판권
분과위원회 한국측대표위원장   김   일

0131

오용물 증인의 기일에 관한 건

합의의 제22조 6항(가)가 그에 대한 합의 의사록에 비추어 볼 때 요구되는 관련된 기구요원이 분한 한국을 출국하기 전에 대한민국 재판부가 출국하는것이 필요하다고 한국당국이 증언에 소용되고 있는 증거에 모든경우에 그에게 거기는 한국당국은 적어도 증언의 출발하기 일전 기일보다 이를 통고한다 대한민국 영사소송법 제145조와 거기서 구속감은 증거 보존 신속하게에 관한 ... 고, 그리고 증언이 소용되고 있는 증기를 보호하며 ... 당국은 이러한 절차에 증인의 출석을 보장하여 주기 위하여 ... 당국은 증인의 출발예정일에 맞추어 이루하는 방법으로 ... 좋은 절차가 수행되도록 보장하여 한다.

0132

Criminal Jurisdiction

Agreed View No. 9

Investigation of Incidents
(Outside US facilities and Areas)

Pursuant to Paragraph 5(a) and 10(b) and Agreed Minute Re Paragraph 10(a) and 10(b), and par 6(a), Article XXII, ROK-US Status of Forces Agreement, it is agreed that:

In incidents occurring outside U.S. facilities or areas wherein the initial information indicates that a member or members of the United States Armed Forces, civilian component, or dependents thereof, have been involved in an incident which would fall within the exclusive jurisdiction of the United States, the nearest United States Armed Forces law enforcement agency will be notified immediately. United States law enforcement personnel have the responsibility for the investigation of such incidents.

Whenever an incident occurs outside U.S. facilities involving a member or members of the United States Armed Forces, civilian component, or dependents thereof, which would fall within the concurrent jurisdiction, joint investigations by U.S.-Korean law enforcement personnel shall be conducted wherever warranted by the circumstances. In all such cases, United States law enforcement personnel will cooperate with and solicit the assistance of the Korean law enforcement authorities.

In recognition of the right and obligation of United States law enforcement agencies to conduct investigations in cases of offenses against United States Government property and/or personnel, and their private property, Republic of Korea law enforcement authorities will render all possible assistance in investigations initiated by United States law enforcement agencies.

미국시설 및 구역외에서의 사건의 조사

한미행협 제 조제5(가)항 및 10(나)항과 제 10(거)항 및 10(나)항에 관한 합의의사록에 5(가)항과 6(가)에 의하여 여기와 같이 합의한다

미국시설과 구역외에서 발생한 사건으로서 미국군인, 군속, 또는 그들의 가속의 미국의 전속적 재판관할권에 속하는 사건에 관련되는는 첫 제보가 있으면 즉시 가까운 미군 법률집행기관에 통보한다 이런사건의 조사에 대해서는 미군법률집행원의 책임으로 한다 정합된 재판관할권에 속하는 사건으로 미국군인 군속 또는 그들의 가속

이 관련된 자신이 미국시설외에서 발생하는 경우 사시롭 막론이 한미합동 서축집행원은 어떤상황에서나 합동 수사를 한다 이런 모든 경우에 이에서 미국법률집행원은 한국법률집행 당국자와 협력하여야 하며 도 조력을 청할수 있다 범죄가 미국 정부재산밑 미국인 또는 개인재산에 관한 경우 수사진행에 대한 미국법률집행기관의 권리의 의무룰 인정하고 대한민국법률집행당국은 미국법률집행당국의 수사진행 모든 기능한 연소를 제공한다 •

0133

Agreed View No. 10

USFK - KNP Joint Patrols

Pursuant to Paragraph 5(a) and 10(b) and Agreed Minute Re Paragraph 10(a) and 10(b), Article XXII, ROK-US Status of Forces Agreement, it is agreed that:

Whenever practicable, and as a matter of mutual interest, maximum use will be made of joint USFK-KNP Patrols.

The establishment of these patrols will be at the discretion of US authorities in cooperation and coordination with the appropriate Korean police authorities. It is understood that United States law enforcement authorities have no authority or responsibility to enforce the laws of the Republic of Korea, other than as they pertain to United States Armed Forces personnel.

한미 합동 순찰

한기행협 제 조제5(가)항 및 Ⅱ(나)항 그리고 10(가) 10(나) 양의 관한 합의요식독에 의거하여 아똑와 같이 합의한다

필요할때는 언제나 상호이익의 관한 사항으로서 수한미군국 한국 경찰의 합동순찰을 최대한으로 활용한다 이들 순찰대의 선세는 한국정찰당국의 허조를 얻어 미국당국에 재랑으로 한다

미국법률접행당국은 미군구성원에 관련된것 외에는 대한민국 법률을 집행하는데 있어서 아무란근거나 책임이 없는것으로 여벽인다.

Criminal Jurisdiction

Agreed View No. 11

Access of Law Enforcement Personnel to Public Areas

Pursuant to Paragraph 5(a) and 10(b) and Agreed Minute Re Paragraph 10(a) and 10(b), Article XXII, ROK-US Status of Forces Agreement, it is agreed that:

The maintenance of order and discipline among members of the United States Armed Forces, civilian component, and dependents thereof, outside US facilities or areas is a primary function of United States Forces law enforcement agencies. In the course of maintainging order and discipline over such persons, United States law enforcement personnel will have access to public areas, public entertainment buildings and areas, and public recreation areas.

공공지역에 대한 법부집행원의 출입

한미협정 제22조 제 (가)항 및 제 10(나)항 그리고
및 ..라..지역 관한 하의의서록에 인하 하여 다음과 같이
안다 미합부서 및 구역외 서 미군 군속 엿 그들으 기속 ..
질서적 ..용을 유지하는건은 미군법률집행기관 손해의 ..
한다 그동에 대한 질서비 규율을 유..의가 위하여 미군이..
집동원는 공공지역 공공의농 건물과 지역 그리고 공공#앙..
#일할수 ..다.

0135

7. 美, 곡스(Billie J. Cox) 하사 범죄사건

0136

大韓民國의安全에關한犯罪의
明細와法律上의規定

0137

「犯 罪 名」

1. 刑法

(1) 内亂의 罪

① 内亂罪 (第87條)

② 内亂目的의 殺人罪 (第88條)

③ 上記各罪의 未遂罪 (第89條)

④ 内亂및 内亂目的 殺人豫備·陰謀·煽動·宣傳罪

(第90條)

(2) 外患의 罪

① 外患誘致罪 (第92條)

② 與敵罪 (第93條)

③ 募兵利敵罪 (第94條)

0138

④ 莫敵援助利敵罪 (第95條)

⑤ 施設破壞利敵罪 (第96條)

⑥ 物件提供利敵罪 (第97條)

⑦ 間 諜 罪 (第98條)

⑧ 一般利敵罪 (第99條)

⑨ 上記各罪의 未遂罪 (第100條)

⑩ 未遂罪를 除外한 上記各罪의 豫備·陰謀·煽動·

宣傳罪 (第101條)

⑪ 戰時軍需契約不履行罪 (第103條)

(3) 國旗에 關한 罪

① 國旗·國章의 冒瀆罪 (第105條)

② 國旗·國章의 誹謗罪 (第106條)

(4) 國交에 關한 罪

-2-

0139

① 外國에 對한 私戰罪 (第111條)

② 中立命令違反罪 (第112條)

③ 外交上 機密의 漏泄罪 (第113條)

(5) 公安을 害하는 罪

① 犯罪團体의 組織罪 (第114條)

② 騷擾罪 (第115條)

③ 多衆不解散罪 (第116條)

④ 戰時公需契約不履行罪 (第117條)

(6) 爆發物에 關한 罪

① 爆發物使用罪 (第119條)

② 爆發物使用의 豫備·陰謀·煽動罪 (第120條)

③ 戰時爆發物製造等罪 (第121條)

(7) 公務員의 職務에 關한 罪

① 公務上 秘密의 漏泄罪 (第127條)

~3~

0140

2. 國家保安法

① 反國家團体 構成罪 (第 1 條)

② 軍事目的 遂行罪 (第 2 條)

③ 一般目的 遂行罪 (第 3 條)

④ 上記各罪의 煽動・宣傳罪 (第 4 條)

⑤ 自進支援 金品收受罪 (第 5 條)

⑥ 不法地域 往來罪 (第 6 條)

⑦ 上記各罪의 未遂罪 (第 7 條)

⑧ 上記①②③의 豫備・陰謀罪 (第 8 條)

⑨ 不告知罪 (第 9 條)

⑩ 誣告・捏造罪 (第 10 條)

3. 反共法

① 加入・加入勸誘罪 (第 3 條)

-4-

0141

② 讚揚·鼓舞等罪（第4條）

③ 會合·連絡等罪（第5條）

④ 脱出·潜入罪（第6條）

⑤ 便宜供與罪（第7條）

⑥ 不告知罪（第8條）

4. 軍刑法

① 間諜罪（第13條第3項）

② 有害飲食物供給罪（第42條）

5. 關稅法第197條違反의罪

（다만 同法 第126條 第1項中 風俗을 害할

物品等과 第3項은 除外한다）

6. 國內財産逃避防止法第2條違反의罪

-5-

0142

(다만 軍事分界線以北의 地域에 移動하거나 移替하는

結果를 生케하는 行爲에 限한다)

7. 貿易去來法 第32條 第1項違反의 罪

8. 臨時郵便團束法 第6條 (第2條) 違反의 罪

0143

--6~

「法律上의 規定」

1. 刑法

(1) 第1章 内亂의 罪

第87條 (内亂) 國土를 僭竊하거나 國憲을 紊亂할

目的으로 暴動한 者는 다음의 區別에 依하여 處斷

한다

1. 首魁는 死刑·無期懲役 또는 無期禁錮에 處한다

2. 謀議에 參與하거나 指揮하거나 其他 重要한

任務에 從事한 者는 死刑·無期 또는 5年以上

의 懲役이나 禁錮에 處한다. 殺傷·破壞 또는

掠奪의 行爲를 實行한 者도 같다

3. 附和 隨行하거나 單純히 暴動에만 關與한 者는

-7-

0144

5年 以上의 懲役 또는 禁錮에 處한다

第88條 (內亂目的의 殺人) 國土를 僣竊하거나 國憲
을 紊亂할 目的으로 사람을 殺害한 者는 死刑·
無期懲役 또는 無期禁錮에 處한다

第89條 (未遂罪) 前2條의 未遂犯은 處罰한다

第90條 (豫備·陰謀·煽動·宣傳) ①第87條 또는 第
88條의 罪를 犯할 目的으로 豫備 또는 陰謀한
者는 3年 以上의 懲役이나 有期禁錮에 處한다
但 그 目的한 罪의 實行에 이르기 前에 自首한
때에는 그 刑을 減輕 또는 免除한다.

②第87條 또는 第88條의 罪를 犯할 것을 煽動
또는 宣傳한 者도 前項의 刑과 같다

第91條 (國憲紊亂의 定義) 本章에서 國憲을 紊亂할

-8-

0145

目的이라 함은 다음 各號의 1에 該當하는 것을 말한다

1 憲法 또는 法律에 定한 節次에 依하지 아니
   하고 憲法 또는 法律의 機能을 消滅시키는 것

2 憲法에 依하여 設置된 國家機能을 强壓에 依하
   여 顚覆 또는 權能行使를 不可能하게 하는 것

(2) 第2章 外患의 罪

第92條 (外患誘致) 外國과 通謀하여 大韓民國에
對하여 戰端을 열게 하거나 外國人과 通謀하여 大
韓民國에 抗敵한 者는 死刑 또는 無期懲役에 處
한다

第93條 (與敵) 敵國과 合勢하여 大韓民國에 抗敵
한 者는 死刑에 處한다

-9-

0146

第94條 (募兵利敵) 敵國을 爲하여 募兵한 者는 死刑 또는 無期懲役에 處한다

第95條 (施設提供利敵) ①軍隊要塞·陣營 또는 軍用에 供하는 船舶이나 航空機·其他 場所 設備 또는 建造物을 敵國에 提供한 者는 死刑 또는 無期懲役에 處한다

②兵器 또는 彈藥 其他 軍用에 供하는 物件을 敵國에 提供한 者도 前項의 刑과 같다.

第96條 (施設破壞利敵) 敵國을 爲하여 前條에 記載한 軍用施設 其他 物件을 破壞하거나 使用할 수 없게한 者는 死刑 또는 無期懲役에 處한다

第97條 (物件提供利敵) 軍用에 供하지 아니하는

-10-

0147

兵器·彈藥 또는 戰鬪用에 供할 수 있는 物件을 敵國에 提供한 者는 無期 또는 5年以上의 懲役에 處한다.

第98條 (間諜) ①敵國을 爲하여 間諜하거나 敵國의 間諜을 幇助한 者는 死刑·無期 또는 7年以上의 懲役에 處한다

②軍事上의 機密을 敵國에 漏泄한 者도 前項의 刑과 같다

第99條 (一般利敵) 前7條에 記載된 以外에 大韓民國의 軍事上 利益을 害하거나 敵國에 軍事上 利益을 供與한 者는 無期 또는 3年以上의 懲役에 處한다

第100條 (未遂犯) 前8條의 未遂犯은 處罰한다

第101條 (豫備·陰謀·煽動·宣傳) ①第92條 乃至 第

-11-

0148

99 條의 罪를 犯할 目的으로 豫備 또는 陰謀한

者는 2年以上의 有期懲役에 處한다

但 그 目的한 罪의 實行에 이르기 前에 自首한

때에는 그 刑을 減輕 또는 免除한다

② 第92條 乃至 第99條의 罪를 煽動 또는 宣傳

한 者는 前項의 刑과 같다

第103條 (戰時軍需契約不履行) ① 戰爭 또는 事變에 있

어서 正當한 理由없이 政府에 對한 軍需品 또는

軍用工作物에 關한 契約을 履行하지 아니한 者는

10年以下의 懲役에 處한다

② 前項의 契約履行을 妨害한 者도 前項의 刑과

같다

第104條 (同盟國) 本章의 規定은 同盟國에 對한 行

-12-

0149

馬에 適用한다

(3) 第3章 國旗에 關한 罪

第105條 (國旗·國章의 冒瀆) 大韓民國을 侮辱할
目的으로 國旗 또는 國章을 損傷·除去 또는 汚辱
한 者는 5年以下의 懲役이나 禁錮, 10年以下의 資
格停止 또는 2萬5千圜以下의 罰金에 處한다

第106條 (國旗·國章의 非議) 前條의 目的으로 國
旗 또는 國章을 非議한 者는 1年以下의 懲役이나
禁錮, 5年以下의 資格停止 또는 1萬圜以下의 罰金
에 處한다

(4) 第4章 國交에 關한 罪

第111條 (外國에 對한 私戰) ① 外國에 對하여 私戰

한 者는 1年以上의 有期懲役에 處한다

② 前項의 未遂犯은 處罰한다

③ 第1項의 罪를 犯할 目的으로 豫備 또는 陰謀한

者는 3年以下의 懲役 또는 2萬5千圜以下의 罰金

에 處한다

但 그 目的한 罪의 實行에 이르기 前에 自首한

때에는 減輕 또는 免除한다

第112條 (中立命令違反) 外國間의 交戰에 있어서 中

立에 關한 命令에 違反한 者는 3年以下의 懲役

또는 1萬5千圜以下의 罰金에 處한다

第113條 (外交上機密의 漏泄) ① 外交上의 機密을 漏

泄한 者는 5年以下의 懲役 또는 2萬5千圜以下의

罰金에 處한다

0151

②漏洩을 目的으로 外國上의 機密을 探知 또는 蒐
集하 者도 前項의 刑과 같다.

(5) 第5章 公安을 害하는 罪

第114條 (犯罪團体의 組織) ①犯罪를 目的으로 하는
團体를 組織하거나 이에 加入한 者는 그 目的한
罪에 定한 刑으로 處斷한다
但 刑을 減輕할 수 있다.

②兵役 또는 納稅義務를 拒否할 目的으로 團体를
組織하거나 이에 加入한 者는 10年以下의 懲役이
나 禁錮 또는 5萬圜以下의 罰金에 處한다

③前2項의 罪를 犯하여 有期의 懲役이나 禁錮 또
는 罰金에 處한 者에 對하여는 10年以下의 資格
停止를 倂科할 수 있다

-15-

0152

第115條 (暴動) 多衆이 集合하여 暴行 脅迫 또는 損壞의 行爲를 한 者는 1年以上 10年以下의 懲役이나 禁錮 또는 5萬圓以下의 罰金에 處한다.

第116條 (多衆不解散) 暴行 脅迫 또는 損壞의 行爲를 할 目的으로 多衆이 集合하여 그를 團束할 權限이 있는 公務員으로 부터 3回以上의 解散命令을 받고 解散하지 아니한 者는 2年以下의 懲役이나 禁錮 또는 1萬圓以下의 罰金에 處한다

第117條 (戰時公需契約不履行) ①戰時 天災 其他 事變에 있어서 國家 또는 公共團體와 締結한 金穀 其他 生活必需品의 供給契約을 正當한 理由없이 履行하지 아니한 者는 3年以下의 懲役 또는 그罰 5千圓以下의 罰金에 處한다

-16-

0153

②前項의 契約履行을 妨害한 者도 前項의 刑과 같다.

③前2項의 경우에는 그 所定의 罰金을 併科할 수 있다.

(6) 第6章 爆發物에 關한 罪

第119條 (爆發物 使用) ①爆發物을 使用하여 사람의 生命 身体 또는 財産을 害하거나 其他 公安을 秦亂한 者는 死刑 無期 또는 7年以上의 懲役에 處한다.

②戰爭 天災 其他 事変에 있어서 前項의 罪를 犯한 者는 死刑 또는 無期懲役에 處한다

③前2項의 未遂犯은 處罰한다

第12○條 (豫備·陰謀·煽動) ①前條第1項 第2項의

－17－

0154

罪를 犯할 目的으로 豫備 또는 陰謀한 者는 2年 以上의 有期懲役에 處한다 但 그 目的한 罪의 實行에 이르기 前에 自首한 때는 그 刑을 減輕 또는 免除한다

第121條 (戰時爆發物 製造等) 戰爭 또는 事變에 있어서 正當한 理由없이 爆發物을 製造·輸入·輸出·授受 또는 所持한 者는 10年以下의 懲役에 處한다

(7) 第7章 公務員의 職務에 關한 罪

第127條 (公務上秘密의 漏洩) 公務員 또는 公務員이 있던 者가 法令에 依한 職務上秘密을 漏泄할 때에는 2年以下의 懲役이나 禁錮 또는 5年以下의 資格停止에 處한다

2. 國家保安法

第1條 (反國家團体 構成) 政府를 僭稱하거나 國家를 變亂할 目的으로 結社 또는 集團 (이하 反國家團体 라고 稱한다)을 構成한 者는 다음의 區別에 따라서 處罰한다.

-18-

0155

1. 首魁는 死刑 또는 無期懲役에 處한다

2. 幹部 또는 指導的 任務에 從事(한) 者는 死刑 無期 또는 5年以上의 懲役에 處한다

3. 그 以外의 者는 7年以下의 懲役에 處한다

第□條 (罪某目的遂行) 反國家團体의 構成員 또는 그 指令을 받은 者가 그 目的遂行을 爲하 行爲를 하 때에는 다음의 區別에 따라서 處罰한다

1. 國家機密의 探知 蒐集이나 漏泄 또는 隊發施 使用의 行爲를 한 때에는 死刑 또는 無期懲役 에 處한다

2. 殺人 放火 益水나 潰領의 傷告 同 行使의 行 爲를 한 때에는 死刑·無期 또는 10年以上의 懲役에 處한다

0156

3. 交通 通信 國家나 公共團体가 使用하는 建造物
其他 重要施設의 破壞 竊盜 略取나 誘引, 艦船
航空機·自動車·武器 其他 物件의 移動이나 取去의
行爲를 한 때에는 無期 또는 5年以上의 懲役
에 處한다

4. 誘拐·傷害 國家機密에 屬하는 書類나 物品의
損壞 隱匿 僞造 變造 國家機密의 傳達이나 仲
介, 僞造貨貨의 取得의 行爲를 한 때에는 2年
以上의 有期懲役에 處한다

第4條 (煽動·宣傳) 反國家團体의 構成員 또는 그
指令을 받은 者가 前3條의 罪를 煽動 또는 宣傳
한 때에는 10年以下의 懲役에 處한다.

第5條 (自進支援·金品收受) ① 反國家團体를 自進支援

-20-
0157

를 目的으로 前3條의 行爲를 한 者도 前3條의 例에 依한다.

②反國家團體의 構成員 또는 그 指令을 받은 者로 부터 그 情을 알고 金品을 收受한 者는 7年以下 의 懲役에 處한다

第6條 (不法地域往來) ①反國家團體의 不法支配下에 있 는 地域으로부터 潛入하거나 그 地域으로 脫出한 者는 5年以下의 懲役에 處한다

②反國家團體의 指令을 받거나 받기 爲하여 또는 그 目的遂行을 協議하거나 協議하기 爲하여 豫備의 行爲를 한 者는 1年以上 10年以下의 懲役에 處 한다.

第7條 (未遂犯) 前6條의 未遂犯은 處罰한다.

~21~

0158

第8條 (豫備 陰謀) ① 第1條 第2條. 또는 第3條
第1項 乃至 第3項 (以上 第5條 第1項 使用의
規定上 己含하나) 의 罪를 犯할 目的으로 豫備 陰
謀한 者는 2年以上의 有期懲役에 處한다

② 第3條 第4項. 第4條 (以上 第5條 第1項 使用
의 規定上 己含한다 또는 第5條의 罪를 犯할
目的으로 豫備 陰謀한 者는 10年以下의 懲役에
處한다.

第9條 (不告知) 前8條의 罪를 犯한 者를 認知하고
서 犯罪搜査의 職務에 從事하는 公務員에게 告知
아니한 者는 5年以下의 懲役 또는 10萬圜以下의
罰金에 處한다. 但 本犯과 親族關係에 있는 때에는
그 刑을 減免한다

—22—

第10條 (誣告 捏造) 他人으로 하여금 刑事處分

을 받게 할 目的으로 本法에 規定된 罪에 對하여

誣告, 僞證, 有罪證據의 造作 또는 無罪證據의 뜨或

이나 隱匿을 하는 者는 當該各條에 規定된 刑에

處한다.

但 犯罪搜査의 職務에 從事하는 者나 이를 補助하

는 者 또는 이를 指揮하는 者가 職權을 濫用하여

本文의 行爲를 한 때에는 그 法定刑의 最低를

2年으로 한다.

第10條의2 (再犯者의 特殊加重) 本法 反共法 軍刑法

第13條 第15條 特殊犯罪處罰에 關한 特別法 第

6條의 罪 또는 刑法 第2編 第1章 內亂의 罪

第2章 外患의 罪를 犯하여 有罪의 判決을 받은

~23~

者가 刑의 親行中 또는 그 親行을 終了하거나 親

行을 받지 아니하기로 確定된후 5年內에 第1條

第3號, 第3條第3號, 第4號, 第4條. 第5條, 第6條.

第7條 또는 第10條의 罪를 犯한 때에는 그 罪

에 對한 法定刑의 最高를 死刑으로 한다

第11條 (資格停止) 本法의 罪에 關하여 懲役刑을

宣告할 때에는 그 刑의 長期以下의 資格停止를

併科한다

第12條 (沒收 追徵) ①犯人이 本法의 罪를 犯하고

그 報酬를 받았을 때에는 이를 沒收한다 但 이를

沒收할수 없을 때에는 그에 相當한 金額을 追徵

한다

②犯人에 대하여 訴追를 하지 아니할 때에는 檢事

-24-

는 押收한 書類 또는 物品의 國庫歸屬을 命할 수 있다

第13條 (刑의 減免) ① 犯人이 自首한 때에는 그 刑을 減輕 또는 免除한다

② 犯人이 本法의 罪를 犯한 또는 犯하려고 한 者를 告發한 때에도 前項과 같다

③ 犯人이 自意로 實行에 著手한 行爲를 中止하거나 그 行爲로 因한 結果의 發生을 防止하거나 또는 犯人이 本法의 罪를 犯하는 것을 妨害한 때에도 前項과 같다

④ 第8條의 罪를 犯한 者가 그 實行에 이르기 前에 自首한 때에는 그 刑을 免除한다

0162

-25-

3. 反共法

第3條 (加入·加入勸誘) ① 反國家團体에 加入하거나 他人

에게 加入할것을 勸誘한 者는 7年以下의 懲役에

處한다

② 前項의 未遂犯은 處罰한다

③ 第1項의 罪을 犯할 目的으로 豫備 또는 陰謀한

者는 5年以下의 懲役에 處한다

第4條 (讚揚 鼓舞等) ① 反國家團体나 그 構成員 또는

國外의 共産系列의 活動을 讚揚 鼓舞 또는 이에

同調하거나 其他의 方法으로 反國家團体나 그 共産

系列을 利롭게 하는 行爲를 한 者는

7年以下의 懲役에 處한다 이러한 行爲를 目的으로

하는 團体를 構成하거나 이에 加入한 者도 같다

-21-

0163

②前項의 行爲를 할 目的으로 文書 圖畵 其他의

表現物을 製作 輸入 複寫 保管 運搬 頒布 販賣

또는 取得한 者도 前項의 刑과 같다.

③前項의 表現物을 取得하고 遲滯없이 搜査情報機關

에 그 事實을 告知한 때에는 罰하지 아니한다

④第1項 第2項의 未遂犯은 處罰한다.

⑤第1項 第2項의 罪를 犯할 目的으로 豫備 또는

陰謀한 者는 5年以下의 懲役에 處한다

第5條 (會合·通信等) ①反國家團体나 國外의 共産系

列의 利益이 된다는 情을 알면서 그 構成員 또는

그 指令을 받은 者와 會合 또는 通信 其他의 方

法으로 連絡을 하거나 金品의 提供을 받는 者는

7年以下의 懲役에 處한다.

0164

-29-

② 前項의 未遂犯은 處罰한다

③ 第1項의 罪를 犯할 目的으로 豫備 또는 陰謀한 者는 5年以下의 懲役에 處한다

第6條 (脫出·潜入) ① 反國家團體의 支配下에 있는 地域으로 脫出한 者는 10年以下의 懲役에 處한다

② 反國家團體의 支配下에 있는 地域으로부터 潜入한 者가 遲滯없이 捜査情報機關에 自首하지 아니한 때에는 5年以上의 有期懲役에 處한다

③ 反國家團體 또는 그 構成員의 指令에 依하여 前項의 罪를 犯한 때에는 死刑·無期 또는 5年以上의 懲役에 處한다

④ 反國家團體 또는 國外의 共産系列의 指令을 받고 또는 받기 爲하여 潜入하거나 脫出한 者는 前項의

_28_

0165

例에 依한다

① 第1項과 前項의 未遂犯은 處罰한다

② 第1項의 罪를 犯할 目的으로 豫備 또는 陰謀한 者는 7年以下의 懲役, 第4項의 罪를 犯할 目的으로 豫備 또는 陰謀한 者는 2年以上의 有期懲役에 處한다

第7條 (便宜提供) 本法 또는 國家保安法의 罪를 犯한 者라는 情을 알면서 銃器, 彈藥, 金品 其他 財産上의 利益을 提供하거나 潛伏, 會合, 連絡을 爲한 場所를 提供하거나 또는 其他의 方法으로 便宜를 提供한 者는 10年以下의 懲役에 處한다. 但 犯人과 親族關係가 있는 때에는 그 刑을 減輕할 수 있다

-9-

第8條 (不告知罪) 前5條의 罪를 犯한 者를 認知하고 搜查情報機關에 이를 告知 아니한 者는 國家保安法 第9條의 例에 依한다

第9條 (法適用의 排除) 本法 또는 國家保安法의 罪를 犯한 者에 對하여는 勞動爭議調整法 第13條의 規定을 適用하지 아니한다

第9條의2 (再犯者의 特殊加重) 本法 國家保安法 軍刑法 第13條, 第15條, 特殊犯罪處罰에 關한 特別法 第6條 또는 刑法 第2編 第1章 內亂의 罪, 第2章 外患의 罪를 犯하여 有罪의 判決을 받은 者가 刑의 執行中 또는 그 執行을 終了하거나 執行을 받지 아니하기로 確定된 후 5年以內에 第3條, 第4條第1項, 第2項, 第4項, 第5項 第5條, 第6條第1項,

第2項, 第5項, 第6項 또는 第7條의 罪를 犯한

때에는 그 罪에 對한 法定刑의 最高를 死刑으로

한다

4. 軍刑法

第13條 (間諜) ①敵을 爲하고 間諜한 者는 死刑에 處

하고 ②敵의 間諜을 幇助한 者는 死刑 또는 無期懲

役에 處한다

② 軍事上의 機密을 敵에게 漏泄한 者는 前項의 刑

과 같다

③ 要塞地, 軍港기타, 基地 또는 軍營地에서 前二項의

罪를 犯한 者는 第1項의 刑과 같다

④ 前項의 要塞地, 軍港地域 및 基地의 區域等에 關

0168

하여는 法律로 定하는 것을 除外하고는 閣令으로

定하고 軍營의 區域線은 當該部隊의 長이 定하여

大書로서 이를 告示하고 必要한 場所에 이를 標識

한다.

第42條 (有害飲食物供給) ①有害性이 있는 飲食物을

軍에 供給한 者는 10年以下의 懲役에 處한다

②前項의 罪를 犯하여 사람을 死傷에 이르게 한

者는 死刑, 無期 또는 5年以上의 懲役에 處한다

③過失로 因하여 第1項의 罪를 犯한 者는 5年以

下의 懲役이나 禁錮에 處한다

④敵을 利롭게 하고 爲하여 第1項의 罪를 犯한

者는 死刑 無期 또는 5年以上의 懲役에 處한다

-32-

0169

5. 關稅法第197條違反의 罪

第197條. 第126條에 違背하는 物品을 輸出하거나
輸入한 者는 1年以上의 有期懲役 또는 30萬圜以
下의 罰金에 處하고 犯人이 所有 또는 占有하는
그 物品은 沒收한다

第126條 (輸出入禁止物品) 左의 物品의 輸出 또는
輸入을 禁한다

　　1. 國憲을 紊亂하게 하거나 公安 또는 風俗을 害
　　　　할 書籍, 其他 印刷物. 圖畵. 彫刻. 浮彫物
　　　　其他의 物品 (風俗을 害할 物品等은 除外)

　　2. 政府의 機密을 漏泄하거나 諜報에 供하는 物品

第210條 (兩罰規定) 法人의 代表 또는 職員. 使用人
　　其他 從業員이 法人의 業務에 關하여 本法에 規定

－33－

0170

한 詞期에 超過하는 行爲를 한 때에는 當該行爲者

를 處罰하는 外에 法人도 處罰한다

6 國內財産逃避防止法 第2條 違反의 罪

第1條 누구든지 國內에 있는 財産을 逃避시킬 目的으

로 外國 또는 軍事分界線 以北의 地域에 移動시키거

나 移動하는 結果를 生케 하는 行爲는 할 수 없

다 (다만 軍事分界線 以北의 地域에 移動하거나

移動케하는 結果를 生케하는 行爲에 限한다).

第2條 第1條의 規定에 違反하는 者는 10年以下의

懲役이나 其侶 또는 100萬圓以下의 罰金에 處한

다 但 當該犯罪行爲의 目的物의 價格의 3倍가

100萬圓을 超過하는 때에는 罰金額은 當該價格의

-34-

3倍 以下로 한다.

第4條 (兩罰規定) 法人의 代表者, 代理人, 使用人 또는 其他의 從業者가 그 業務에 關하여 第1條의 規定에 違反하는 行爲를 한 때에는 그 行爲者를 處罰하는 以外에 法人에 對하여도 第2條 所定의 罰金刑을 科한다.

7. 貿易去來法 第2條 第1項 違反의 罪

第2條 (輸出과 輸入의 原則) 다음 各號의 ○ 에 해당하는 輸出또는 輸入은 이를 禁止한다.

1. 共産地域으로의 輸出또는 그 地域으로부터의 輸入

2. 共産地域에서 原産된 것을 目的으로 하는 物品의 輸出

0172

3 共産地域에서 生産된 物品의 輸入

第32條 (罰則) 의 第2條의 規定에 違反한 者는 5年
以下의 懲役 또는 그 物品價額의 3倍以下에 相當
하는 罰金에 賣하거나 이를 併科할 수 있다

第34條 (兩罰規定) 法人의 代表者, 法人 또는 自然人
의 使用人 其他 從業員이 그 法人 또는 自然人의
業務에 關하여 前二條의 規定에 該當하는 行爲를
한 때에는 行爲者를 罰하는 外에 그 法人 또는
自然人에 대하여도 罰金刑을 科한다

8 臨時郵便團束法 第6條 (第2條) 違反의 罪

第6條 第2條의 規定에 依한 禁止 또는 制限에 違反
한 者 또는 第4條의 規定에 違反하고 重量의

0173

告發 한 者는 1萬圓以下의 罰金에 處한다

第2條 大統領은 國防上 또는 治安上 危害를 미칠

念慮가 있다고 認定한 때에는 國內 國外에 搬運하

는 郵便物의 發送을 禁止 또는 制限할 수 있다

-37-

0174

공　　　란

공   란

주한미군지위협정(SOFA) 민·형사재판권 분과위원회

공　　　　란

공 란

공 란

공 란

공   란

공   란

공　　　란

공 란

주한미군지위협정(SOFA) 민·형사재판권 분과위원회

공   란

공   란

공   란

공   란

공 란

공   란

공　　란

공　　　　　란

공 란

공   란

외 무 부

외구미 100   1967. 6. 9.

수 신 : 법무부 장관
참 조 : 검찰국장
제 목 : 한.미군 군대 지위협정 운영

　　방화 및 상해 혐의로 입건된 주한 미공군 로스 하사의
구형에 관련하여 주미대사로 부터 6. 6. 자 위싱톤 로스오지의 거사
내용을 보고 받았기에 이를 전달하오니 참고 하시기 바랍니다.

첨부 : USW-0642 전보 (사본) 1부.   끝

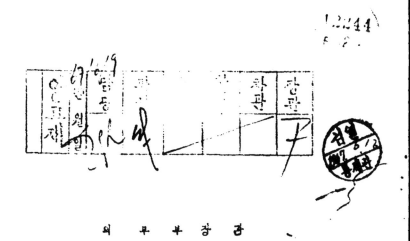

외 무 부 장 관

0195

대한민국 외무부

ORD
종 별

번 호: USW-0642
일 시: 071700

수 신 인: 장관,성외,본,구미,국방, 정보부장.

발 신 인: 주 미 대사

별영정세

ㅇㅇ자 NP 는 광화와 온전사 구타 사건으로 피소된 주한 미공군 하사가 서울 지법 재판에서 3년 구형을 받았다고 보도함. COX 동지 RICHARD HALLORAN 기자가 노도안바에 의하면 서방측 관측자 들은 이번 사건의 구형에 대하여 한국 사람들이 비록 이사건 자체가 한국국민의 공지에 관계 되는 사건이고 또한 한미 양국간의 관계 등으로 감정이 촉발될 잠재성은 있는것이라 하더라도 아주 공평하였었다고 평고싶다함.

(구미, 정보)

6월9일 아침
검찰총장에게 전화로 통보.예

장 차 관 비	구미국	외전	청와대	농림부	국방부	중정1		달 당	주무과	부 장
차관보	방교국	기획	총리실	상공부	조달청	중정2				
외판보	통상국	외연	경기부	보사부	노동청	무역진				
총무과	정보		문교부	공보부	수산청	해외개				
아주국	문교		교통부	건설부	철도청	법무부				

※ 주무장관 허가없이 전문내용을 타무에 누설함을 엄금함

5/16 에관

0197

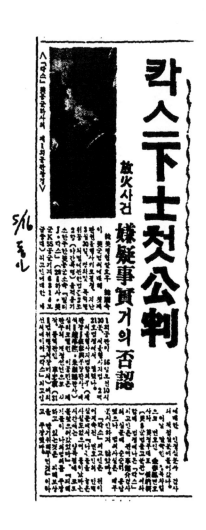

칸ㅅ下士첫公判

放火사건

嫌疑事實기의 否認

〈칸ㅅ〉駐韓美군下士 재ㄴ최초公判廷〉

5/16 동아

◇두번째의 박스 공판에 나온 증인들. 증 앙이 박스하사.

事實審理끝마쳐

박스下士2回公判 15名證人訊問

◇제2공판정에 출두한「박스」하사 (가운데 생긴들이 합아있다)

박스下士2回公判

6日 (火曜日)　중앙일

「콕스」下士 첫 公判

초조 띠고 犯行否認

〈황장을 자고 법정에 나온 6일 「콕스」하사〉

0200

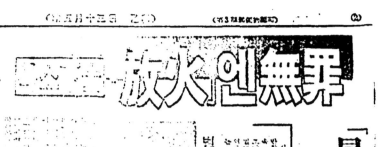

「放火」엔 無罪

「暴力」에만 罰金 5萬원

放火證據不充分 行協후 美兵에 첫 宣告

벌금 못내면 50日 換刑으로 留置

목스下士 罰金5萬원 言渡

0203

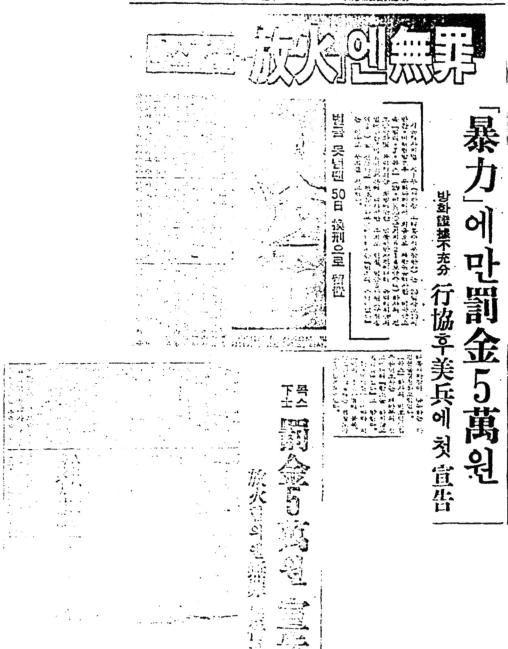

放火엔無罪

「暴力」에 만 罰金 5萬원

放火證據不充分 行協후 美兵에 첫 宣告

0204

Six or More Is Normal

Cox Proceedings Take Three and Half Months

By NAM-DO CHO

It took only three and a half months for Korean authorities to conclude all judicial proceedings against U.S. Air Force S. Sgt. Billie J. Cox, the first U.S. serviceman tried in a Korean court since the ROK-U.S. Status-of-Force Agreement went into effect Feb. 9.

Cox was acquitted Tuesday of a charge of arson and was fined 50,000 won on another charge of aggravated assault. The Justice Ministry decided to exercise criminal jurisdiction over the airman last March 6.

In a felony case similar to Cox's, it usually takes six or more months to conclude the case.

The expeditious disposal of Cox's case can be attributed to SOFA provisions, Paragraph 9 (a) of Article 22 and Agreed Minute re Paragraph 9.

Paragraph 9 (a) of Article 22 calls for "prompt and speedy trial" when personnel of the U.S. armed forces are prosecuted under Korean criminal jurisdiction.

The Agreed Minute in reference to Paragraph 9 of SOFA stipulates that "in any case prosecuted by the Korean authorities under Article 22 no appeal will be taken by the prosecution from a judgment of not guilty or an acquittal from any judgment which the accused does not appeal, except upon grounds of errors of law."

In domestic cases, of course, the prosecution and the defendant can appeal the verdict in higher courts —high courts and the Supreme Court — if and when they are not satisfied with judgments made by lower courts.

U.S. servicemen accused of offenses against Korean laws can save more pending period than Korean offenders, in case they are indicted and later acquitted or they not appeal the verdicts given by the district courts.

Cox also stated that he will not appeal the court's decision and announced through a spokesman at Osan U.S. Air Force Base that he will pay the fine shortly.

He will open his own purse to pay 50,000-won fine. The U.S. government only paid $500 as attorney fee to Cox's defense attorney Chun-bong Kim in accordance with SOFA provisions.

Referring to Cox's monthly salary of some $400, the Korean authorities said a fine of 50,000 won ($187) is rather a minor penalty for him.

Asked to comment on whether the public trial for Cox was fair or not, Kenneth B. Chang, U.S. government representative for Cox's trial, said he could not comment on it before he reports to the U.S. Congress on the trial and indicated that "Cox decided to make no appeal."

On the verdict of acquittal of the arson charge against Cox, prosecution authorities expressed "regrets" saying that if the defendant had been a Korean, he would have been judged guilty of the charge on the strength of the evidence.

Court observers said that the court might have decided to acquit Cox under a political consideration, since the airman came to Korea to serve for the defense of this country against the Communists in the north.

If he had been convicted of the arson charge, he would have been given no less than five years in prison according to Article 164 of the Criminal Code. However, the penalty could be mitigated by judges according to Article 53 of the code.

As soon as Cox pays the fine, he will return to the United States as he has completed his duty in Korea. Cox originally was scheduled to leave Korea last April 1 but was held by U.S. authorities until the conclusion of judicial proceedings in Korea.

Cox, assigned to the 6314th Support Squadron in Osan air base, was indicted last March 20 on charges of setting fire to a house occupied by his Korean girl friend in Songtan-up near the Osan base the night of Feb. 20.

The airman was also charged with beating a Korean taxi driver after a squabble over a taxi fare the same night. He allegedly inflicted injuries which required seven weeks' medical treatment.

0205

Fined 50,000 Won

Cox Convicted of Assault, Acquitted of Arson Charge

The Seoul District Criminal Court yesterday acquitted U.S. Air Force S. Sgt. Billie J. Cox of a charge of arson and fined him 50,000 won on another charge of aggravated assault.

The prosecution earlier demanded a three-year prison term for the airman on the [...]

[...] the verdict [...] the arson charge against Cox from the [...] and evidence [...]

[...] Chun-bong Kim, Kenneth B. Chan, U.S. government representative for Cox's trial, and U.S. Air Force Maj. Thomas A. Handley, alternate representative, were also present in the crowded room.

The airman from Tennessee was standing when the judge read the verdict. He reacted attentively when his Korean translator summarized the court's decision in English.

Cox, of the 6314th Support Squadron in Osan air base, was indicted by Prosecutor [...] Yi of the Seoul District Prosecutor's Office last [...] on charges of setting fire to a house occupied by his Korean girl friend, Miss [...] Oak, in Songtan-up, [...]chok, Kyonggido, the night of Feb. 20.

He was said to have committed the crime in a fit of jealousy in absence of Miss Oak. He was also said to have inflicted on the taxi driver, that same night, [...] of the brain and other injuries which required seven weeks' medical [...]

[...] Kenneth B. [...] the books Prosecutor [...] filed a good [...] for [...] Handley [legal procedure against Cox.

Korea Herald Photo

VERDICT — U.S. Air Force S. Sgt. Billie J. Cox, with grim face, stands before the bench while presiding judge, Tae-hung Yu, reads the verdict to him yesterday. He was fined 50,000 won on a charge of aggravated assault.

0207

放火事實 모두 否認

복스下士 첫公判

"燃燒過熱가능했다"答辯

초조한듯 모자만 만지작…
터지는 후래쉬에 고개숙여

복스下士의

公判廷주변

0208

0209

폭스下士 첫公判

美兵放火혐의 우리審判받아

公訴事實을 否認
美政府변호인의 通譯官두고

죄형을 부인으로진술음으로 우리법정에서 공판중밤늘「폭스」하사

愛人찾아가 없자 貰房에 불을질러

外國人들도 방청
韓美法律專攻者끼여

공   란

공 란

공 란

공   란

주한미군지위협정(SOFA) 민·형사재판권 분과위원회

공   란

공   란

주한미군지위협정(SOFA) 민·형사재판권 분과위원회

공　　란

공   란

주한미군지위협정(SOFA) 민·형사재판권 분과위원회

공　　　란

공   란

공 란

공   란

공 란

공 란

공   란

공   란

주한미군지위협정(SOFA) 민·형사재판권 분과위원회

공 란

공　　란

SUPREME PUBLIC PROSECUTOR'S OFFICE
REPUBLIC OF KOREA

SUBJECT : Measures on Crimes against U.S. Military Properties
and Supplies.

With deep concern that crimes against U.S. military properties and
supplies may prejudice U.S. military operations and consequently
bring adverse effect on defence capacity of both the Republic of Korea
and the United States, a special legislation (Law No. 1769 dated
March 29, 1966) providing for aggravated punishment of such crimes was
enacted and this office has issued on three different occasions
(Letter Nos. 822.6-4740, 821-1005 and 821-5361 dated respectively
October 15, 1963, March 15 and November 24, 1964) directives to
instruct severe punishment of the crimes and to establish general
guidance of investigation. It is with great regret to note that the
crimes have not been exterminated in spite of the above directives, and
therefore, the following instructions are given to improve further the
efficiency of control of the said crimes by severer punishment.

   1. In the course of investigation, charges will be brought
against not only those who actually stole U.S. military properties
and supplies but also all persons in possession of the stolen items,
except that, in latter's case when the criminal intent (knowledge of
stolen goods) cannot be recognised they will be punished in accordance with

- 1 -

0229

the Customs Law.

    2. The recovery of loss/the injured party will be assured and
expedited by way of securing the stolen items and evidences, and making
a prompt arrangement for, or return of the confiscated stolen items
to U.S. military authorities.

    3. District Public Prosecutors' Office or its Branch Offices
established in the areas where U.S. military organizations are stationed
will designate a prosecutor whose sole responsibilities will be to
handle crimes against U.S. military properties and supplies; Such
prosecutors will ensure thorough and impartial investigation in close
cooperation with the U.S. military investigation authorities under
their jurisdiction. (List of the public prosecutors designated for
this purpose will be submitted not later than July 5, 1967.)

Distribution;

SPECIAL DECREE GOVERNING CRIMES COMMITTED AGAINST

MILITARY PROPERTIES AND SUPPLIES

(Law No. 1769 of March 29, 1966)

ARTICLE I : Purpose

The purpose of the present Law is to prescribe punishment applicable
to crimes involving military properties and supplies.

ARTICLE II : Scope of Application

1. The present law applies to acts against properties and supplies
of the armed forces of the Republic of Korea and the United Nations
forces in Korea.

2. For the purpose of the present law, the terms "military
properties and supplies" include such items as explosives, guided
weapons system, military clothings, petroleum, oil, lubricants, motor
vehicles, and etc.

ARTICLE III : Aggravation of Punishment on Crimes Against Military
Properties and Supplies

1. One who commits any of those crimes specified in Sections 38
and 41 of Chapter II of the Criminal Law, involving military properties
and supplies, shall be punished with imprisonment of a term ranging
from life time to one year. In cases where food supply, clothings, and
POL are involved, the present law applies only when the offender
is a member of a group of offenders, or a habitual offender, or when
the amount involved is 100,000 won or more, or the weight of items
involved is 1,000 kilograms or more, or when the quantity of POL

0231

- 1 -

involved is 10 drams or more.

2. On crimes specified in the preceding paragraph, a penalty not exceeding 200,000 won may be superimposed.

ARTICLE IV : Intrusion Into Military Facilities.

1. One who intrudes into military forts, camps, vessels, aircraft, factories, and other buildings and facilities in the use of the armed forces, or any facilities and areas that bear signs indicating military areas, shall be punished with an imprisonment not exceeding five years in term or with a fine not exceeding 100,000 won in amount.

2. One who refuses to comply with a request to leave the premises specified in paragraph (above, shall be punished with the same punishment.

3. An attempt at the acts specified in the preceding two paragraphs shall be punished.

ARTICLE V : Relations to Other Laws

In case there are other penalties/punishment under other laws that are heavier than these stipulated under the present law, the heavier punishment shall apply.

(ARTICLE VI and thereafter are Omitted.)

0232

- 2 -

8. 제5차, 1967. 8.29

CRIMINAL JURISDICTION SUBCOMMITTEE
FIFTH MEETING
29 August 1967

1. Discussion of tasks assigned by the Joint Committee and
adoption of those agreed upon.

  通호 (a. Agreed View No. 11 - Access of Law Enforcement Personnel
                     to Public Areas.

        b. Mutual Security of Firing Ranges.

  休宿 (c. Minimum Standards of Confinement Facilities.

        d. Mutual Exchange of Lists Security Offenses.

2. Responsibility for Preparation of Report to Joint Committee.

3. Adjournment.

8/21 회의 계서

0234

CRIMINAL JURISDICTION

Agreed View No. 11

Access of Law Enforcement Personnel to Public Area
공공 지역에 법률 집행원의 출입

Pursuant to Paragraph 5(a) and 10(b) and Agreed Minute Re-Para-
한미 협정 제22조 제5(가)항 및 제10(나)항 그리고 제10(가)항
graph 10(a) and 10(b), Article XXII, ROK-US Status of Forces Agree-
및 제10(나)항에 관한 합의 의사록에 의거 다음과 같이 합의한다.
ment, it is agreed that:

The maintenance of order and discipline among members of the
미 군용시설 및 지역밖에서 미군, 군속 및 그들의 가족에
United States armed forces, civilian component, and dependents
대한 질서와 규율을 유지하는 일은 미군 법률집행 기관원의
thereof, outside US facilities or areas is a primary function of
일차적 임무이다.
United States Forces law enforcement agencies. In the course of
그들에 대한 질서와
maintaining order and discipline over such persons, United States
규율을 유지하기 위하여 미국 법률집행 기관원은
law enforcement personnel will have access to all public areas, public
출입이려받은 모든 공공 지역, 공공 휴양지 및 공공 유흥신물에
recreation areas and public entertainment buildings commonly frequented
실질적인 영업 방해를 하지 않는 다는것을 조건으로 출입할수 있다.
and by United States personnel, provided they shall not interfere substan-
than by KOK nationals,
tially with performance of business.

1967. 8. 29   이순

한국인 보다

0235

Criminal Jurisdiction

"Mutual Security of Firing Ranges"
사려장의 상호안련

1. Types and locations of firing ranges do not lend themselves
 1. 사려장은 그 형태나 위치가 각각 다드므로 얼률적런 법칙이나
to identical rules and regulations which provide mutual security.
규정으로 상호안련을 도모하는 것은 적당치 않다. 다따라서 동
The security-plan must therefore be jointly developed between the
안전계획은 대한민국의 강계지방 경련과 각 사려장외미군 책입
local Republic of Korea officials and the responsible military com-
사령관이 궁동으로 수립하게 하는것이 타당하다.   ᵘˢ
manders for each range.

2. Plan will be effected as follows:
 2. 동 계획은 다음과 같이만다.
   a. Upon the request of the Commander, USFK, the Minister
   가. 주한미군 사령관의 요청에 따다라 대한민국의 내부부
of Home Affairs will exchanges with the Commander, USFK, the names
장관은 사려장이 있는 지역의 대한민국 강계지방 경련과 군책입
and titles of the appropriate local Republic of Korea officials and
사령관의 성명, 지위를 기재한 명단을 주한미군 사령관과 교환한다.
the responsible military commander in the area where a firing range
is located.

   b. These officials and commanders will prepare jointly a
   나. 동경련과 사령관은 각 사려장에 대한 안전계획을 궁동
security plan for the particular range. Such security plan may re-
으로 마련한다. 동 안전계획은 이미 실시되고 있는 제도를 반영하거나
flect arrangement already in effect or may consist of entirely new
또는 전여 새모운 절차를 포함하여도 무방하다.
procedure.

   c. When the plan is prepared, two copies will then be for-
   다. 동 계획이 마련되면 이를 준비한 기관은 재검오를 위해
warded by the preparing agencies for review both to Commander, USFK,
대한민국 내부부장관 (참조 - 치안국장)과 주한미군 사령관 (참조 - 작전참사
ATTN: J-5 and to the Minister of Home Affairs, ROK, ATTN: Director
처장)에게 각각 동 계획안 2통을 보낸다.
of National Police Headquarters.

   d. Upon review one copy will be returned to each preparing
   라. 재검오가 끝나면 대한민국 내부부장관과 주한미군 사령
agency and one copy retained by the Commander, USFK, and the Minister
관은 동 계획안을 1통은 준비기관에 보내고 나머지 1통은 보관한다.
of Home Affairs.

1962   8. 27   回신

0236

2. Plan will be effected as follows:

a. Upon the request of the Commander, USFK, and the Commander, USFK, will mutually exchange the names and titles of the appropriate local Republic of Korea officials and the responsible US Military Commander in the area where a firing range is located.

가. 주한미군사령관의 요청에 따라 대한민국의 내무장관과 주한미군사령관은 사격장이 있는 지역에 대한미군 지휘관과 및 관계 미군책임사령관의 성명, 직위를 각자의 명단을 상호 교환한다.

0237

August 30, 1967

SUBJECT : Order and Discipline Outside US Facilities and Areas

TO : Mr. Robert A. Kinney,
US Secretary, Joint Committee

In reply to your telephone request on the subject as above, I am
informing you of the following points which were raised at our component meeting this
morning.

1. a. The maintenance of public order outside USFK facilities and
areas is the primary responsibility of the ROK authorities. Within
the limit of this general principle, the military police of the
USFK may be employed in so as such employment is necessary to maintain
discipline and order among the members of the USFK or ensure their
security. *outside USFK facilities and areas.* The text of the Agreed View, therefore, must indicate this
point in unequivocal words.

b. Article XXII, paragraph 10(b), provides that US Military
Police shall be employed in liaison with ROK authorities. Therefore,
the Agreed View must indicate how such liaison will be ~~attempt~~ → *implemented.*

c. The civilian component, and dependents of the members of
USFK and of civilian component are not the subject of paragraph 10(b),
Article XXII, SOFA. The ROK side, therefore, wishes that they
be omitted from the text.

0238

2. The term "law enforcement personnel" is undesirable to the ROK
side, because it is ambiguous. For the purpose of the Agreed View,
the term "military police" will suffice, and that is the term used in
paragraph 10(b), Article XXII, SOFA.

3. a. In the last sentence of the present text of the Agreed
View the ROK side wishes to include following wordings to specify
more exactly the place where USFK military police will have access to:

" ... will have access to such public areas, public recreation
areas, and public entertainment buildings as are ~~commonly~~ frequented *Mainly*
~~substantial numbers of the~~
~~more~~ by members of the ~~USFK team in this notionals~~, provided that
they shall not interfere with performance of business."

b. ROK side wishes to ~~omit~~ the word "substantially" from the
last line of the text for the reason that it implies subjective
evaluation and may entail unnecessary controversy.

legitimate

delete

Shin Chung Sup
ROK Secretary
Joint Committee

0239

JOINT COMMITTEE
UNDER
THE REPUBLIC OF KOREA AND THE UNITED STATES
STATUS OF FORCES AGREEMENT

August 31, 1967

SUBJECT : Order and Discipline Outside US Facilities and Areas

TO   : Mr. Robert A. Kinney,
        US Secretary, Joint Committee

In reply to your telephone request on the subject as above, I
am informing you of the following points which were raised at our
component meeting this morning.

1. a. The maintenance of public order outside USFK facilities
and areas is the primary responsibility of the ROK authorities.
Within the limit of this general principle, the military police
of the USFK may be employed in so as such employment is necessary
to maintain discipline and order among the members of the USFK
or ensure their security outside USFK facilities and areas.
The text of the Agreed View, therefore, must indicate this
point in unequivocal words.

b. Article XXII, paragraph 10(b), provides that US military
police shall be employed in liaison with ROK authorities.
Therefore, the Agreed View must indicate how such liaison will be
implemented.

c. The civilian component, and dependents of the members of
USFK and of civilian component are not the subject of paragraph
10(b), Article XXII, SOFA. The ROK side, therefore, wishes that

0240

they be omitted from the text.

2. The term "law enforcement personnel" is undesirable term to the ROK side, because it is ambiguous. For the purpose of the Agreed View, the term "military police" will suffice, and that is the term used in paragraph 10(b), Article XXII, SOFA.

3. a. In the last sentence of the present text of the Agreed View the ROK side wishes to include following wordings to specify more exactly the place where USFK military police will have access to:

" ... will have access to such public areas, public recreation areas, and public entertainment buildings as are frequented mainly by members of the USFK in the area, provided that they shall not interfere with legitimate performance of business."

b. ROK side wishes to delete the word "substantially" from the last line of the text for the reason that it implies subjective evaluation and may entail unnecessary controversy.

signed and dispatched
Chung Sup Shin
ROK Secretary
Joint Committee

0241

9. 각서및 서한, 1967.9.14
   -11. 17

0242

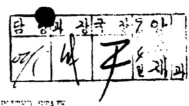

JOINT COMMITTEE
UNDER
THE REPUBLIC OF KOREA AND THE UNITED STATES
STATUS OF FORCES AGREEMENT

14 September 1967

MEMORANDUM FOR : Chairman, Criminal Jurisdiction Subcommittee

SUBJECT : Definition of Exclusive and primary jurisdiction, procedures for waiving jurisdiction.

1. Paragraphs 2 and 3, Article XXII of the Status of Forces Agreement define exclusive and primary jurisdiction respectively. The distinction is of particular importance inasmuch as markedly different principle and procedures governing waiver of jurisdiction are provided for in the Agreement. (Ref. waiver of exclusive jurisdiction: Agreed Minutes Article XXII Re paragraph 2 and Re paragraph 3(b), Agreed Understanding, Article XXII, Agreed Minute Re paragraph 2; waiver of primary jurisdiction: Article XXII paragraph 3(c), Agreed Minutes Re paragraph 3(b), Agreed Understanding Agreed Minute Re paragraph 3(b), Exchange of Letters on July 9, 1966 between ROK Foreign Minister and US Ambassador)

2. It is felt that for particular offenses under Korean law existence of applicable U.S. law or punishability by U.S. law is not always self-evident and consequently there may be difference of opinion as to whether a particular offense falls under exclusive jurisdiction or concurrent jurisdiction. It is therefore requested

0243

that the criminal jurisdiction subcommittee will make a comparative
review of the legal system of both countries, with particular reference
to customs law and traffic code including accident responsibility,
with a view to arriving at agreed guidelines on the question.

Yoon Ha Jong   Robert J. Friedman
Republic of Korea   Lieutenant General
Representative   United States Air Force
                                      United States Representative

0244

26 September 1967

MEMORANDUM FOR: Chairman, Criminal Jurisdiction Subcommittee

SUBJECT: Definition of Exclusive and Primary Jurisdiction, Procedures for Waiving Jurisdiction

1. Paragraphs 2 and 3, Article XXII of the Status of Forces Agreement define exclusive and primary jurisdiction respectively. The distinction is of particular importance inasmuch as markedly different principles and procedures governing waiver of jurisdiction are provided for in the Agreement. (Ref. waiver of exclusive jurisdiction: Agreed Minutes and Agreed Understandings Re paragraph 2, Article XXII. Ref. waiver of primary jurisdiction: Paragraph 3(c), Article XXII; Agreed Minutes and Agreed Understandings Re paragraph 3(b), Article XXII; Exchange of Letters on July 9, 1966 between ROK Foreign Minister and US Ambassador).

2. It is felt that for particular offenses under Korean law the existence or applicability of U.S. law is not always self-evident and consequently there may be differences of opinion as to whether a particular offense falls under exclusive jurisdiction or concurrent jurisdiction. It is therefore requested that the Criminal Jurisdiction Subcommittee, as an initial undertaking in this general area, make a comparative review of pertinent laws and regulations relating to customs and traffic violations with a view to arriving at agreed guidelines as to jurisdiction in these two specific areas.

Yoon Ha Jong
Republic of Korea
Representative

Robert J. Friedman
Lieutenant General
United States Air Force
United States Representative

0245

28 September 1967

MEMORANDUM FOR: Chairmen, Criminal Jurisdiction Subcommittee

SUBJECT: Definition of Exclusive and Primary Jurisdiction, Procedures for Waiving Jurisdiction

1. Paragraphs 2 and 3, Article XXII of the Status of Forces Agreement define exclusive and primary jurisdiction respectively. The distinction is of particular importance inasmuch as markedly different principles and procedures governing waiver of jurisdiction are provided for in the Agreement. (Ref. waiver of exclusive jurisdiction: Agreed Minutes and Agreed Understandings Re paragraph 2, Article XXII. Ref. waiver of primary jurisdiction: Paragraph 3(c), Article XXII; Agreed Minutes and Agreed Understandings Re paragraph 3(b), Article XXII; Exchange of Letters on July 9, 1966 between ROK Foreign Minister and US Ambassador).

2. It is felt that for particular offenses under Korean law the existence or applicability of US law is not always self-evident and consequently there may be differences of opinion as to whether a particular offense falls under exclusive jurisdiction or concurrent jurisdiction. It is therefore requested that the Criminal Jurisdiction Subcommittee, as an initial undertaking in this general area, make a comparative review of pertinent laws and regulations relating to customs and traffic violations with a view to arriving at agreed guidelines as to jurisdiction in these two specific areas.

YOON HA JONG
Republic of Korea
Representative

ROBERT J. FRIEDMAN
Lieutenant General
United States Air Force
United States Representative

0246

부 전 지

1967. 9. 23.

수신 供覽

발신

제목 Custody에 關한 Friedman 中將 書輪要旨

(내용) 지난 9月17日 1530時에 韓國稅関本局에 檢擧된 Rock 中尉(다이아몬드 密輪事件)의 拘禁引渡가 23時間 걸린 事實을 指摘하면서, 앞으로의 協助를 要請.

上記 內容의 書輪을 法務部長官 앞으로 直接 보낸데 對하여 北美二課長이 美側 Mr. Kinney에게 그 不當性을 指摘한바 法務監査와 相議하겠다고 答하였음.

분 배 2	67 9 23 까지	담 당	과 장	국 장	차관	

0247

공통서식 1-13   (32컬지)

2 3 SEP 1967

Dear Minister Kwon:

I hope you enjoyed your recent visit to the United States and that your numerous contacts, while there, with the members of the US judiciary and with other attorneys proved both interesting and professionally rewarding.

I am writing to you in the spirit of the free exchange of views and information which has existed between our two Governments on the implementation of the US-ROK Status of Forces Agreement (SOFA). Recently, unprecedented difficulties were encountered when requests were made for a transfer of custody pursuant to paragraph 5(c), Article XXII, SOFA, as implemented by the SOFA Joint Committee on 11 April 1967. The incident which I have in mind concerns 1Lt. John D. Rock and occurred in Seoul on 17 and 18 September 1967. 1Lt. Rock was taken into custody by customs officials at approximately 1530 hours on 17 September. The initial request for transfer of custody was made to the Customs authorities at approximately 1900 hours on 17 September and was refused, both then and later that same evening when the request again was made. The next morning, the prosecutor on duty in the Seoul District Prosecutor's Office also refused to transfer custody, stating that such a transfer would have to be approved by the Minister of Finance. The transfer finally was made at 1420 hours on 18 September 1967. This delay, and the indication that the transfer was subject to the approval of the Minister of Finance, are contrary to the procedures on the transfer of custody adopted by the SOFA Joint Committee on 11 April 1967.

In the past we have had the utmost cooperation from your Bureau of Prosecution, the prosecutors, and the police, and have full confidence that such cooperation will continue in the future.

0248

I bring this matter to your attention because it appears that there
may be some misunderstanding of both the SOFA and the implementing
procedures, particularly among the customs officials.

                    Sincerely,

                    SIGNED AND DISPATCHED

                    ROBERT J. FRIEDMAN
                    Lieutenant General, USAF
                    Chief of Staff

Minister Kwon Oh Byong
Minister of Justice
Republic of Korea
Seoul, Korea

cc: Mr. Yoon Ha Jong
     Director, Bureau of
        European and American Affairs
     Ministry of Foreign Affairs
     Seoul, Korea

0249

MINISTRY OF JUSTICE
REPUBLIC OF KOREA

28 Sep 1967

Dear General Robert J. Friedman:

In reply of your letter dated on 23 Sep 1967, I am writing this letter to you by the order of the Minister of Justice.

1LT John D. Rock, who was detained according to the Warrant issued by Court and under the investigation by ROK authority for the suspect of violation of Customs Law and Disturbing Official Duty, was transfered to your subordinate organization upon request. However, considering the matters you pointed out regarding this case in your letter, notwithstanding it is a principle that when the prosecutor, as his duty requires to do so, arrest the flagrant offender who is trying to escape after committing offence, he should continue to hold the custody status by the Warrant of Arrest until at least the initial investigation is over, but the ROK authority only released 1LT Rock provisionally even without having the enough chance of initial investigation, upon the request for the transfer of custody by US side pursuant to the provisions of SOFA. And what you refered to a prosecutor's word "The approval of Minister of Finance is required for transfer of 1LT Rock" cannot be not only thinkable in common sense, but also was proved that there was no such a fact that you said, according to the statement by the prosecutor who was on duty on the date.

Therefore, I am afraid that the matter which you indicated in your letter might be caused by wrong report made by your front line working persons.

And in future in case you want to send such letter to the Minister directly, without debating it through the Joint Committee, I hope the letter be written by the name of the Commander of United States Armed Forces in Korea.

Sincerely,

by the order of Minister of Justice, Republic of Korea

Kim   Il   Doo
Director
Bureau of Prosecution

Robert J. Friedman
Lieutenant General, USAF
Chief of Staff

0250

3 0 OCT 1967

Dear Mr. Yoon:

Inclosed is a translation of an article which appeared in the
Daihan Ilbo on 11 October 1967. I am calling your attention to this
article because of its inaccuracies and, more important, because
of the extremely misleading conclusions which it draws.

In brief, this article indicates that crimes involving American
servicemen increased sharply after the effective date of the Status
of Forces Agreement. Citing "official statistics," the article states
that 1,297 "offenses" involving American military personnel occurred
between 9 February and 30 September 1967, as compared to 200 cases
a year prior to the implementation of SOFA. Based on the above
figure of 1,297 "offenses", the writer indicates that the Korean
Government has exercised jurisdiction over only 0.6 per cent of
total "crimes". It is obvious that the inclosed article is based on
a misunderstanding of the system adopted by United States military
authorities for the reporting of incidents to Republic of Korea authori-
ties.

With the advent of SOFA, the United States Forces Korea adopted
a liberal reporting system, choosing to report not just offenses, but
all incidents involving US and Korean personnel. Incidents that have
been reported to the local ROK prosecutors since 9 February 1967
have included: (1) those incidents arising out of acts done in the per-
formance of official duty, (2) those incidents in which information
gained subsequent to the giving of notice has shown the original com-
plaint to be false, or that no offense was committed by US personnel,
(3) those offenses which are trivial in nature and, (4) those offenses
which are serious enough to require the attention of the ROK prose-
cutors and USFK and ROK authorities at the national level. Such a
reporting policy is much broader than one which would include only
offenses falling within the primary jurisdiction of the Republic of
Korea, as is required by the third paragraph of the exchange of
letters between the Minister of Foreign Affairs and the US Ambassa-
dor on 9 July 1966.

0251

The misunderstanding evidenced in the inclosed article, as
to the true nature of the US Notice of Incident, permeates the entire
article and results in many erroneous conclusions. Different re-
porting systems are used in other countries having similar agree-
ments with the United States and, therefore, the comparisons made
with regard to the exercise of jurisdiction in these countries and the
Republic of Korea, are not valid. The writer also appears to be
confused by the fact that an offense may arise out of the performance
of duty during other than normal duty hours. As a result, his state-
ment that "only 59 cases of the total occurred during duty hours" is
erroneous and misleading. The discussion relative to trials by court-
martial is inaccurate and based on the mistaken assumption that all
of the reported incidents are in fact offenses which, of course, is
not true.

It appears that the liberal system of reporting incidents which
was adopted by US military authorities has resulted in confusion and
many misconceptions as to the conduct of American personnel in Korea,
and the exercise of jurisdiction over offenses which have occurred.
Unfortunately, this has resulted in putting the responsible officials of
both our countries in a bad light, as evidenced by the inclosed article,
and has served to mislead the public. Accordingly, it is considered
appropriate for us to review, and perhaps revise, the method of re-
porting incidents involving personnel of the United States armed forces.

There are several ways this reporting system can be altered to
prevent erroneous conclusions, such as those expressed in the Daihan
Ilbo. For example, the Criminal Jurisdiction Subcommittee was given
a task on 23 February 1967 to provide standard operating procedures
for the reporting of incidents by classes in order to reduce the report-
ing of trivial matters. No progress has been made on this task because
of reluctance on the part of Subcommittee members to explore the
matter until one year has elapsed since the effective date of the US-
ROK SOFA. In light of recent misleading publicity, perhaps an earlier
consideration of this task would be appropriate.

On our part, the United States Forces Korea can assist in prevent-
ing erroneous interpretations of reported incidents by eliminating the
reporting of incidents where the commission of an offense is not

2

'0252

apparent, where investigation discloses that the original complaint was false or inaccurate, and where the offense or incident arose out of the performance of official duty.

We will then have, both as a result of the elimination of trivia accomplished by the successful completion of the task now before the CJ Subcommittee, and as a result of the revision of the USFK reporting system to correspond more clo ly with the SOFA requirement, a much more realistic picture which cannot be easily misinterpreted by the press in a manner that will mislead the Korean public.

Your views concerning this matter would be greatly appreciated.

Sincerely,

ROBERT J. FRIEDMAN
Lieutenant General, USAF
United States Representative
Joint Committee, ROK-US SOFA

1 Incl
as

Mr. Yoon, Ha Jong
Director, Bureau of European
  and American Affairs
Ministry of Foreign Affairs
Seoul, Korea

0253

3

DNA-37

CASES OF G.I. VIOLENCES

SEOUL, OCT 11 (DONGHWA)——IN THE TOP STORY OF ITS GENERAL NEWS PAGE,
THE DAIHAN ILBO, REPORTED THIS AFTERNOON THAT OFFENSES INVOLVING AMERICAN
SERVICEMEN HAVE INCREASED TENFOLD SINCE THE STATUS-OF-FORCES AGREEMENT WAS
PUT INTO EFFECT.

THE DAILY, UNDER A HEADLINE: "TENFOLD INCREASE IN G.I. OFFENSES,"
NOTED THAT KOREAN AUTHORITIES HAVE DECIDED TO EXERCISE CRIMINAL JURISDICTION
OVER A MERE 0.6 PER CENT OF THE TOTAL CRIMES INVOLVING AMERICAN SOLDIERS.

THE FULL TRANSLATION OF THE ARTICLE FOLLOWS:

"CRIMES INVOLVING AMERICAN SERVICEMEN HAVE INCREASED SHARPLY AFTER
THE EFFECTUATION OF THE STATUS-OF-FORCES AGREEMENT, BELYING OUR EXPECTATION
THAT THEY WOULD DECREASE WITH THE CONCLUSION OF THE SOFA. U.S. MILITARY
AUTHORITIES' STRICTER CONTROL OVER THEIR SOLDIERS IS DEEMED NECESSARY.

"ACCORDING TO OFFICIAL STATISTICS, A TOTAL OF 1,297 OFFENSES INVOLVING
AMERICAN MILITARY PERSONNEL OCCURRED BETWEEN FEBRUARY 9 AND SEPTEMBER 30
THIS YEAR, MEANING AN AVERAGE MONTHLY RATE OF 180 CASES. THIS CAN BE
COMPARED TO ABOUT 200 CASES IN A WHOLE YEAR BEFORE THE CONCLUSION OF THE
SOFA.

"OFFICIALS DENY THAT OFFENSES INVOLVING AMERICAN SERVICEMEN HAVE
INCREASED AFTER THE EFFECTUATION OF THE SOFA. THEY ASSERT THAT MINOR
VIOLENCES ARE PROMPTLY REPORTED AFTER THE SOFA CAME INTO FORCE, WHEREAS
SUCH PETTY INCIDENTS WERE IGNORED BEFORE.

"THE JUSTICE MINISTRY HAS SO FAR DECIDED TO EXERCISE THE KOREAN
CRIMINAL JURISDICTION OVER EIGHT CASES WHILE GIVING UP THE JURISDICTION

0254

ON 1,173 OTHERS. THIS INDICATES THE APPLICATION OF JURISDICTION OVER
0.6 PER CENT OF TOTAL CRIMES. FIFTY-NINE OF THE TOTAL WERE IN NATURE, OUT
OF THE REACH OF KOREAN JURISDICTION, WHILE DECISIONS OVER 57 CASES HAVE
NOT YET BEEN MADE BY KOREAN AUTHORITIES.

"AS FOR OTHER COUNTRIES HAVING SIGNED SIMILAR AGREEMENTS WITH THE UNITED
STATES, NATO COUNTRIES ARE EXERCISING THEIR JURISDICTIONS OVER 32 PER CENT
OF TOTAL G.I. CRIMES, WHILE JAPAN DOES SO OVER 11.1 PER CENT AND THE
PHILIPPINES 21.2 PER CENT.

"AUTHORITIES ATTEMPT TO JUSTIFY THE LOW RATE OF EXERCISE OF KOREAN
JURISDICTION BY SAYING THAT THERE HAVE BEEN ONLY A SMALL NUMBER OF CASES
CONSIDERED SERIOUS ENOUGH TO BE TRIED BY THE KOREAN COURTS, AND THAT MANY
OF THE CASES TOOK PLACE DURING DUTY HOURS.

"BUT ONLY 59 CASES OF THE TOTAL OCCURRED DURING DUTY HOURS.

"IN ADDITION, ONCE KOREA GIVES UP JURISDICTION OVER CERTAIN CRIMES,
U.S. MILITARY AUTHORITIES ARE REQUIRED TO TRY THE OFFENDERS IN THEIR OWN
COURT MARTIAL UNDER THE STATUS-OF-FORCES AGREEMENT. NEVERTHELESS, THE
U.S. MILITARY HAS INFORMED KOREAN AUTHORITIES THAT IT COURT-MARTIALED ONLY
145 CASES, OR 15.2 PER CENT OF THE 951 CASES FOR WHICH KOREA HAD ABANDONED
ITS JURISDICTION. THIS GIVES THE IMPRESSION THAT THE U.S. MILITARY
AUTHORITIES LET G.I. OFFENSES REFERRED TO IT END IN SMOKE.

"THE TOTAL G.I. OFFENSES BREAK DOWN TO 675 TRAFFIC ACCIDENTS, 47 CASES
OF VIOLENCE, 50 CASES OF BURGLARY, 20 SEXUAL OFFENSES, 18 CASES OF VIOLATION
OF THE CUSTOMS LAW, AND SEVERAL CASES OF ARSON, OBSTRUCTING THE PERFORMANCE
OF OFFICIAL BUSINESS.

OSJ1550KST 11

2

0255

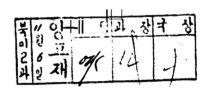

Dear General Friedman:

Your letter of October 3, ... concerning an article on the Daihan Ilbo was read with great attention and your proposal concerning incident reporting system as a model in measures to preclude future misinterpretation on the occasion of ... component of USFK was given a most careful review.

We fully sympathize with and share your concern when the misrepresentation of the state of discipline of the personnel of the United States Forces, Korea, and I wish to extend a deep regret ~~into on my own and~~ on behalf of the Korean component of the Joint Committee.

As is possible measures for eliminating future misinterpretation or misrepresentation, there may be room for improvements in the present incident reporting system both on situation aspects of the matter. In our view the problem in question involves three separate but interrelated aspects, and each of them calls for separate action as well as overall coordination. These aspects are: on incident reporting system itself, on classification and compilation of information and on public relations. Your observations on each of these aspects are presented for your kind questions:

On the subject of incident management procedures, members to explore possible alternatives in connection with the task assigned on ... restatement of the system still after ... with present reporting system was ~~insisted~~ ... based on the judgment that ... only after complete ... that since an incident report is in the nature of initial report prior to a full investigation on the incident occurred, a decision must on or not to report the incident, if we limit the reporting only to cases

0256

considered as important, ... knowledge of ... ... may turn out ... ... confusion and misunderstanding. ... ... encourage undesirable ... ... This judgment and position on ... remain unchanged. ... ... we agree with you ... the suggestion of ... the way ... possible improvements and ... based on the ... accumulation of experience. ... ... that the emphasis ... placed only on reducing the number of ... ... but on ... ...

(1) ... ...

(2) ... ...

(3) ... ...

law enforcement agencies ... ...

In view of the ... ... it should ... ...

It is ... ... of ... and their statistical *arrangement* ... ... reporting itself. ... ... *arrangement* ... ... in line with ... ... efficiency ... ...

... ...

imposed, we cannot have a valid assurance against misrepresentation. (as it has done to us)

Since certain violations attributed to persons in your custody (as well as

whatever may be caught may be done would have already been committed

the current authorities of Korea and the United States —

there cannot be adequate explanation. Taking this particularly

with the press, and not the current presentation will only

aggravate the situation. There may be some cases in which the

no release official statements will ensure experience an emergency

intervals, thus eliminating possibilities of misrepresentation.

Although there will not yet exist experience of these sessions,

I certainly make the above points for your careful consideration

assigning these questions cases to the Criminal Jurisdiction Subcommittee. possible

Sincerely yours,

Lee Ha Jung
Republic of Korea Representative
Joint Committee, US-ROK

Lieutenant General Albert T. Wilson
United States Air Force
United States Representative
Joint Committee, US-ROK

7 November 1967

Dear General Friedman:

Your letter of October 30, 1967 regarding an article of the Daihan Ilbo was read with utmost attention and your suggestion concerning incident reporting system as a possible measure to preclude future misinterpretation on the behavior of the personnel of USFK was given a most careful review.

We fully sympathize with and share your concern over the misrepresentation of the state of discipline of the personnel of the United States Forces, Korea, and I wish to extend a deep regret on behalf of the Korean component of the Joint Committee.

As to possible measures for eliminating future mis- interpretation or misrepresentation, there may be rooms for improvements in the present incident reporting system together with other aspects of the matter. In our view, the problem in question involves three separate and correlated aspects, and each of them calls for separate study as well as overall coordination. These aspects are: on incident reporting system itself, on classification and compilation of statistics of incidents and offenses, and finally on public relations. The following line of thinking on those aspects are presented for your con- sideration:

On the subject of incident reporting system, your mentioning of the reluctance on the part of Criminal Jurisdictions Subcommittee members to explore possible alterations in connection with the task assigned on 23 February 1967 seems to call for a clarification. The postponement of the study until after one or two years of experimentation with present reporting system was proposed by the Korean component based on the judgment

0259

that a rational procedures could be formulated only after complete grasp of the situation and also on the aprehension that since an incident report is in its nature an initial report prior to a full investigation on the incident occurred, a decision whether or not to report the incident, if we limit the reporting only to cases considered as important, will be made on superficial and rudimentary knowledge of the case in question, and therefore the decision made as such may turn out to be inappropriate by subsequent findings, thus leading to confusion and misunderstanding. More seriously, such a system might encourage undesirable secretiveness on the part of reporting agencies. This judgment and position on our part remain unchanged. This in mind, we agree with you to the necessity of reviewing the way for possible improvements and rationalisation based on the past accumulation of experience. However, it is believed that the emphasis should not be placed only on reducing the number of reported incidents and offenses, but on rationalising the system itself: It should serve adequately its purpose as enumerated below and should also be so devised as to minimize administrative burden. To us, the purpose of the reporting system is believed to provide with relevant data to:

(1) prevent and control incidents and offenses,
(2) ensure efficient and effective administration of the law, and
(3) ensure prompt and efficient cooperation between ROK and US law enforcement agencies to avoid complications.

In view of the highly technical aspects of the purposes as cited above, it should be subject of elaborate discussion among experts.

It is further noted that the purposes of classification of incidents and their statistical arrangement are somewhat different from those of reporting itself. Such classification and arrangement should be done in line with prevention and control of offenses, and thus they need not necessarily cover all incidents and offenses reported. Since it is preferrable that both sides maintain identical statistics, I think the matter including the desirability of periodical comparison of respective statistics should also be a

0260

subject of discussions between experts of both sides.

Public relations, as you will see is the most delicate, seems to me the focus of your concern. Unless a total censorship of press is imposed, we cannot have absolute assurance against misrepresentation. Once certain misleading article or comment by mass media has done damage to us as well as to the public there cannot be adequate remedy for it. Even if we take it up seriously with the press, we shall get little help and protests in such cases would only aggravate the situation. Best way to meet such difficulty may be to release official statement with proper explanations at appropriate intervals, thus eliminating possibilities of misrepresentation.

Although they will not entirely preclude future problems, I humbly make the above points for your perusal with a view to assigning these questions as possible tasks to the Criminal Jurisdiction Subcommittee.

Sincerely yours,

Yoon Ha Jong
Republic of Korea Representative
Joint Committee, ROK-US SOFA

Lieutenant General Robert J. Friedman
United States Air Force
United States Representative
Joint Committee, US-ROK SOFA

0261

16 NOV 1967

Dear Mr. Yoon:

I appreciate very much your detailed and considered reply of 7 November to my letter of 30 October 1967. Your letter was most encouraging in its understanding of the problem of press misinterpretation of figures gathered from a reporting system, the chief purpose of which is to ensure prompt and efficient cooperation between US and ROK law enforcement agencies in the administration of the criminal jurisdiction provisions of the Status of Forces Agreement.

As you noted in your letter, the reporting of incidents and the role such reports are to play present highly technical problems. The current reporting system was instituted after careful thought by the representatives of this headquarters, and after prolonged discussion as to the mechanics of its operation in the Criminal Jurisdiction Subcommittee. The same consideration must be given, and mutual discussions undertaken, before any basic modifications are made.

Consequently, I have requested certain of my staff officers to study the points you raised with a view toward possibly recommending a task to be assigned to the Criminal Jurisdiction Subcommittee.

Sincerely,

ROBERT J. FRIEDMAN
Lieutenant General, USAF
United States Representative

Mr. Yoon, Ha Jong
Republic of Korea Representative
US-ROK SOFA Joint Committee

0262

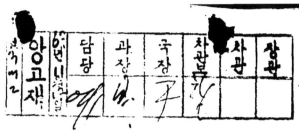

November 17, 1967

Dear General Friedman:

I wish to refer to certain questions concerning the extent of application of the provisions of paragraphs (a) and (c), Article I, SOFA which define respectively "members of the United States armed forces" and "dependents."

~~According~~ ~~With regard~~ to paragraph (a) of the said Article, ~~requirements to be defined as~~ "members of the United States armed forces," and ~~thus~~ covered by the SOFA, except personnel of the United States Embassy and the Military Advisory Group who are covered by general international law and a separate agreement, are to be on active duty with US armed services ~~and the presence~~ in the territory of the Republic of Korea. By this definition, the "member" seems to include all of the following categories.

(1) Personnel on duty in Korea, either assigned or attached to the United States Forces, Korea and its subordinate commands.

(2) Personnel visiting Korea on travel order.

(3) Personnel visiting Korea in groups and under officially controlled R & R programms.

(4) Personnel visiting Korea for purely personal purposes (tourism or other personal reasons) while on leave.

It is to be noted, however, that the extension of SOFA coverage to the categories (2) to (4) of the above classification, especially category (4), seems to give ground to question as to logical consistency in connection with the Preamble of the Agreement.

Lieutenant General Robert J. Friedman
United States Air Force
United States Representative
Joint Committee, US-ROK SOFA

259

0263

In actual implementation, this question of coverage does not appear to involve problems of any practical importance except for the application of Criminal Jurisdiction clauses. It is the view of my Government that for the application of the criminal jurisdiction clauses, the following two conditions should be met for each person covered:

(1) That the persons be under effective control of the USFK and its subordinate commanders, and

(2) That the persons be subject to the jurisdiction of military courts established in Korea by the authority of the Commanding General, USFK. If the US authorities interpret that the provisions of paragraph (a), Article I, cover all categories enumerated above with the conditions as specified, it is requested that the US authorities will give official confirmation to that effect.

As to the definition of dependents in paragraph (c) of the same Article, it is noted that there is no qualificative provision as to the presence in Korea of the head of family who is defined in paragraphs (a) and (b). The past practice of the US authorities seems to indicate that permanent reassignment outside Korea of the head of family automatically terminates the SOFA dependent status of his dependents. We should like to have your official confirmation of this interpretation.

This will still leave the question of temporarily separated presence in Korea of dependents due to their arrival prior to that of the head of family, their continued presence during temporary absence of the head of the family, or their prolonged stay in Korea after departure of the head of family, etc. I think, therefore, it is preferable to have clear-cut guidelines as to the status of dependents under these circumstances and relevant time limits.

If you consider it preferable in the light of the technical and legal aspects involved, to refer these questions to appropriate sub-committee or a panel of experts for full exploration and recommendation, we have no objection to it.

Your perusal and response in this regard will be deeply appreciated.

Sincerely yours,

Ha Jong Yoon
Republic of Korea Representative
Joint Committee, ROK-US SOFA

0264

MINISTRY OF FOREIGN AFFAIRS
REPUBLIC OF KOREA

November 17, 1967

Dear General Friedman:

I wish to refer to certain questions concerning the extent of application of the provisions of paragraphs (a) and (c), Article I, SOFA, which define respectively "members of the United States armed forces" and "dependents."

With regard to paragraph (a) of the said Article, requirements to be defined as "members of the United States armed forces," and thus covered by the SOFA, except personnel of the United States Embassy and the Military Advisory Group, who are covered by general international law and a separate agreement, are to be on active duty with US armed services and the presence in the territory of the Republic of Korea. By this definition, the "member" seems to include all of the following categories.

(1) Personnel on duty in Korea, either assigned or attached to the United States Forces, Korea and its subordinate commands.

(2) Personnel visiting Korea on travel order.

(3) Personnel visiting Korea in groups and under officially controlled R & R programme.

(4) Personnel visiting Korea for purely personal purposes (tourism or other personal reasons) while on leave.

It is to be noted, however, that the extension of SOFA coverage to the categories (2) to (4) of the above classification, especially category (4), seems to give ground to question as to logical consistency in connection with the Preamble of the Agreement.

Lieutenant General Robert J. Friedman
United States Air Force
United States Representative
Joint Committee, US-ROK SOFA

0265

기록물종류	문서-일반공문서철	등록번호	9425	등록일자	
분류번호	729.42	국가코드		주제	
문서철명	SOFA 한.미국 합동위원회 형사재판권 분과위원회, 1976				
생산과	안보담당관실	생산년도	1976 - 1976	보존기간	영구
담당과(그룹)	미주	안보	서가번호	--	
참조분류					
권차명					
내용목차					

마/이/크/로/필/름/사/항

촬영연도	*롤 번호	화일 번호	후레임 번호	보관함 번호
	G-6-46	16	1-126	

0001

1. 형사재판관할권 행사

.2

0002

미 주 국

1976 · 1 · 17 ·

담 당	과 장	심의관	국 장	차관보	차 관	장 관
이을역						

제 목   주한미군 범죄에 대한 형사재판관할권 행사

요 약 :

76. 1. 16. 법무부는 주한미군 하사 ▉▉▉▉

▉▉▉▉▉▉▉ 의 특정 범죄 가중 처벌등에 관한 법률

위반 피의 사건에 대하여 형사재판 관할권 행사를 통보 함.

* 76년 통계 : 1건 (피의자 1명)
  75년 통계 : 18건 (피의자 29명)

조치사항

0003

법 무 부

경일 821-1093　　　　　　　(70-2807)　　　　　　1976. 1. 16.

수신 외무부장관

제목 미군인 범죄에 대한 형사재판관할권 행사

　　　　미군인 하사 ███████████████████ 에

대한 폭행범죄가 종처법 위반혐의를 위반 피의사건은 사안이 중대하므로

형사재판관할권을 행사함이 타당하다고 인정되어 우리나라가 형사재판

관할권을 행사하기로 결정하고 별첨과 같이 형사재판관할권 행사 결정

통고서를 주한 미군 사령관에게 통보하였음을 통보합니다.

첨부: 형사재판관할권 행사 결정 통고서 사본 1부. 끝.

법 무 부

0004

대 한 민 국 법 무 부

검 일　821—

수 신　주한 미합중국 사령관

참 조　법 무 감

제 목　형사재판 관할권 행사 결정 통고서

　한미행정 협정 제22조 제3항(나)에 관한 합의 의사록 제4호에 의한 대한민국
과 미합중국간의 1966. 7. 9. 자 교환시한에 의거 아래사람에 대하여 대한민국이
재판권을 행사 하기로 결정 하였음을 통고 합니다.

피 의 자	소 속: **미제 25수송대**
	계 급: **하사**　　　군 번: ▉▉▉▉▉
	성 명: ▉▉▉▉▉▉▉▉
	생년월일: **1940. 6. 12.**
죄　　명	**특정범죄가중처벌등에관한법률위반**
적 용 법 조	**별지와 같음.**
범 죄 사 실 의 요　　지	**별지와 같음.**
사건 발생 통고를 받거나 안 일시 및 접수 기관	**1976. 1. 2. 평택경찰서 인지**
비　　고	

대 한 민 국 법 무 부 장 관

0005

적 용 법 조

1. 특정범죄가중처벌등에관한법률 제5조의 3 의 1호

2. 형법 제268조

3. 도로교통법 제45조 1항

0006

범 죄 사 실

피의자는 주한 미군인으로서,

음주만취되었으면 취중 운전을 삼가야 할 업무상 주의의무가

있음에도 이를 태만히 한 채, 피의자 소유차량을 운전 귀가중

76. 1. 1. 04:00경 평택군 팽성면 객사2리 오물장 입구노상에

이르러 좌측 차도를 따라 같은 방향으로 걸어가고 있던 █████

████████████████████████ 를 충격, 현장에서

사망케하고 도주한 것임.

MINISTRY OF JUSTICE
REPUBLIC OF KOREA
SEOUL, KOREA

Date : **Jan. 16, 1976**

MJP -

TO :   Commander, United States Forces Korea

ATTN :   Judge Advocate Joint Staff (JAJ)

SUBJECT :   Notification to Exercise Jurisdiction

       Pursuant to the exchange of letters between the United States and   the   Republic of Korea of 9 July 1966 regarding paragraph 4 of the Agreed Minutes reference to paragraph 3 (b). Article XXII, US/ROK Status of Forces Agreement,   this is to notify you that the Republic of Korea has decided to exercise jurisdiction over the following Person :

Suspect	Organization : **25th Transportation Center** Rank : **Staff Sgt.** Serial Number : ▇▇▇▇ Name : ▇▇▇▇▇▇▇▇▇ DOB : **June 12, 1940**
Charge	**Violation of the Law for Providing Special Punishment for Specified Crimes.**
Applicable Article	**Same as attached paper**
Brief Descripiton of the Offence	Same as attached paper.
Date of Receipt of the Incident Notice or otherwise apprised and Received Agency	**Became apprised of at Pyeng-taek Police Station, Jan. 2, 1976.**
Remarks	

Samik Hwang

Minister of Justice
Republic of Korea

0008

Applicable Articles

1. Subpara 1, Art. 5-III, the Law for Providing Special Punishment for Specified Crimes.

2. Art. 268, the Criminal Code.

3. Para 1, Art. 45, the Traffic Code.

0009

Brief Description of the Offence

On or about the 1st day of January 1976 at 0400 hours, on the road at Kaeksa 2ri, Paeng-sung myon, Pyongtaek-kun, Kyonggi-do, Staff Sgt. ████████████████, ████████████, while driving a private car (Seoul 1ka S-1812) under the influence of alcohol,

1. recklessly drove his car and struck a person named ████████████████████████████████ who was then walking toward the same direction and thereby killed her on the spot with fracture of the skull,

2. in disregard of the duty of a driver to take care of the victim and to report the accident immediately to the police as are required by the traffic code, the suspect fled the scene of the accident described in 1., and he then knew the accident occurred due to his reckless driving.

0010

미 주 국

197 6 . 1 . 23 .

	담 당	과 장	심의관	국 장	차관보	차 관	장 관	
북미2과								

제 목　　주한미군 범죄에 대한 형사재판관할권 행사

요 약

　　76. 1. 21. 법무부는 주한미군 이병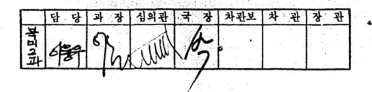
의 특수 강도 피의사건에 대하여 형사재판관할권 행사를 통보 함.

　　* 76년 통계 : 2건 (피의자 2명)

조치사항

0011

법   무   부

경일 821- 1590   (70-2807)   1976. 1. 21.

수신 외무부장관

제목 미군인 범죄에 대한 형사재판관할권 행사

　　　미군인 이병 ███████████████████ 에 대한 특

수강도 피의사건은 사안이 중대하므로 형사재판관할권을 행사함이 마땅

하다고 인정되어 우리나라가 형사재판관할권을 행사하기로 결정하고 별첨

과 같이 형사재판관할권 행사 결정 통고서를 주한 미군사령관에게 전달하

였음을 통보 합니다.

첨부 : 형사재판관할권 행사 결정 통고서 사본 1부. 끝.

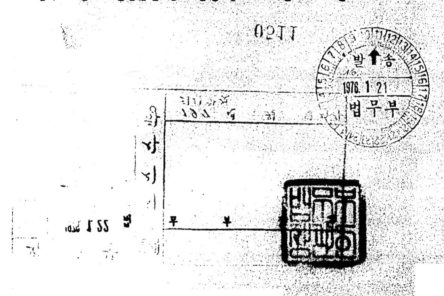

발↑송
1976. 1. 21
법무부

0012

대한민국법무부

검 찰   821—

수 신   주한 미합중국 사령관

참 조   법 무 감

제 목   형사재판 관할권 행사 결정 통고서

한미행정 협정 제22조 제3항(나)에 관한 합의 의사록 제4호에 의한 대한민국과 미합중국간의 1966. 7. 9.자 교환서한에 의거 아래사람에 대하여 대한민국이 재판권을 행사 하기로 결정 하였음을 통고 합니다.

피 의 자	소 속 : 미제 71대공포단 제2대대 미도대
	계 급 : 이병	군 번 : ███████
	성 명 : ███████
	생년월일 : 1955. 4. 14.
죄 명	특수강도
적 용 법 조	형법 제334조 제2항
범 죄 사 실 의 요 지	별지와 같음.
사건 발생 통고를 받거나 안 일시 및 접 수 기 관	1976. 1. 9. 파주경찰서 인지.
비 고	

대한민국법무부 장관

0013

범 죄 사 실
- - - - - - - - - - - - - - -

피의자는 주한 미군인으로서,

성명불상 미군 혹은 2명과 타인의 재물을 강취할 것을 공모하고,

75. 12. 28. 18:20경 서울 용산구 미8군 사령부 제1로 정문 앞 노상

에서 피해자 ████ 이 운전하는 서울 1사 8536호 코로나 택시에 승

객을 가장하고 승차하여 진행중, 동일 19:20경 경기도 파주군 조리

면 오산리 통일로상에 이르러 용변을 구실로 동차를 세운 다음, 피의

자는 미리 준비하였던 쿼크 나이프를 들고 피해자의 목에 대고 찌를

듯이 위세를 보이고 성명불상 2명은 피해자의 목을 끌어안아 항거를

능게 한 다음, 피해자 소유 현금 13,000원을 강취한 것이다.

0014

MINISTRY OF JUSTICE
REPUBLIC OF KOREA
SEOUL, KOREA

Date : **Jan. 21, 1976**

MJP -

TO :   Commander, United States Forces Korea

ATTN :   Judge Advocate Joint Staff (JAJ)

SUBJECT :   Notification to Exercise Jurisdiction

        Pursuant to the exchange of letters between the United States and the Republic of Korea of 9 July 1966 regarding paragraph 4 of the Agreed Minutes reference to paragraph 3 (b), Article XXII, US/ROK Status of Forces Agreement, this is to notify you that the Republic of Korea has decided to exercise jurisdiction over the following Person :

Suspect	Organization : **Battery B, 2d Bn. 71st Air Defense Artillery** Rank : **Private** Serial Number : ▮▮▮▮▮▮▮▮ Name : ▮▮▮▮▮▮▮▮ DOB : **April 14, 1955**
Charge	**Special Robbery**
Applicable Article	**Art. 334-2, the Criminal Code**
Brief Descripiton of the Offence	Same as attached paper.
Date of Receipt of the Incident Notice or otherwise apprised and Received Agency	**Become apprised of at Pa-ju Police Station, January 9, 1976.**
Remarks	

Seok Hwang

Minister of Justice
Republic of Korea

0015

<u>**Brief Description of the Offence**</u>

On or about the 28th day of December 1975, at 1920 hours, on the road at Oh San ri, Jori myon, Pa.-ju kun, Kyonggi-do, PVT. ███████████████████, in conspiracy with two unidentified soldiers, while riding taxi driven by ██████ ████████████, robbed the driver of money in the amount of 13,000 won against his will by means of threatening him with his jack knife.

0016

미 주 국

1976 . 2 . 4 .

북미2과	담 당	과 장	심의관	국 장	차관보	차 관	장 관

제 목   주한미군 범죄에 대한 형사재판 관할권 행사

요 약

76. 2. 2. 법무부는 주한미군 하사 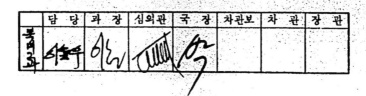 외
특정 범죄 가중 처벌등에 관한 법률위반 피의사건에 대하여
형사 재판 관할권 행사를 통보 함.

* 76년 통지 : 3건 (피의자 3명)

조치사항

0017

법　　　무　　　부

검열 821- 2664　　　(70-2807)　　　1976. 2. 2.

수신 외무부장관

제목 미군인 범죄에 대한 재판관할권 행사

　　1. 미군인 하사 ███████████████ 에 대한 특정범
죄가중처벌등에관한법률위반 피의사건은 사안이 중대하므로 형사재판관할권을
행사함이 마땅하다고 인정되어 우리나라가 형사재판관할권을 행사하기로 결정
하고 별첨과 같이 형사재판관할권 행사 결정 통고서를 주한 미군 사령관에게
전달하였음을 통보 합니다.

　　첨부: 형사재판관할권 행사 결정 통고서 사본 1부. 끝.

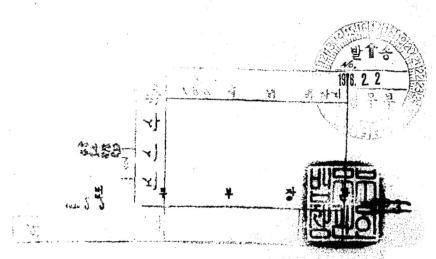

0278

0018

대 한 민 국 법 무 부

검 일   821—

수 신   주한 미합중국 사령관

참 조   법 무 감

제 목   형사재판 관할권 행사 결정 통고서

　　　한미행정 협정 제22조 제3항(나)에 관한 합의 의사록 제4호에 의한 대한민국
과 미합중국간의 1966. 7. 9. 자 교환시한애 의거 아래사람에 대하여 대한민국이
재판권을 행사 하기로 결정 하였음을 통고 합니다.

피 의 자	소 속: 육군 대구 위수사령부 본부중대	
	계 급: 하사　　　군 번: ███████	
	성 명: ███████	
	생년월일: 1943. 12. 15.	
죄 명	특정범죄가중처벌등에관한법률위반	
적 용 법 조	법지와 같음.	
범 죄 사 실 의 요 지	법지와 같음.	
사건 발생 통고를 받거나 안 일시 및 접수 기관	1976. 1. 26. 대구 남부경찰서 인지	
비 고		

대 한 민 국 법 무 부 장 관

0019

적 용 법 조

1. 특정범죄가중처벌등에관한법률 제5조의 3, 제1항 제1호

2. 형법 제268조

3. 도로교통법 제45조 제1항

피의자는 주한 미군인으로서,

76. 1. 24. 22:50경 피의자 소유 경북 1더 1702호 승용차에 미군인 벡스 병장을 승차시키고 대구시 남구 봉덕동 캠프워가에서 같은구 대봉동 방향으로 운전 진행중, 대구시 남구 봉덕동 1구 547 앞 노상에 이르러 우측 주시를 소홀이 한 과실로, 우측 골목길에서 자전거에 물품을 적재하고 나와 피의자와 같은 방향으로 운전해가는 피의자 ███████████████████ ██████을 피하지 못하고, 동 자전거 짐받이 부분을 동 승용차 우측 후면다 부분으로 충격, 지면에 전도케하여 동인을 뇌손상으로 사망케하고 도주한 것임.

MINISTRY OF JUSTICE
REPUBLIC OF KOREA
SEOUL, KOREA

Date: **Feb. 2, 1976**

MJP -

TO: Commander, United States Forces Korea

ATTN: Judge Advocate Joint Staff (JAJ)

SUBJECT: Notification to Exercise Jurisdiction

Pursuant to the exchange of letters between the United States and the Republic of Korea of 9 July 1966 regarding paragraph 4 of the Agreed Minutes reference to paragraph 3 (b). Article XXII, US/ROK Status of Forces Agreement, this is to notify you that the Republic of Korea has decided to exercise jurisdiction over the following Person:

Suspect	Organization: **HHC, US Army Garrison Taegu**
	Rank: **Staff Sergeant**
	Serial Number: ▮▮▮▮▮
	Name: ▮▮▮▮▮
	DOB: **Dec. 15, 1943**
Charge	**Violation of the Law for Providing Special Punishment for Specified Crimes**
Applicable Article	**Same as attached paper**
Brief Descripiton of the Offence	Same as attached paper.
Date of Receipt of the Incident Notice or otherwise apprised and Received Agency	**Become apprised of at Nam-bu Police Station, Taegu, January 26, 1976.**
Remarks	

Sanduk Hwang

Minister of Justice
Republic of Korea

0022

Applicable Articles

1. Subpara 1, Para. 1, Art. 5-III, the Law for Providing Special
    Punishment for Specified Crimes.

2. Art. 268, the Criminal Code.

3. Para. 1, Art. 45, the Traffic Code.

0023

Brief Description of the Offense

On or about the 24th day of January 1976, at 2250 hours, on the road at 1 ku-547 Bongduk dong, Nam-ku, Taegu City, Staff SSt. ███████████████████, while driving a private car (Kyong-buk 1T 1702),

1. recklessly drove his car and struck a rider on a bicycle named ███████████████ and caused death to the said victim twenty minutes later due to cerebral hemorrhage.

2. in disregard of the duty of a driver to take care of the victim and to report the accident immediately to the police as are required by the traffic code, the suspect fled the scene of the accident described in 1., and he then knew the accident occurred due to his reckless driving.

0024

<u>Brief Description of the Offense:</u>

Between approximately 2300 hours, the 27th day of January 1976 and 0100 hours, the 28th day of January, the same year, ██████████ ██ ████████████████████████████, in conspiracy with Private ███████████ and an unidentified soldier, raped one named ██ ██████████████████ by means of holding her mouth and grasping her arms with hands.

0025

미 주 국

1976 . 2 . 12.

	담 당	과 장	심의관	국 장	차관보	차 관	장 관
구미과	이봉의	히웅		약			

제 목   주한미군 범죄에 대한 형사 재판 관할권 행사

요 약

76. 2. 1○. 법무부는 주한미군 이병 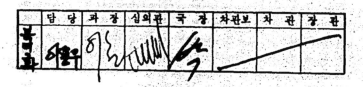 익 1명의 강간 피의 사건에 대하여 형사 재판 관할권 행사를 통보 함.

* 76년 통계 : 4건 (피의자 5명)

조치사항

0026

법　　　　　　　무　　　　　　부　　　531-16

건일 821-　3373　　(70-2807)　　　　　　1976. 2. 10.
수신　외무부장관
제목　미군인 범죄에 대한 형사재판관할권 행사

　　　미군인 이병 ███████████████████ 외1명에 대
한 강간 피의사건은 사안이 중대하므로 형사재판관할권을 행사함이 타
당하다고 인정되어 우리나라가 형사재판관할권을 행사하기로 결정하고
별첨과 같이 형사재판관할권 행사 결정 통고서를 주한 미군사령관에게
전달하였음을 통보 합니다.

　　　첨부: 형사재판관할권 행사 결정 통고서 사본 1부. 끝.

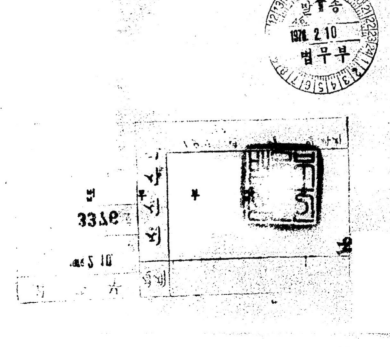

0027

대 한 민 국 법 무 부

검 일   821-

수 신   주한 미합중국 사령관

참 조   법 무 감

제 목   형사재판 관할권 행사 결정 통고서

　　한미행정 협정 제22조 제3항(나)에 관한 합의 의사록 제4호에 의한 대한민국과 미합중국간의 1966. 7. 9. 자 교환시한에 의거 아래사람에 대하여 대한민국이 재판권을 행사 하기로 결정 하였음을 통고 합니다.

피 의 자	소 속:		
	계 급:	별지와 같음.	군 번:
	성 명:		
	생년월일:		
죄 명	강간		
적 용 법 조	형법 제297조, 동법 제30조		
범 죄 사 실 의 요 지	별지와 같음.		
사건 발생 통고를 받거나 안 일시 및 접수 기관	1976. 1. 29. 의정부경찰서 인지		
비 고			

대 한 민 국 법 무 부 장 관

0028

피의자 인적사항

1. 소   속: 미제 2사단 제2공병대대 본부중대

   계   급: 이등병   군   번: ███████

   성   명: ███████

   생년월일: 1956. 8. 27.

2. 소   속: 미제 2사단 제2공병대대 본부중대

   계   급: 이병   군   번: ███████

   성   명: ███████

   생년월일: 1955. 7. 1.

0029

범 죄 사 실

피의자들은 주한 미군인으로서,

부녀를 강간할 것을 공모하고, 76. 1. 27. 23:00경부터 다음날

01:00사이 ██████████████████

██████ 에서 확대를 주기로 하고 동소에 음인께은 █████

██████████ 에게 담며들어 피의자 ████ 이병 밑 성명불상

흑인 미군인은 동녀의 입을 막고 양괄을 붙들어 항거불능케하고,

동 ██████ 은 동녀의 옷을 벗기고 덮위어 올라 그의 음경을 동녀의

질구에 삽입하여 강간 한 것임.

MINISTRY OF JUSTICE
REPUBLIC OF KOREA
SEOUL, KOREA

Date : **Feb. 10, 1976**

MJP -

TO :   Commander, United States Forces Korea
ATTN :   Judge Advocate Joint Staff (JAJ)
SUBJECT :   Notification to Exercise Jurisdiction

Pursuant to the exchange of letters between the United States and   the   Republic of
Korea of 9 July 1966 regarding paragraph 4 of the Agreed Minutes reference to paragraph 3 (b).
Article XXII, US/ROK Status of Forces Agreement, this is to notify you that the Republic of
Korea has decided to exercise jurisdiction over the following Person :

Suspect	Organization : Rank : Serial Number : **Same as attached paper** Name : DOB :
Charge	**Rape**
Applicable Article	**Art. 297 and 30, the Criminal Code**
Brief Descripiton of the Offence	Same as attached paper.
Date of Receipt of the Incident Notice or otherwise apprised and Received Agency	**Become apprised of at Euijong-bu Police Station, Jan. 29, 1976.**
Remarks	

Samduk Hwang

Minister of Justice
Republic of Korea

0031

<u>Suspects</u>

1. Organization : HHC, 2d Engineer Bn, 2d Div.

    Rank   : Private

    Serial Number :

    Name   :

    DOB   : August 27, 1956

2. Organization : Ditto

    Rank   : Private

    Serial Number :

    Name   :

    DOB   : July 1, 1955

0032

주한 미군사령부 법무감실
━━━━━━━━━━━━━━━━━━━━━━

1976. 3. 24.

이형구 검찰국장님 귀하:

███████ 이병은 1975. 1. 5부터 동년 4. 7까지 캠프
험푸례이 미육군 구급시설에 구급되었음을 알려드립니다. 한미
행정협정 제22조 9항에 관한 합의의사록 2항 나호에 의거 그에
대한 미결충산을 하여 주시도록 알려드립니다.

경   구

로미 무더 중령

법무감 재인 이.

필렙스 해인대령을 대리하여

HEADQUARTERS, UNITED STATES FORCES, KOREA
APO SAN FRANCISCO 96301
Office of the Judge Advocate

JAJ-IA   24 March 1976

Director HUH Hyong Koo
Bureau of Prosecution
Ministry of Justice
Republic of Korea

Dear Director HUH:

This is to inform you that PVT ▓▓▓▓▓▓▓▓ was confined at the
US Army stockade at Camp Humphreys from 5 January 1975 to
7 April 1975. This information is furnished so that the period of
pretrial confinement may be credited toward his sentence, pursuant to
subparagraph (b) of Agreed Minute Re Paragraph 9, Article XXII,
ROK-US Status of Forces Agreement.

Sincerely,

Tommy M. Luders, Lts., USAF

ZANE E. FINKELSTEIN
Colonel, USA
Judge Advocate

0034

주한 미군사령부 법무감실

1976. 4. 7.

이 국장님귀하:

███████ 이병의 구금에 관한 본인의 1976. 3. 24자
서한과 관련된 것입니다.

███ 이병은 수원교도소에 이송할 때까지 1976. 4. 2. 미군
구금시설에 수감되었음을 알려드립니다.

경 · 구

저인 이. 핀렐스 해인
육군대령
법무감

0035

HEADQUARTERS
UNITED NATIONS COMMAND
UNITED STATES FORCES KOREA
EIGHTH UNITED STATES ARMY
APO SAN FRANCISCO 96301
Office of the Judge Advocate

JAJ-IA　　　　　　　　　　　　　　　　　　　7 April 1976

Director HUH Hyong Koo
Bureau of Prosecution
Ministry of Justice
Republic of Korea

Dear Director HUH:

Reference my letter of 24 March 1976 concerning confinement of
PVT ███████.

This is to further inform you that PVT ████ was placed in confinement
at US Army Stockade at Camp Humphreys on 2 April 1976 pending transfer
of his custody to Suwon Correctional Institution.

Sincerely,

ZANE E. FINKELSTEIN
Colonel, USA
Judge Advocate

0036

대 한 민 국 법 무 부

검 일 826—

수 신 주한 미군 사령관

제 목 구금 인도 요청

　　　한미행정협정 제22조 제5항(다)에 의하여 모든 재판절차가 종결된
아래사람을 **1976. 4. 16. 11:00** 수원교도소에서 동 교도소 소장이나 그 대리인에게
인도하여 줄것을 요청합니다.

소 속:	제2사단 제32연대 1대대 전투지원 중대	
계 급:	이병	군 번: ■■■■
성 명:	■■■■	
생년월일:	1948. 11. 10.	
직 명	강간치상	
형 명 형 기	징역 2년 6월	
최종판결 선고법원	대 법 원	
선 고 일	1976. 3. 23.	
확 정 일	1976. 3. 23.	
형 기 기 산 일	1976. 4. 16.	
통 산 일 수	107일	
형기종료예정일	1978. 6. 30.	
비 고		

법 무 부 장 관

0037

MINISTRY OF JUSTICE
REPUBLIC OF KOREA
SEOUL, KOREA

Prosecution 826- **9964**   **April 13, 1976**

To: Commander, US Forces, Korea
        APO 96301

Subject: Request for Transfer of Custody

        Pursuant to the Provisions of Article XXII, Paragraph 5(c), of the ROK/US Status of Forces Agreement, the Government of the Republic of Korea hereby requests that the following individual, for whom all judicial proceedings have been concluded, be transferred to the Warden or his designee at the Suwon Correctional Institution in Suwon, Korea **at 1100 hours, on April 16, 1976.**

NAME, DOB RANK, SERIAL NUMBER UNIT	████████ **Nov. 10, 1948** Sp-4 ████████ Combat Support Co. 1st/32nd Infantry, 2nd Div.
OFFENCE	Rape Resulting in Injuries
TYPE OF PENALTY TERM OF SENTENCE	Dismissing the appeal, sentenced to 2 years and 6 months
FINAL JUDGMENT	Court: Supreme Court Date of Verdict: March 23, 1976 Date when judgment to become final: March 23, 1976
INITIAL DATE OF EXECUTION	April 16, 1976
CONFINEMENT PERIOD TO BE CREDITED TO THE SENTENCE	107 days
EXPECTED DATE OF RELEASE	June 30, 1978
REMARKS	

Samduk Hwang

Minister of Justice
Republic of Korea

0038

미 주 국

197 6 . 5 . 19 .

담 당	과 장	심의관	국 장	차관보	차 관	장 관

제 목   주한미군 범죄에 대한 형사재판 관할권 행사

요 약

76. 5. 17. 법무부는 주한미군 아사 ███

███ 외 륙정 범죄 가공처벌등에 관한 법률 위반

자의 사건에 대하여 형사 재판 관할권 행사를 통보 함.

* 76년 통계 : 5 건 (피의자 6명)

조치사항

법 무 부

접 수 82- 13596   (70-2807)   1976. 5. 17.

수신 외무부장관

제목 미군인 범죄에 대한 형사재판관할권 행사

미군인 하사 ███████████████████████████ 에 대한
특정범죄가중처벌등에관한법률위반 피의사건은 사안이 중대하므로 형사
재판관할권을 행사함이 타당하다고 인정되어 우리나라가 형사재판관할
권을 행사하기로 결정하고 범행자 같이 형사재판관할권 행사 결정 통고
서를 주한 미군 사령관에게 전달하였음을 통보 합니다.

첨부: 형사재판관할권 행사 결정 통고서 사본 1부. 끝.

법   무   부   장

0040

대한민국법무부

검 찰 821-

수 신 주한 미합중국 사령관

참 조 법 무 감

제 목 형사재판 관할권 행사 결정 통고서

한미행정 협정 제22조 제3항(나)에 관한 합의 의사록 제4호에 의한 대한민국 과 미합중국간의 1966. 7. 9.자 교환서한에 의거 아래사람에 대하여 대한민국이 재판권을 행사 하기로 결정 하였음을 통고 합니다.

피 의 자	소 속 : 미제2 수송여대 본부중대
	계 급 : 하사 군 번 : ▮▮▮▮▮▮
	성 명 : ▮▮▮▮▮▮
	생년월일 : 1940. 8. 10.
죄 명	특정범죄가중처벌등에관한법률위반
적 용 법 조	특정범죄가중처벌등에관한법률 제5조의 3, 제1항 제2호
범 죄 사 실 의 요 지	별지와 같음.
사건 발생 통고를 받거나 안 일시 및 접수기관	1976. 5. 6. 용산경찰서 인지.
비 고	

대한민국법무부 장관

범 죄 사 실

피의자는 주한 미군인으로서,

1976. 5. 5. 22:30경 서울 1어스 5238호 승용차를 운전하고

서빙고역 방면에서 동부 이촌동쪽으로 진행중, 서울 용산구

서빙고동 192앞 노상에 이르러 동소를 횡단중인 ███████

██ 를

충돌, 지면에 전도케하어 중상을 입게한 후 도주한 것임.

0042

MINISTRY OF JUSTICE
REPUBLIC OF KOREA
SEOUL, KOREA

Date : **May 17, 1976**

MJP -

TO :   Commander, United States Forces Korea

ATTN :   Judge Advocate Joint Staff (JAJ)

SUBJECT :   Notification to Exercise Jurisdiction

Pursuant to the exchange of letters between the United States and the Republic of Korea of 9 July 1966 regarding paragraph 4 of the Agreed Minutes reference to paragraph 3 (b), Article XXII, US/ROK Status of Forces Agreement, this is to notify you that the Republic of Korea has decided to exercise jurisdiction over the following Person :

Suspect	Organization : **HHC, 2nd Trans. Group** Rank : **Sp-6** Serial Number : ██████ Name : ████████ DOB : **August 10, 1940**
Charge	**Violation of the Law for Providing Special Punishment for Specified Crimes**
Applicable Article	**Subpara 2, para 1, Art. 5-III, the Law for Providing Special Punishment for Specified Crimes**
Brief Descripiton of the Offence	Same as attached paper.
Date of Receipt of the Incident Notice or otherwise apprised and Received Agency	**Become apprised of at Yong-san Police Station, May 6, 1976.**
Remarks	

Sanduk Hwang

Minister of Justice
Republic of Korea

0043

<u>**Brief Description of the Offense**</u>

On or about the 5th day of May 1976, at 2230 hours, on the road at 192 Subinggu-dong, Yongsan-ku, Seoul, Sp-6 ████████████████████, while driving a private car (Seoul 1S-5238),

1. recklessly drove his car at the speed of 30km per hour and struck a person named ████████████████ ███ who was then crossing the road, and thereby inflicted serious injuries upon him.

2. in disregard of the duty of a driver to take care of the victim and to report the accident immediately to the police as are required by the traffic code, the suspect fled the scene of the accident described in 1., and he then knew the accident occurred due to his reckless driving.

0044

미 주 국

1976 . 6 . 8 .

	담 당	과 장	심의관	국 장	차관보	차 관	장 관
북미2과			준영				

제 목   주한미군 범죄에 대한 형사 재판 관할권 행사

요 약

76. 6. 2. 법무부는 주한미군 상병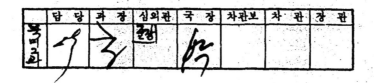
외 3인의 강간 치상 피의사건에 대하여 형사 재판 관할권
행사를 통보 함.

* 76년 통계 : 6 건 (피의자 10명)

조처사항

Γ 0045

법　　　　무　　　　부

경법 821-15366　　　　(70-2007)　　　　1976. 6. 2.

수신　외무부장관

제목　미군인 범죄에 대한 형사재판관할권 경사

　　　미군인 상병 ▨▨▨▨▨▨▨▨▨▨▨▨▨▨ 외3명에 대한 강간
치상 치외사건은 사안이 중대하므로 형사재판관할권을 경사함이 마땅하다고
인정되어 우리나라가 형사재판관할권을 행사하기로 결정하고 별첨과 같이 형
사재판관할권 경사 결정 통고서를 주한 미군사령관에게 건당하였음을 통보
합니다.

첨부：형사재판관할권 경사 결정 통고서 사본 1부. 끝.

법　　무　　부　　장

0046

대한민국법무부

검 일   821-

수 신   주한 미합중국 사령관

참 조   법 무 감

제 목   형사재판 관할권 행사 결정 통고서

　한미행정 협정 제22조 제3항(나)에 관한 합의 의사록 제4호에 의한 대한민국
과 미합중국간의 1966. 7. 9. 자 교환시한에 의거 아래사람에 대하여 대한민국이
재판권을 행사 하기로 결정 하였음을 통고 합니다.

피 의 자	소 속 :	
	계 급 :　　　　군 번 :	
	성 명 : 별지와 같음.	
	생년월일 :	
죄 명	강간치상	
적 용 법 조	형법 제301조, 동제 297조	
범 죄 사 실 의　요 지	별지와 같음.	
사건 발생 통고를 받거나 안 일시 및 접수 기관	1976. 5. 22. 용산경찰서 인지	
비 고		

대한민국법무부장관

0047

                              인   적   사   항

        1. 소   속: 미계 226통신중대
           계   급: 상병
           군   번: ████████
           성   명: ████████
           생년월일: 1955. 3. 17.

        2. 소   속: 미계 226통신중대
           계   급: 일병
           군   번: ████████
           성   명: ████████
           생년월일: 1953. 9. 12.

        3. 소   속: 미계 81야포대 3대대 본부포대
           계   급: 상병
           군   번: ████████
           성   명: ████████
           생년월일: 1955. 10. 8.

        4. 소   속: 미계 81야포대 3대대 본부포대
           계   급: 일병
           군   번: ████████
           성   명: ████████
           생년월일: 1956. 10. 5.

0048

범 죄 사 실

피의자들은 주한 미군인들으로서,

1976. 5. 21. 23:50경부터 다음날 02:10경까지 ████

████████████████████████████████████

████████████████의 팔 다리를 잡고 휴지를 입

여 불리는등 항거불능케 한후, 차례로 구1회씩 강간하여 동녀

에게 오치 10일상해를 언게한 것임.

Date : **June 2, 1976**

MJP -

TO :   Commander, United States Forces Korea

ATTN :   Judge Advocate Joint Staff (JAJ)

SUBJECT :   Notification to Exercise Jurisdiction

        Pursuant to the exchange of letters between the United States and the Republic of Korea of 9 July 1966 regarding paragraph 4 of the Agreed Minutes reference to paragraph 3 (b), Article XXII, US/ROK Status of Forces Agreement, this is to notify you that the Republic of Korea has decided to exercise jurisdiction over the following Person :

Suspect	Organization : Rank : Serial Number : **Same as attached paper.** Name : DOB :
Charge	**Rape Resulting in Injuries**
Applicable Article	**Articles 301 and 297, the Criminal Code**
Brief Descripiton of the Offence	Same as attached paper.
Date of Receipt of the Incident Notice or otherwise apprised and Received Agency	**Become apprised of at Yong-san Police Station, May 22, 1976.**
Remarks	

Sanduk Hwang

Minister of Justice
Republic of Korea

0050

1. Organization: 226th Signal Company

   Rank   : Sp.4

   Serial Number:　████████

   Name   :　████████

   DOB   : March 17, 1955

2. Organization : Ditto

   Rank   : PFC

   Serial Number:　████████

   Name   :　████████

   DOB   : Sept. 12, 1953

3. Organization : HQ Co. 3rd/81 Artillery

   Rank   : Sp-4

   Serial Number:　████████

   Name   :　████████

   DOB   : Oct. 8, 1955

4. Organization : Ditto

   Rank   : PFC

   Serial Number:　████████

   Name   :　████████

   DOB   : Oct. 5, 1956

0051

<u>Brief Description of the Offence</u>

Between approximately 2350 hours, the 21st day of May 1976 and 0210 hours, the 22nd day of the same month, ████████████ ██ ██ ██ in conspiracy with one another, raped one named ██████████ ███████████████████ one after another by means of grasping her arms and legs with hands and thereby inflicted injuries upon her which require ten days of medical treatment.

0052

법   무   부

5R8-1 ⑤

건일 821- 18222   (70-2807)   1976. 6. 29.

수신 외무부장관

제목 미군인 범죄에 대한 형사재판관할권 행사

　　　미군인 병장 ████████████████████████ 에 대한
특정범죄가중처벌등에관한법률위반 피의사건은 사안이 중대하므로 형
사재판관할권을 행사함이 마땅하다고 인정되어 우리나라가 형사재판관
할권을 행사하기로 결정하고 별첨과 같이 형사재판관할권 행사 결정
통고서를 주한 미군 사령관에게 전달하였음을 통보 합니다.

　　　첨부: 형사재판관할권 행사 결정 통고서 사본 1부. 끝.

※ 76년누계: 7건 (피의자 11명)

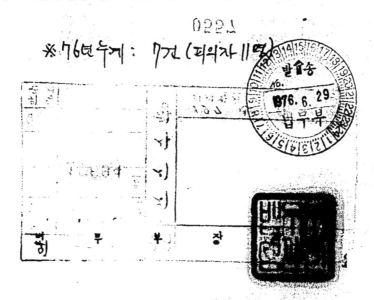

0053

대 한 민 국 법 무 부

검 일   821-

수 신   주한 미합중국 사령관

참 조   법 무 감

제 목   형사재판 관활권 행사 결정 통고시

한미행정 협정 제22조 제3항(나)에 관한 합의 의사록 제4호에 의한 대한민국
과 미합중국간의 1966. 7. 9. 자 교환시한에 의거 아래사람에 대하여 대한민국이
재판권을 행사 하기로 결정 하였음을 통고 합니다.

피 의 자	소 속: 미8군 제2공병단 제44공병대대 비용대
	계 급: 병장 군 번: ▓▓▓▓
	성 명: ▓▓▓▓▓▓
	생년월일: 1952. 7. 17
죄 명	특정범죄가중처벌등에관한법률 위반
적 용 법 조	특정범죄가중처벌등에관한법률 제5조 의 3, 제1항 제1호
범 죄 사 실 의 요 지	별지와 같음.
사건 발생 통고를 받거나 안 일시 및 접수 기관	1976. 6. 19. 성북경찰서 인지.
비 고	

대 한 민 국 법 무 부 장 관

범 죄 사 실
- - - - - - - - - - - - - - - - -

피의자는 주한 미군인으로서,

76. 6. 19. 23:35경 서울시 성북구 미아리 방면에서 고려
대학교 방면을 향하여 서울 1어스 3248호 자가용 승용차를
과속 운전 진행중, 같은구 종암동 3번지 앞 횡단 보도상에
이르러 운전자로서 업무상 주의의무를 소홀히 하고 만연히
질주한 과실로, 동소를 횡단중인 ███████████████
████████████████████████████████████
█████████████을 충돌하여, 위 ███를 사망케 하고 동
████여자는 치료기간 미상의 중상을 입게하고 도주한 것임.

MINISTRY OF JUSTICE
REPUBLIC OF KOREA
SEOUL, KOREA

Date : **June 29, 1976**

MJP -

TO : Commander, United States Forces Korea

ATTN : Judge Advocate Joint Staff (JAJ)

SUBJECT : Notification to Exercise Jurisdiction

Pursuant to the exchange of letters between the United States and the Republic of Korea of 9 July 1966 regarding paragraph 4 of the Agreed Minutes reference to paragraph 3 (b), Article XXII, US/ROK Status of Forces Agreement, this is to notify you that the Republic of Korea has decided to exercise jurisdiction over the following Person :

Suspect	Organization : **Co. B, 44th Engr Bn, 2nd Engr Group** Rank : **Sp-5** Serial Number : ███████ Name : ███████ DOB : **July 17, 1952**
Charge	**Violation of the Law for Providing Special Punishment for Specified Crimes.**
Applicable Article	**Subpara 1, para 1, Art. 5-III, the Law for Providing Special Punishment for Specified Crimes.**
Brief Descripiton of the Offence	Same as attached paper.
Date of Receipt of the Incident Notice or otherwise apprised and Received Agency	**Become apprised of at Soong Buk Police Station, June 19, 1976.**
Remarks	

Sanduk Hwang

Minister of Justice
Republic of Korea

0056

<u>Brief Description of the Offense</u>

On or about the 19th day of June 1976, at 2335, hours, on
the road at 3 Chong Ahm dong, Seong Buk Ku, Seoul, Sp-5 ███████
█████████████, while driving a private car (Seoul 1S-3248),

1. recklessly drove his car at the speed of 60km per hour and
    struck two persons named ████████████████████████████
    ████████████████████████████████ when they were then
    crossing the road, and thereby caused death to the former
    on the way to the hospital and inflicted heavy injuries upon
    the latter,

2. in disregard of the duty of a driver to take care of the
    victims and to report the accident immediately to the police
    as are required by the traffic code, the suspect fled the
    scene of the accident described in 1², and he then knew the
    accident occurred due to his reckless driving.

0057

외 신

경영 821-20348   (70-2807)   1976. 7. 19.

수신 외무부장관
제목 미군인 범죄에 대한 형사재판관할권 행사

　　미군인 상병 ▮▮▮▮▮▮▮▮▮▮▮▮▮▮▮▮ 외4명에 대한
강간치상 피의사건은 사안이 중대하므로 형사재판권을 행사함이 마땅하다고
인정되어 우리나라가 형사재판관할권을 행사하기로 결정하고 별성과 같이 형
사재판관할권 행사 결정 통고서를 주한 미군 사령관에게 전달하였음을 통보
합니다.

　　첨부: 형사재판관할권 행사 결정 통고서 사본 1부. 끝.

　　　　　　　　　　　　　　　　　　　　　　0203

　　　※ '76년누계: 8건 (피의자 16명)

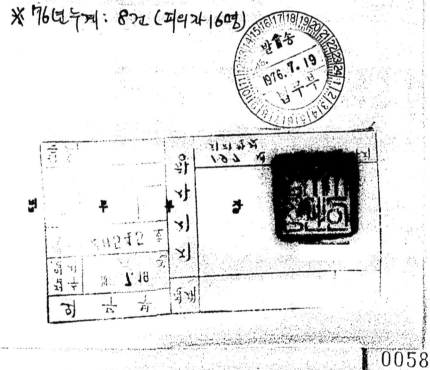

0058

대 한 민 국 법 무 부

검 일   821—
수 신   주한 미합중국 사령관
참 조   법 무 감
제 목   형사재판 관할권 행사 결정 통고서

    한미행정 협정 제22조 제3항(나)에 관한 합의 의사록 제4호에 의한 대한민국
과 미합중국간의 1966. 7. 9. 자 교환시한에 의거 아래사람에 대하여 대한민국이
재판권을 행사 하기로 결정 하였음을 통고 합니다.

피 의 자	소 속: 계 급: 군 번: 성 명: 분지라 금음. 생년월일:
죄 명	강간치상
적 용 법 조	형법 제301조, 동법 제297조
범 죄 사 실 의 요 지	분지라 금음.
사건 발생 통고를 받거나 안 일시 및 접수 기관	1976. 7. 7. 경기도 광주경찰서 인지.
비 고	

대 한 민 국 법 무 부 장 관

0059

인 적 사 항

1. 소 속: 미제4미사일 부대 87 야포 3대대 에어포대
    계 급: 일병　　　　　　　군 번: ██████
    성 명: ██████
    생년월일: 1955. 2. 22.

2. 소 속: 상동
    계 급: 일병　　　　　　　군 번: ██████
    성 명: ████████
    생년월일: 1957. 12. 29.

3. 소 속: 상동
    계 급: 일병　　　　　　　군 번: ██████
    성 명: ██████
    생년월일: 1955. 8. 30.

4. 소 속: 상동
    계 급: 일병　　　　　　　군 번: ██████
    성 명: ██████
    생년월일: 1954. 12. 2.

5. 소 속: 상동
    계 급: 상병　　　　　　　군 번: ██████
    성 명: ██████
    생년월일: 1955. 2. 28.

0060

부   채   4   항

피의자들은 주한 미군인들로서,

76. 7. 5. 20:00경부터 동일 24:00경까지 사이에 ████████████

████████████████████████████████████

████████████████████████ 의 목을 누르고 담벼락으로 손을

저지는등 폭행을 가하여 동녀 로 하여금 항거불능케 한다음 차례로

강간하여 동녀에게 요치 2주 상해를 입게한 것임.

MINISTRY OF JUSTICE
REPUBLIC OF KOREA
SEOUL, KOREA

Date: July 19, 1976

MJP -

TO : Commander, United States Forces Korea

ATTN : Judge Advocate Joint Staff (JAJ)

SUBJECT : Notification to Exercise Jurisdiction

Pursuant to the exchange of letters between the United States and the Republic of Korea of 9 July 1966 regarding paragraph 4 of the Agreed Minutes reference to paragraph 3 (b). Article XXII, US/ROK Status of Forces Agreement, this is to notify you that the Republic of Korea has decided to exercise jurisdiction over the following Person :

Suspect	Organization : Rank : Serial Number : **Same as attached paper** Name : DOB :
Charge	**Rape Resulting in Injuries**
Applicable Article	**Articles 301 and 297, the Criminal Code**
Brief Descripiton of the Offence	Same as attached paper.
Date of Receipt of the Incident Notice or otherwise apprised and Received Agency	**Become apprised of at Kwang-ju Police Station, Kyonggi-do, July 7, 1976.**
Remarks	

Sanduk Hwang
Minister of Justice
Republic of Korea

0062

1.   Organization : Battery A, 3rd/81st Field Artillery

    Rank   : PFC

    Serial Number: ███████████

    Name   :

    DOB   : Feb. 22, 1955

2.   Organization : Ditto

    Rank   : PFC

    Serial Number: ███████████

    Name   :

    DOB   : Dec. 29, 1957

3.   Organization : Ditto

    Rank   : PFC

    Serial Number: ███████████

    Name   :

    DOB   : August 30, 1955

4.   Organization : Ditto

    Rank   : PFC

    Serial Number: ███████████

    Name   :

    DOB   : Dec. 2, 1954

0063

5. Organization : Ditto

   Rank   : Sp-4

   Serial Number: ███████

   Name   : ███████

   DOB   : Feb. 28, 1955

0064

Brief Description of the Offense

On or about the 5th day of July 1976, from 2000 hours, through 2400 hours, in the rented room of ████████████ ██ ██ ████████, in conspiracy with one another, raped one named ██████ ████████████████ one after another by means of pressing her neck and grasping her arms with hands and thereby inflicted injuries upon her which require two weeks of medical treatment.

법   무   부

공협 821- 2이349   (70-2807)   1976. 7. 19.

수신 외무부장관

제목 미군인 범죄에 대한 형사재판관할권 행사

　　　　미군인 이병 ████████████████████에 대한
건주건포물방화 피의사건은 사안이 중대하므로 형사재판관할권을 행사함이
마땅하다고 인정되어 우리나라가 형사재판관할권을 행사키로 결정하고 별
첨과 같이 형사재판관할권 행사 결정 통고서를 주한 미군 사령관에게 건달하
였음을 통보합니다.

　　첨부: 형사재판관할권 행사 결정 통고서 사본 1부. 끝.

　　　　※ '76년누계: 9건 (피의자 17명)

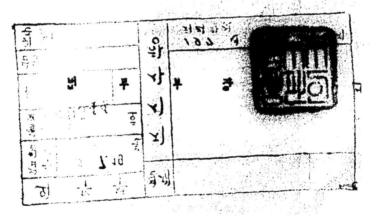

0066

대 한 민 국 법 무 부

검 일   821—

수 신   주한 미합중국 사령관

참 조   법 무 감

제 목   형사재판 관할권 행사 결정 통고서

    한미행정 협정 제22조 제3항(나)에 관한 합의 의사록 제4호에 의한 대한민국과 미합중국간의 1966. 7. 9. 자 교환시한에 의거 아래사람에 대하여 대한민국이 재판권을 행사 하기로 결정 하였음을 통고 합니다.

피 의 자	소 속: 미제 38방공포대 71포 2대대 비품대
	계 급: 이병 군 번: ███████
	성 명: ███████████
	생년월일: 1957. 6. 23.
죄 명	건주건조물 방화
적 용 법 조	형법 제164조
범 죄 사 실 의 요 지	방화라 공용.
사건 발생 통고를 받거나 안 일시 및 접수 기관	1976. 7. 5. 파주경찰서 인지.
비 고	

대 한 민 국 법 무 부 장 관

범 죄 사 실

피의자는 주한 미군인으로서,

76. 7. 5. 19:40경 ████████████████████████

████ 공영 가네기슈에서 피의자가 피의자에게 외상값 미화 75불을

갚지 않으면 외상술을 주지 않겠다고 한데 앙심을 품고 동 술내에

있는 ████████ 의 방에 들어가 세무에 성냥불을 놓아 발화하여

동 ████ 소유 룸 건물 및 가구 일체와 위 ████ 외5명 소유 가구등

도합 시가 1,600만원 상당을 소훼케 한 것임.

ᄁ574

273

837

68

0068

MINISTRY OF JUSTICE
REPUBLIC OF KOREA
SEOUL, KOREA

Date: July 19, 1976

MJP -

TO: Commander, United States Forces Korea

ATTN: Judge Advocate Joint Staff (JAJ)

SUBJECT: Notification to Exercise Jurisdiction

        Pursuant to the exchange of letters between the United States and the Republic of Korea of 9 July 1966 regarding paragraph 4 of the Agreed Minutes reference to paragraph 3 (b). Article XXII, US/ROK Status of Forces Agreement, this is to notify you that the Republic of Korea has decided to exercise jurisdiction over the following Person:

Suspect	Organization: Co. B, 2nd/71st Air Defence Artillery Rank: Private Serial Number: ▓▓▓▓▓ Name: ▓▓▓▓▓▓ DOB: June 23, 1957
Charge	Setting Fire to the Present Dwelling Buildings
Applicable Article	Article 164, the Criminal Code
Brief Descripiton of the Offence	Same as attached paper.
Date of Receipt of the Incident Notice or otherwise apprised and Received Agency	Become apprised of at Paju Police Station, July 5, 1976.
Remarks	

Sanduk Hwang

Minister of Justice
Republic of Korea

0069

Brief Description of the Offense

On or about the 5th day of July 1976, at 1940 hours, at ███ ██ ██████████████████, willfully set on fire to an inhabited dwelling to wit: the room of ████████, the property (Carnegie Hall) of █████████, knowing that human beings were therein at the time and thereby burned the hall building, refrigerator and furniture, etc., of a value of about 16,000,000 won.

0070

법　무　부

접수 821- 24237　　(70-2807)　　　　1976. 8. 17.

수신 외무부장관

제목 미군인 범죄에 대한 형사재판관할권 행사

　　　미군인 병장 ████████████████ 에 대한 강도

상해 피의사건은 사안이 중대하므로 형사재판관할권을 행사함이 마땅하

다고 인정되어 우리나라가 형사재판관할권을 행사하기로 결정하고 별첨

과 같이 형사재판관할권 행사 결정 통고서를 주한 미군 사령관에게 전

달하였음을 통보 합니다.

첨부: 형사재판관할권 행사 결정 통고서 사본 1부. 끝.

※ 76년누계 : 10건 (피의자 : 18명) ※

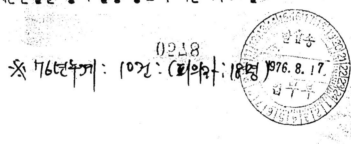

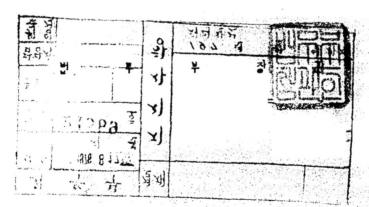

0071

대 한 민 국 법 무 부

검 일   821—

수 신   주한 미합중국 사령관

참 조   법 무 감

제 목   형사재판 관할권 행사 결정 통고서

　　한미행정 협정 제22조 제3항(나)에 관한 합의 의사록 제4호에 의한 대한민국
과 미합중국간의 1966. 7. 9. 자 교환시한에 의거 아래사람에 대하여 대한민국이
재판권을 행사 하기로 결정 하였음을 통고 합니다.

피 의 자	소　속: 미8군 용산 위수사령부 본부중대
	계　급: 병장 　　　　군 번: ████
	성　명: ████
	생년월일: 1947. 1. 17
죄　　　명	강도 상해
적 용 법 조	형법 제337조
범 죄 사 실 의 요　　　지	별지와 같음.
사건 발생 통고를 받거나 안 일시 및 접수 기관	1976. 8. 6. 태능경찰서 인지
비　　　고	

대 한 민 국 법 무 부 장 관

0072

범 죄 사 실

피의자는 주한 미군 사령부 본부 중대 소속 병사인 바,
1976. 1. 20경 군부대를 이탈하여 서울 시내도 배회하던 중
생활비를 마련하기 위하여 타인의 재물을 강취할 것을 결의
하고 1976. 8. 6. 02:45경 ███████████████████
████████████████████ 의 집담을 넘어 들어가 강취할
물건을 찾던중 동 피해자가 잠을 깨자 체포를 면탈할 목적으
로 미리 준비소지하고 있던 송곳으로 동인의 목과 양손을 수
겨처를 집떠 동인에게 1주일 내지 2주간의 치료를 요하는 경부
및 좌측 흉부 양측수부 열창상을 입힌 것이다.

Date : **Aug. 17, 1976**

MJP -

TO : Commander, United States Forces Korea

ATTN : Judge Advocate Joint Staff (JAJ)

SUBJECT : Notification to Exercise Jurisdiction

Pursuant to the exchange of letters between the United States and the Republic of Korea of 9 July 1966 regarding paragraph 4 of the Agreed Minutes reference to paragraph 3 (b). Article XXII, US/ROK Status of Forces Agreement, this is to notify you that the Republic of Korea has decided to exercise jurisdiction over the following Person :

Suspect	Organization : **HHC, US Army Garrison, Yong-san** Rank : **Sp-5** Serial Number : ▮▮▮▮▮▮ Name : ▮▮▮▮▮▮▮▮ DOB : **Jan. 17, 1947**
Charge	**Robbery Resulting in Injuries**
Applicable Article	**Article 337, the Criminal Code**
Brief Descripiton of the Offence	Same as attached paper.
Date of Receipt of the Incident Notice or otherwise apprised and Received Agency	**Became apprised of at Tae-nung Police Station, August 6, 1976.**
Remarks	

Sanduk Hwang

Minister of Justice
Republic of Korea

0074

Brief Description of the Offence

On or about the 6th day of August 1976, at 0245 hours, at ██, ████████████████, broke into the house owned by ████████ over the fence with robbery in mind and stabbed him in the neck and hands, etc. with his awl and thereby inflicted injuries upon him which require one or two weeks of medical treatment.

0075

법 무 부

건일 821- 31363   (70-2807)   5.1976. 10 19.

수신 외무부장관

제목 미군인 범죄에 대한 형사재판관할권 행사

미군인 이병 ▓▓▓▓▓▓▓▓▓▓▓▓▓▓▓▓▓▓▓▓ 외 7명
에 대한 강도 상해 피의사건은 사안이 중대하므로 형사재판관할권을 행
사함이 마땅하다고 인정되어 우리나라가 형사재판관할권을 행사하기로
결정하고 별첨과 같이 형사재판관할권 행사 결정 통고서를 주한 미군사
령관에게 전달하였음을 통보 합니다.

첨부: 형사재판관할권 행사 결정 통고서 사본 1부. 끝.

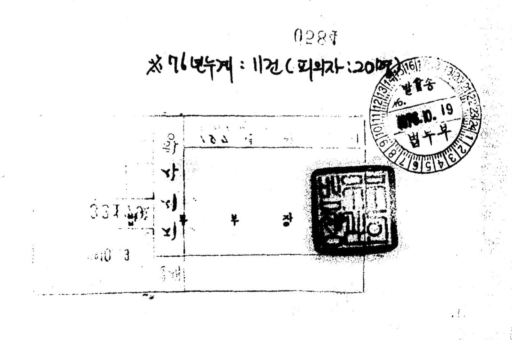

※ 76번누계 : 11건 (피의자 : 20명) ※

법 무 부 장

0076

대한민국법무부

검 일   821—

수 신   주한 미합중국 사령관

참 조   법 무 감

제 목   형사재판 관할권 행사 결정 통고서

한미행정 협정 제22조 제3항(나)에 관한 합의 의사록 제4호에 의한 대한민국 과 미합중국간의 1966. 7. 9. 자 교환시한에 의거 아래사람에 대하여 대한민국이 재판권을 행사 하기로 결정 하였음을 통고 합니다.

피 의 자	소 속: 계 급: 군 번: 성 명: 벌저와 구음. 생년월일:
죄 명	강도 상여
적 용 법 조	형법 제337조, 용법 제30조
범 죄 사 실 의 요 지	벌저와 구음.
사건 발생 통고를 낸거나 안 일시 및 접수 기관	1976. 10. 6. 여주경찰서 인지
비 고	

대한민국법무부장관

인 적 사 항

1. 소   속 : 미제 44헌병 2개대 미로대
   계   급 : 이병   군   번 : ███████
   성   명 : ████████████
   생년월일 : 1957. 7. 23.

2. 소   속 : 상 동
   계   급 : 일병   군   번 : ███████
   성   명 : ████████████
   생년월일 : 1957. 7. 27.

0078

범 죄 사 실

피의자들은 주한 미군인들로서,

76. 10. 5. 18:00경 경기도 ▢▢군 ▢성면 소재 미군 사병 ▢▢ 앞길에서 피의자 █████ 이 운전하는 미군 전용 택시 경기0바 7027호를 승차하고 소속부대로 돌아오면서 피의자에게 폭행을 가하고 택시요금의 지불을 면할하여 재산상의 이익을 취득하기로 공모하고, 동일 19:40경 여주군 능서면 왕대미 국도상에 이르러 피의자들은 합석하여 피해자 ▢▢ 경력 있던 안전 벨트로 동인의 목을 감아 조르고 동 택시 밖으로 끌어내어 주먹과 발로 전신을 무수히 때려 동인에게 요치 15일 상해를 가하여 동인의 반항을 억압한후 동 택시를 몰고 도주함으로써 동 지점까지의 택시요금 11,800원의 지급을 면함으로서 재산상 이익을 취득한 것임.

MINISTRY OF JUSTICE
REPUBLIC OF KOREA
SEOUL, KOREA

Date: **Oct. 19, 1976**

MJP -

TO :   Commander, United States Forces Korea

ATTN :   Judge Advocate Joint Staff (JAJ)

SUBJECT :   Notification to Exercise Jurisdiction

Pursuant to the exchange of letters between the United States and the Republic of Korea of 9 July 1966 regarding paragraph 4 of the Agreed Minutes reference to paragraph 3 (b), Article XXII, US/ROK Status of Forces Agreement, this is to notify you that the Republic of Korea has decided to exercise jurisdiction over the following Person :

Suspect	Organization : Rank : Serial Number : **Same as attached paper** Name : DOB :
Charge	**Robbery Resulting in Injuries**
Applicable Article	**Art. 337 and 30, the Criminal Code**
Brief Descripiton of the Offence	Same as attached paper.
Date of Receipt of the Incident Notice or otherwise apprised and Received Agency	**Become apprised of at Ye-Ju Police Station, Oct. 6, 1976.**
Remarks	

Sanduk Hwang

Minister of Justice
Republic of Korea

0080

<u>The suspects</u>:

1. Organization : Battery D. 2nd/44th Air Defense Artillery
   Rank   : Private
   Serial Number: ████████████
   Name   : ████████████
   DOB   : July 23, 1957

2. Organization : Ditto
   Rank   : PFC
   Serial Number: ████████████
   Name   : ████████████
   DOB   : July 27, 1957

0081

Brief Description of the Offense

On or about the 5th day of October 1976, at 1940 hours, on the highway at Wang-dae ri, Kang-song myon, Yo-ju kun, Kyonggi-do, Private ████████████████████████████████ ████████, in conspiracy with each other, while riding US Army taxi driven by ████████████████████████ ran away with the taxi without paying taxi fare of 11,800 won ($ 23.60 in US Currency) to the said driver by means of tightening his neck with the safety belt and beating him in the face and chest and thereby inflicted injuries upon him which require 15 days of medical treatment.

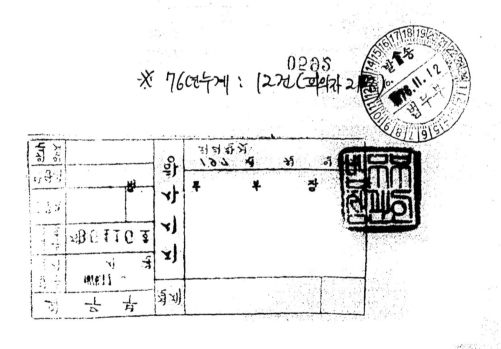

법   무   부

검영 821- 34680   (70-2807)   1976. 11. 12.

수신 외무부장관

제목 미군인 범죄에 대한 형사재판관할권 행사

    미군인 병장 ████████████████████ 에 대한 특정범죄가중
처벌등에관한법률위반 피의사건은 사안이 중대하므로 형사재판관할권을 행사함
이 마땅하다고 인정되어 우리나라가 형사재판관할권을 행사하기로 결정하고 별
첨과 같이 형사재판관할권 행사 결정 통고서를 주한 미군사령관에게 전달하였
음을 통보 합니다.

첨부: 형사재판관할권 행사 결정 통고서 사본 1부. 끝.

※ 76연누계 : 12건 (피의자 2)

0205

대 한 민 국 법 무 부

검 일   821-

수 신   주한 미합중국 사령관

참 조   법 무 감

제 목   형사재판 관할권 행사 결정 통고서

    한미행정 협정 제22조 제3항(나)에 관한 합의 의사록 제4호에 의한 대한민국과 미합중국간의 1966. 7. 9. 자 교환시한에 의거 아래사람에 대하여 대한민국이 재판권을 행사 하기로 결정 하였음을 통고 합니다.

피 의 자	소 속: 미제 227정비대대 305보급서비스 중대 계 급: 병장 군 번: ▇▇▇▇▇▇ 성 명: ▇▇▇▇▇▇▇ 성년월일: 1944. 5. 18.
죄 명	특정범죄가중처벌등에관한법률위반
적 용 법 조	특정범죄가중처벌등에관한법률 제5조의 3, 제1항 제1호
범 죄 사 실 의 요 지	별지와 같음.
사건 발생 통고를 받거나 안 일시 및 접수 기관	1976. 11. 2. 용산경찰서 인지
비 고	

대 한 민 국 법 무 부 장 관

0084

범 죄 사 실

피의자는 주한 미군인으로서,

76. 9. 12. 21:43경 서울 용산구 이태원 방면에서 한남동 방면으로
서울 1에스 3955호 일제 닷선 승용차를 운행중, 이태원동 127 앞
횡단 보도선상에 이르러 업무상 주의 의무를 태만히 한 과실로 동소
를 횡단하던 ███████████████████████████
을 충격, 동인에게 뇌좌상등 상해를 입게하였음에도 필요한 구호조치
를 취하지 아니하고 도주함으로써 동월 20일 18:30경 용산구 한남동
소재 순천향 병원에서 치료중 사망케 한 것임.

0085

Date : **Nov. 12, 1976**

MJP -

TO :   Commander, United States Forces Korea

ATTN :   Judge Advocate Joint Staff (JAJ)

SUBJECT :   Notification to Exercise Jurisdiction

   Pursuant to the exchange of letters between the United States and   the   Republic of Korea of 9 July 1966 regarding paragraph 4 of the Agreed Minutes reference to paragraph 3 (b). Article XXII, US/ROK Status of Forces Agreement,   this is to notify you   that the   Republic of Korea has decided to exercise jurisdiction over the following Person :

Suspect	Organization : **305th Supply Service Co. 227th Maint. Bn**
	Rank : **Sp-5**
	Serial Number : ██████████
	Name : ██████████
	DOB : **May 18, 1944**
Charge	**Violation of the Law for Providing Special Punishment for Specified Crimes**
Applicable Article	**Subpara 1, Para 1, Art. 5-III, the Law for Providing Special Punishment for Specified Crimes**
Brief Descripiton of the Offence	Same as attached paper.
Date of Receipt of the Incident Notice or otherwise apprised and Received Agency	**Become apprised of at Yong-san Police Station, Nov. 2, 1976**
Remarks	

Sanduk Hwang

Minister of Justice
Republic of Korea

0086

Brief Description of the Offence

On or about the 12th day of September 1976, at 2143 hours, on the transection at 127 Itaewon-dong, Yong-san ku, Seoul, Sp-5 ████████ ██████████████████, while driving a private car (Seoul 15-3955).

1. recklessly drove his car and struck a person named ██████████ ██████████████████ who was then crossing the road and thereby caused death to the said victim at 1830 hours, the next day, due to cerebral hemorrhage, etc.

2. disregarding the duty of a driver to take care of the victim and to report the accident immediately to the police as are required by the traffic code, the suspect fled the scene of the accident described in 1., and he then knew the accident occurred due to his reckless driving.

0087

법 무 부

접일 82가 ~ 36090   (70-2807)   1976. 11. 18.
수신 외무부장관   323-1 E

제목 미군인 범죄에 대한 형사재판관할권 행사

　　미군인 일병   에 대한 강도
상해 치외사건은 사안이 중대하므로 형사재판관할권을 행사함이 타당하
다고 인정되어 우리나라가 형사재판관할권을 행사하기로 결정하고 별첨
과 같이 형사재판관할권 행사 결정 통고서를 주한 미군 사령관에게 전달
하였음을 통보합니다.

첨부: 형사재판관할권 행사 결정 통고서 사본 1부. 끝.

※ 76년누계 : 13건 (피의자 22명)

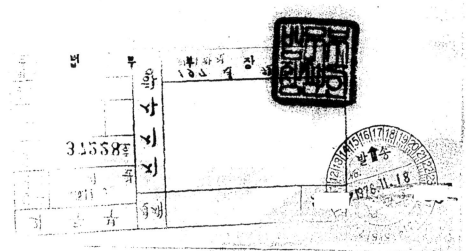

0088

대한민국법무부

검 일   821—
수 신   주한 미합중국 사령관
참 조   법 무 감
제 목   형사재판 관할권 행사 결정 통고서

　　한미행정 협정 제22조 제3항(나)에 관한 합의 의사록 제4호에 의한 대한민국
과 미합중국간의 1966. 7. 9. 자 교환시한에 의거 아래사람에 대하여 대한민국이
재판권을 행사 하기로 결정 하였음을 통고 합니다.

피 의 자	소 속 : 미제2사단 23보병 1대대 전무지원중대 계 급 : 일병 군 번 : ▮▮▮▮▮ 성 명 : ▮▮▮▮▮ 생년월일 : 1956. 2. 15.	
죄 명	강도상해	
적 용 법 조	형법 제337조	
범 죄 사 실 의 요 지	별지와 같음.	
사건 발생 통고를 받거나 안 일시 및 접수 기관	1976. 11. 8. 의정부경찰서 인지	
비 고		

대 한 민 국 법 무 부 장 관

0089

범 죄 사 실

＿＿＿＿＿＿＿＿＿＿＿＿＿＿＿＿＿

피의자는 주한 미군인으로서,

76. 10. 30. 22:00경 경기도 양주군 동두천읍 보산1리 소재 천일약국 앞 노상에서 피해자 ███████ 가 운전하는 경기 2바 9304호 택시에 승객을 가장하여 승차하고 진행중, 동일 22:10경 동읍 생연 6리 소재 뿍거미 고개에 이르자 피해자에게 정차를 명하고 동 택시 뒷좌석에서 피해자의 목을 감싸 머리를 뒤로 제치고 소지하고 있던 잭크 나이프를 목에 바짝 드러대고 피해자가 이를 손으로 붙잡으며 하자 손을 그어 열상을 가하는등 항거불능게 한 다음 피해자가 소지하고 있던 현금 23,200원 , 미화 9불 및 주민등록증등이 들어 있는 지갑을 강취하고, 위 폭행으로 피해자에게 요치 2주 상해를 입힌 것임.

0090

MINISTRY OF JUSTICE
REPUBLIC OF KOREA
SEOUL, KOREA

Date : **Nov. 13, 1976**

MJP -

TO :   Commander, United States Forces Korea

ATTN :   Judge Advocate Joint Staff (JAJ)

SUBJECT :   Notification to Exercise Jurisdiction

Pursuant to the exchange of letters between the United States and the Republic of Korea of 9 July 1966 regarding paragraph 4 of the Agreed Minutes reference to paragraph 3 (b). Article XXII, US/ROK Status of Forces Agreement, this is to notify you that the Republic of Korea has decided to exercise jurisdiction over the following Person :

Suspect	Organization : **Combat Support Co. 1st/23rd Infantry, 2nd Div.**
	Rank : **PFC**
	Serial Number : ███████
	Name : ███████
	DOB : **Feb. 15, 1956**
Charge	**Robbery Resulting in Injuries**
Applicable Article	**Article 337, the Criminal Code**
Brief Descripiton of the Offence	Same as attached paper.
Date of Receipt of the Incident Notice or otherwise apprised and Received Agency	**Become apprised of at Euijong-bu Police Station, Nov. 8, 1976**
Remarks	

Sanduk Hwang

Minister of Justice
Republic of Korea

0091

<u>Brief Description of the Offense</u>

On or about 30th day of October 1976, at 2210 hours, on the road at Sangyon 6ri, Tongducheon up, Yangju-gun, Kyonggi-do, PFC ██████████████████████████, while riding taxi driven by █████ ██████████████████████████, robbed the driver of money in the amount of 23,200 won and 9 dollars with wallet including Id card and driver's license against his will by means of pressing his neck with his jack knife and thereby inflicted injuries upon him which require two weeks of medical treatment.

0092

법   무   부

건일 821- 36100   (70-2807)   1976. 5.08 수신

수신 외무부장관

제목 미군인 범죄에 대한 형사재판관할권 행사

　　미군인 병장 ████████████████████ 에 대한 강간

치상 피의사건은 사안이 중대하므로 형사재판관할권을 행사함이 마땅하

다고 인정되어 우리나라가 형사재판관할권을 행사하기로 결정하고 별첨

과 같이 형사재판관할권 행사 결정 통고서를 주한 미군 사령관에게 전달

하였음을 통보합니다.

　　첨부: 형사재판관할권 행사 결정 통고서 사본 1부. 끝.

　　　　　※ 76여누계: 14건 (피의자 23명)

0093

대 한 민 국 법 무 부

검 일   821-

수 신   주한 미합중국 사령관

참 조   법 무 감

제 목   형사재판 관할권 행사 결정 통고서

한미행정 협정 제22조 제3항(나)에 관한 합의 의사록 제4호에 의한 대한민국 과 미합중국간의 1966. 7. 9. 자 교환시한에 의거 아래사람에 대하여 대한민국이 재판권을 행사 하기로 결정 하였음을 통고 합니다.

피 의 자	소 속: 미제 304통신대대 본부중대
	계 급: 병장 군 번: ▓▓▓▓▓
	성 명: ▓▓▓▓▓
	생년월일: 1953. 11. 24.
죄 명	강간치상
적 용 법 조	형법 제297조 동법 제310조
범 죄 사 실 의 요 지	별지와 같음.
사건 발생 통고를 받거나 안 일시 및 접수 기관	1976. 11. 5. 영등포경찰서 인지
비 고	

대 한 민 국 법 무 부 장 관

0094

범 죄 사 실
- - - - - - - - - - - - - - -

피의자는 주한 미군인으로서,

76. 11. 4. 23:20경 서울 영등포구 공항동 274 소재 맥주밭에서,

직장에서 퇴근하여 종로2가 소재 굿자라 학원에서 공부를 마치고

귀가하던 ███████████████████████████ 에게

김포공항 가는 길을 물어 동녀가 길을 가르쳐 주려고 되돌아 약

5미터 가량 걸을때 갑자기 뒤에서 동녀의 양 어깨를 껴안아 토로

변 집단위에 눕히고 바지와 팬티를 벗기고 반항하는 동녀의 안면

을 주먹으로 수회 강타, 항거불능게 한후 강간하여 동녀에게 전치

2주를 요하는 좌외음부 좌과상등을 입거한 것임.

MINISTRY OF JUSTICE
REPUBLIC OF KOREA
SEOUL, KOREA

Date : **Nov. 18, 1976**

MJP -

TO :   Commander, United States Forces Korea

ATTN :   Judge Advocate Joint Staff (JAJ)

SUBJECT :   Notification to Exercise Jurisdiction

Pursuant to the exchange of letters between the United States and the Republic of Korea of 9 July 1966 regarding paragraph 4 of the Agreed Minutes reference to paragraph 3 (b), Article XXII, US/ROK Status of Forces Agreement, this is to notify you that the Republic of Korea has decided to exercise jurisdiction over the following Person :

Suspect	Organization : **HHC, 304th Signal Battalion** Rank : **Sp-5** Serial Number : ▮▮▮▮▮ Name : ▮▮▮▮▮ DOB : **November 24, 1953**
Charge	**Rape Resulting in Injuries**
Applicable Article	**Art. 297 and 310, the Criminal Code**
Brief Descripiton of the Offence	Same as attached paper.
Date of Receipt of the Incident Notice or otherwise apprised and Received Agency	**Became apprised of at Youngdung-po Police Station, Nov. 5, 1976.**
Remarks	

Sanduk Hwang

Minister of Justice
Republic of Korea

0096

Brief Description of the Offence

On or about the 4th day of November 1976, at 2320 hours, on the cabbage-field at 274 Kong Hang dong, Yeungdungpo-ku, Seoul, Sp-5 ██████████████████, raped one named██████ ████████████████ by means of beating her in the face with fist and thereby inflicted injuries upon her, to wit; hymen rupture etc. which require 2 weeks of medical treatment.

0097

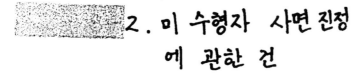

2. 미 수형자 사면 진정
   에 관한 건

0098

주 미 대 사 관

미국(정) 700 - 885

1976. 3. 8.

수신 : 장 관

참조 : 미주국장

제목 : 진정서 송부

연 : 미국(정) 700 - 2834 (75.8.21.)

대 : 미이 723 - 16718   (75.9.15.)

연호 ████████   이등병건에 관하여 동인의 변호사
Albert Loew 는 별첩 서한을 통해 재차 사면 진정을 하여 왔는 바, 동건
회신하고자 하오니 관계 당국의 의견을 조회, 회시하여 주시기 바랍니다.

첨부 : 동 서한 사본 1부.   끝.

주   미   대

LOEW & COHEN
COUNSELORS AT LAW
32 BROADWAY
SUITE 1700
NEW YORK, N.Y. 10004

(212) 269-6300

SHELDON COHEN
ALBERT LOEW

MILES M. GLANTZ
IRWIN S. BEHLMAN

March 2, 1976

The Ambassador of Korea
Washington, D. C.

Re: ███████████████████

Dear Ambassador Hahm:

For reference purposes we are attaching
the letter from your Embassy dated September 25, 1975 direct-
ed to the Hon. Senator Russel Long.

It has been some time since that letter and
my client, Mr. ████████ is still being held in prison in
Korea. I would again request that your Embassy take any and
all steps in considering the pardon of my client. I feel
that he has now served more than a representative portion
of his sentence and I therefore respectfully request, on
his behalf and the family's behalf, that a pardon be issued
and he be released from prison in Korea.

Thank you for your cooperation.

Very truly yours,

Albert Loew

AL:jd
Enc.

0100

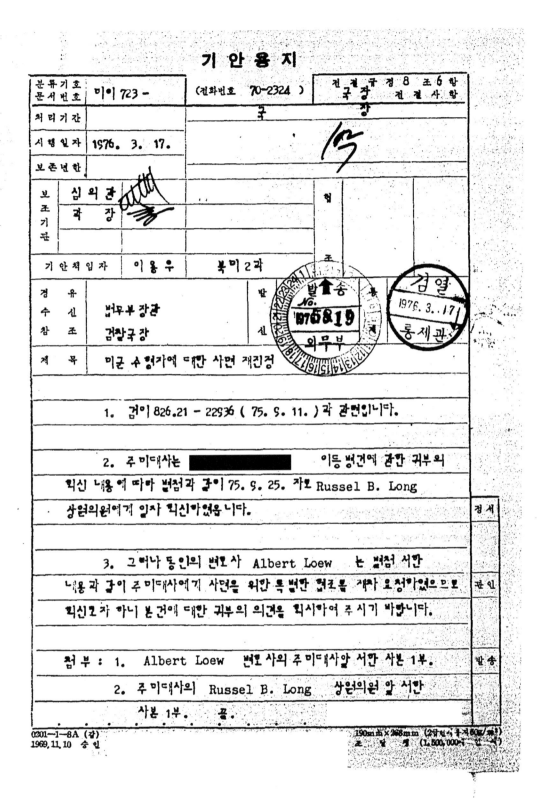

기 안 용 지

분류기호 문서번호	미이 723 -	(전화번호 70-2324)	전 결 규 정 8 조 6 항 국 장 전 결 사 항
처 리 기 간		국 장	
시 행 일 자	1976. 3. 17.		
보 존 년 한			
보 조 기 관	심 의 관 과 장	협	조
기 안 책 임 자	이용우 북미2과		
경 유 수 신 참 조	법무부 장관 검찰국장	발 신	발 송 No. 975819 외무부 검열 1976. 3. 17 통제관
제 목	미군 수형자에 대한 사면 재진정		

1. 검이 826.21 - 22936 (75. 9. 11.)과 관련입니다.

2. 주미대사는 ▆▆▆▆▆▆▆ 이등 병건에 관한 귀부의 회신 내용에 따라 별첨과 같이 75. 9. 25. 자로 Russel B. Long 상원의원에게 일자 회신하였읍니다.

3. 그러나 동인의 변호사 Albert Loew 는 별첨 서한 내용과 같이 주미대사에게 사면을 위한 특별한 협조를 재차 요청하였으므로 회신코자 하니 본건에 대한 귀부의 의견을 회시하여 주시기 바랍니다.

첨부 : 1. Albert Loew 변호사의 주미대사앞 서한 사본 1부.

2. 주미대사의 Russel B. Long 상원의원앞 서한 사본 1부. 끝.

| 정세 |
| 관인 |
| 발송 |

0201-1-8A (갑)
1969.11.10 승인

190mm×268mm (2급인쇄용지60g/㎡)
조 달 청 (1,500,000매)

THE AMBASSADOR OF KOREA
WASHINGTON, D.C.

September 25, 1975

The Honorable
Russell B. Long
U.S. Senate
Washington, D. C.   20510

Dear Senator Long:

      With reference to your letter of August 12, 1975, concerning Mr. ███████████, Private in the U.S. Army, we have now received a reply to our inquiry from the Home Government.

      Mr. ████ was convicted of robbery, assault, fraud and sentenced on November 4, 1974 to a term of three and one half years at Suwon Prison in Korea which he is presently serving.

      At present, the Ministry of Justice has no plan for a pardon of Mr. ████. However, your concern as well as the petition of Mr. ████'s attorney will be taken into consideration whenever a general pardon may be granted.

      If we can be of any further assistance, please do not hesitate to call upon us.

Sincerely yours,

Pyong-choon Hahm

0102

법   무   부

검이 820.   **7890**   (70-2808)   1976. 3. 25.

수신   외무부장관

참조   미주국장

제목   미군수형자에 대한 사면 재전정회신

1. 미이 723-5319(76. 3. 17)에 대한 회신입니다.

2. 미군인 ████████████████████)은 확정형기
정역 단기 3년6월, 장기 4년중 1976. 3. 1. 현재 정역 1년9월6일을 복역
하였으므로 향후 정역 단기 1년6월24일, 장기 2년2월24일을 더 복역하여
야 하는바, 현재로서는 특별한 사면기획이 없으나 앞으로 전면적인 사면
이나 가석방문제를 검토할 경우 전정취지를 충분히 참작토록 할것이오니
양지하시기 바랍니다. 끝.

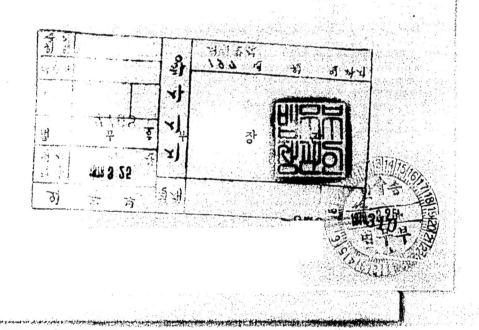

0103

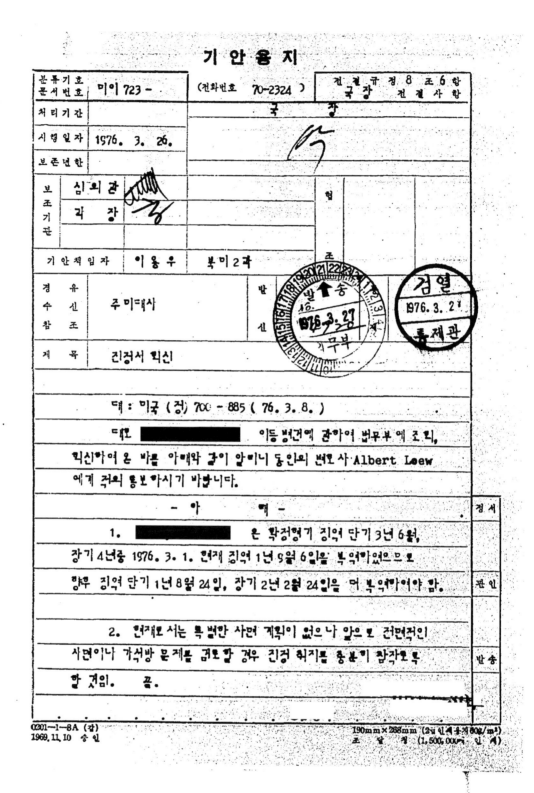

기 안 용 지

분류기호 문서번호	미이 723 -	(전화번호 70-2324)	전결규정 8조 6항 국 장 전결사항
처리기간			국 장
시행일자	1976. 3. 26.		
보존년한			
보조기관	심의관 / 과 장		협
기안책임자	이용우 북미2과		
경유 수신	주미대사	발신	
참조			
제 목	진정서 회신		

대 : 미국 (정) 700 - 885 (76. 3. 8.)

대호 ▓▓▓▓▓ 이등병건에 관하여 법무부에 조회,

회신하여 온 바를 아래와 같이 알리니 동인의 변호사 Albert Loew

에게 적의 통보하시기 바랍니다.

- 아 래 -

1. ▓▓▓▓▓▓ 은 확정형기 징역 단기 3년 6월,

장기 4년중 1976. 3. 1. 현재 징역 1년 9월 6일을 복역하였으므로

향후 징역 단기 1년 8월 24일, 장기 2년 2월 24일을 더 복역하여야 함.

2. 현재로서는 특별한 사면 계획이 없으나 앞으로 전면적인

사면이나 가석방 문제를 검토할 경우 진정 취지를 충분히 참작토록

할 것임. 끝.

0201-1-8A (갑)
1969. 11. 10 승인

190mm×268mm (2급 인쇄용지 60g/m²)
조 달 청 (1,500,000매 인 쇄)

0104

기 안 용 지

분류기호 문서번호	미이 723 -	(전화번호 70-2324)	전 북 공 정 8 조 6 항 국 장 전 결 사 항
처리기간		국 장	
시행일자	1976. 4. 7.	박	
보존년한			

보 조 기 관	심의관		협
	과 장	국	

기안책임자	이용우	북미2과

경 유

수 신   법무부 장관

참 조   검찰국장

제 목   미군 수형자에 대한 문의

1. 미이 723 - 5819 (76. 3. 17.)과 관련입니다.

2. 주미대사는 ████████ 이등병의 변호사
Albert Loew   가 아래와 같이 언급하였다는 요지의 서한을
Russel B. Long   상원의원으로 부터 받았는 바, 이에 대해 회신
하고자 하오니 귀부의 의견을 회시하여 주시기 바랍니다.

- 아   래 -

아국등 수거 국가에서 미군인이 선고 받은 징역 기간을
반이상 복역하면 사면되는 예가 있었는 바, 이러한 고려구
동건에 대해서도 가능한지의 여부.   끝.

정세

관인

발송

0201—1—8A (장)
1969. 11. 10 승인

190mm×268mm (2급인쇄용지60g/㎡)
조 달 청 (1,500,000매 일 4)

0105

법　무　부

접이 826- 12337 (70-2808)　　　　　　　1976. 5. 4.

수신　외무부장관

참조　미주국장

제목　미군수형자에 대한 문의회신

　　1.　미이 723-7327(76. 4. 7)에 대한 회신입니다.

　　2.　미군인에 대한 특별사면이나 가석방은 범죄의 정상, 본인의
성행, 수형기간, 수형중의 행상 및 장래의 생계등을 적의 고려하여 결정
하는 바, ▮▮▮▮▮▮▮에 대하여는 현재로서 특별사면이나 가석방계획이
없으나 앞으로 특별사면이나 가석방문제로 0080 경우 진정취지를 충분
히 삼작토록할것이오니 적의 조치 바랍니다. 끝.

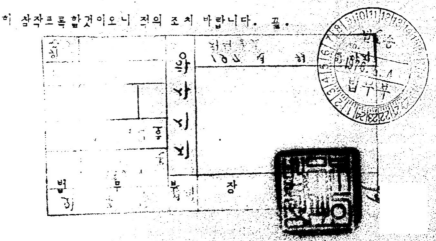

착 신 전 보

원 본

종 별:

번 호: USW -0462　　일 시: 051650

수 신: 장　관　　참 조 (사본):

발 신: 주미대사

연: 미국 (정) 700-885

연호 ▉ 이등병건에 관하여 본직은　RUSSEL LONG　상원의원으로부터
서한을 받았는바, 요지 는 상기 이등병의 변호사인 ALBERT LOEW　가 아국
등 수개국가에서 미군인이 선고 받은 징역기간을 반이상 복역하면 사면되는 예가
있었다고 동의원에게 언급 하였다하며, 본건에 관하여도 이러한 고려가 가능한지
알려 줄것을 요청하는것임.

동건 관게 당국과 협의 결과 지급 회시 바람.

(미일)

북미과 공람	차관보	국장	심의관	국장				

76　4　6　9　53

장관실	의전실	방교국	문통실	청와대	경기원	문교부	문공부	담당 주무 과장
차관실	아주국	정문국	총무과	총리실	내무부	농수부	과기처	
경차보	미주국	국경국	외연원	중 정	재무부	상공부	수산청	
경차보	구주국	통상국	대사	국 회	법무부	보사부	노동청	
기획실	아중동국	영교국				국방부	건설부	코트라	

0107

기 안 용 지

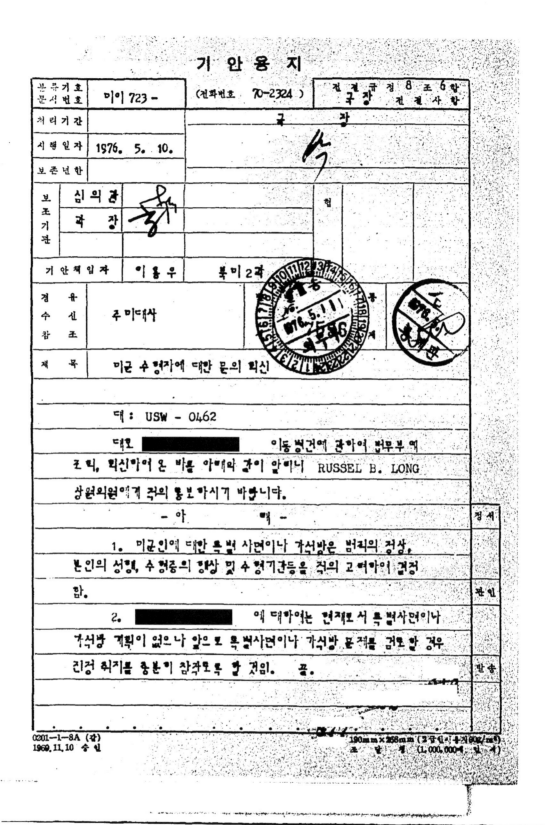

| 분류기호
문서번호 | 미이 723 - | (전화번호 70-2324) | 전결규정 8 조 6 항
구장 전결사항 |

처리기간	
시행일자	1976. 5. 10.
보존년한	

| 보
조
기
관 | 심의관 | | 협 |
| | 과 장 | |

| 기안책임자 | 이용우 | 북미2과 |

경 유	
수 신	주미대사
참 조	

| 제 목 | 미군 수형자에 대한 문의 회신 |

대: USW - 0462

대호 ▇▇▇▇▇ 이동병건에 관하여 법무부에

조회, 회신하여 온 바를 아래와 같이 알리니 RUSSEL B. LONG

상원의원에게 적의 통보하시기 바랍니다.

- 아 래 -

1. 미군인에 대한 특별사면이나 가석방은 범죄의 정상,

본인의 성행, 수형중의 행상 및 수형기간등을 적의 고려하여 결정

함.

2. ▇▇▇▇▇ 에 대하여는 현재로서 특별사면이나

가석방 계획이 없으나 앞으로 특별사면이나 가석방 문제를 검토할 경우

진정 취지를 충분히 참작토록 할 것임. 끝.

0108

외 무 부

번 호 : WUS-0693 일 시 : 171410

수 신 : 주 미 대 사

발 신 : 장 관

연 : 미이 723 - 7556

1. 법무부는 미독립 200 주년 기념일에 즈음하여 미군
   수감자중 ████████████ 이등병을 76. 7. 4.
   자로 가석방하여 주한미군에 인도할 예정이라 함.

2. 동인은 징역 4년의 언도를 받고 지금까지 2년 1 개월의
   형기를 마쳤음. (미이 -   )

북미2과	양고재	담당	과장	심의관	국장	차관보	차관	장관

발신시간 :

외송결재		접수	주무	과장
기안자				

0109

외 무 부

발신전보

번 호 : WUS-06453 일 시 : 301435

수 신 : 주미대사

발 신 : 장 관

연 : WUS - 06193

법무부는 연고 ███████████ 의어 현 수형자중 3분의 1이상의 형기를 마친 하기 4인을 7. 4. 자로 가석방 예정임을 어니 참고바람.

성 명	연령	형 기	간 형
████████████████	(22세)	징역 8년	5년 3월
	(20세)	징역 7년	4년 3월
	(22세)	"	"
	(24세)	징역 1년 6월	6월 20일

(미이-)

복미2과	앙고재	담 당	과 장	심의관	국 장	차관보	차 관	장 관

발신시각 :

최종결재	
기 안 자	

접수	주 무	과 장

0110

외 무 부

종 별 : _____

번 호 : ___USW -06577___ 일 시 : _____302000_____

수 신 : __장   관__ 참 조 (사본) : _____

발 신 : __주 미 대사_____

대 : WUS -06193, 06353

1. 대호 미국수형자의 가석방은 미독립 2백주년에 제한 한국의 대미화의
표시로서 이를 관시함이 좋을것으로 사료되오니, 이들의 가석방을 대외발표
하시기를 건의함.

2. 동 가석방 대상자 출신주의 상원의원 또는 하원 의원에게 이들의 가석방
에 관한 의견전부의 요록를 전달코저 대호 ▓▓▓▓ 이외의 수형자 (4인)의
주소를 회시바람 (미이)

⟶ 온 거하라

76 7 1 10 34

공람	담 당	과 장	심의관	국 장	차관보	차 관	장 관

장관실	의전실	방교국	문등실	청와대	경기원	문교부	문공부	담당	주무	과장
차관실	아주국	경둔국	총무과	총리실	내무부	농수부	과기처			
경차보	미주국 ○	국경국	외연원	중 정	재무부	상공부	수산청			
경차보	구주국	봉상국	대 사	국 회	법무부	보사부	노동청			
기획실	아중동국	잉교국			국방부	건설부	고트라			

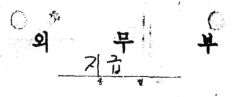

외 무 부

지급

발신전보

번 호 : WUS-0712   일 시 : 011820

수 신 : 주미대사

발 신 : 장 관

척 : USW - 06577

연 : WUS - 06353

1. 법무부는 연호 가석방에 관하여 이미 발표문을 작성, 이를
   명 7. 2. 발표할 예정이라고 하는 바, 요지는 아래와 같으니
   참고 바람.

        - 아   래 -

   "법무부는 미독립 200주년을 경축하고, 양국간 우의를 더욱
   굳건히 하는 뜻에서, SOFA 에 의하여 한국 법원에서
   재판을 받고 형이 확정되어 복역중인 미군 수형자중 형명
   성적이 우수하고 가석방 요건에 해당하는 5명을 선정, 가석방을
   허가하였음. 이들은 76. 7. 2. 일 10시 수원 교도소에서
   가석방되며, 미군에 인도될 것임. 한국으로 귀국하게 될 것임."

2. 가석방 예정자의 주소

   ▉▉▉▉▉▉ : 3633 E Weldon St., Phoenix, Ariz.

            : 59 Rose St., Masuoy, Ohio.

발신시간 :

최종결재			접 수	주 무	과 장
기 안 자					

0112

: 1941 Apex Highway, Durham,
N. Carolina.

: 1107 Mendel St., San Francisco,
Calif.

(미이 -   )

0113

외 무 부

지급

종 별

발신전보

번 호 : WUS-0724 일 시 : 021050

수 신 : 주미대사

발 신 : 장관

연 : WUS - 0712

1. 연호 미군 석방에 관한 법무부 발표는 사정에 의하여
   발표치 않기로 하였으니, ~~과거예서도 등 사실이 대외적으로~~ 참고로
   ~~공포되지 않도록 조치하기~~ 바람.

2. 석방되는 군인의 관계 지역구 출신 의원들에 대하여는 동
   석방 사실을 알려주는 것은 무방하다고 사료 함. (미이-)

복미2과	양고재	7년 검토	담 당	과 장	심의관	국 장	차관보	차 관	장 관
				을					

발신시간 :

최종결재		접 수	주 무	과 장
기 안 자				

0114

외 무 부

종 별: 지 급

번 호: 　　-0644　　　　일 시:　　　　　971050

수 신: 장 관　　　　　참 조 (사본):

발 신: 주 미 대 사

1. 미해군 사기우 ■■■ 인 ■■■■■■■■■ 은 동인의 아들인
■■■■■■■ 상사가 한국근무중 이번 75연기를 떠나 미 ■■
(경기도 ■주 거기우)가 ■민국에 ■ 벌금형을 선고 당하 76.2월 이후 미
기지시 기금을 중단하지 ■ 어렵을출입니고. 그간 벌금을 ■출 하기 위해
3,200■을 ■내나 아직도 ■ 1,700 ■ 이 벌금이자 ■는바 더 이상 ■
을 ■낼 사정이 ■되지 ■으므로 동인을 시민 에 손체■ 과 같이 ■■으로
출구시■ 을 것을 진정하여왔음.

2. 동건 에 관해 미해군 다 출신 WALTER MONDALE 상원 의원 에서 신 ■
어서도. 법무부 ■성애 ■나가 우선 경산 지에 구류만 ■여 ■산 나 벌금형 납부
상태 ■ 동인 에 대한 사면 가능성 여부를 ■답 하여 주시기 바람.

(영사, ■P)

	공람	년월일	담 당	과 장	심의관	국 장	차관보	차 관	장 관
북미 과									

※ 교민그라이더 고회　　　　　　76 6 0 10 02

장관실	의견실	방교국	문통실	청와대	경기원	문교부	문공부		담당	주무	과장
차관실	아주국	정문국	종무과	총리실	내무부	농수부	과기처				321
경차보	미주국	국경국	외연원	중 정	재무부	상공부	수산청				
경차보	구주국	봉상국	대사	국 회	법무부	보사부	노동청				
기획실	아중동국	영교국	○			국방부	건설부	코트라			

2

주 미 대 사 관

미국(영) 720 - 1918   1976. 6. 10

수 신: 외무부 장관

참 조: 영사교민국장, 미주국장

제 목: 미군가족 수형자에 관한 진정서 송부

     연: USW -06144 (76. 6. 7)

     연호로 보고한바 있는 ███████████ 외 █ 에 관한

진정서 사본을 별첨 송부합니다.

     첨 부: 진정서 사본 1브. 끝.

                         주   미   대   사

북미2과	공람	년월일	담 당	과 장	심의관	감 리보	차 관	장 관

0116

Bruno Minnesota 55712
May 26, 1976

Dr. Pyong-Choon Hahm. Amb
Embassy of Korea
2370 Mass. Ave. N.W.
Washington D.C. 20008

Dear Mister Ambassador:

    I am writing to you at the suggestion of Sen. Walter Mondale of Minnesota. This concerns the family of my son, Sgt. ███████.

    ███ served in the U.S. army in Korea twice. He served with the 10th cavalry in 1968-1969 and with the 72 armored 1975-1976. Both tours were D.M.Z. duty and the last tour as a foreward scout. Both tours were perilous duty.

    He married a Korean girl in 1971 and they have two children. She has not received American citizenship yet. The children are American citizens.

    When Robert went to Korea in January 1975 his family came to join him. Korea was not an authorized tour for dependents, but as it is her native land he expected no difficulties.

    Difficulties did arise, however, last winter when she was arrested for gambling and heavily fined.

    This used up the money ███████ had saved for plane fare to the U.S. for his family and in Feb. 1976, he was sent back to the U.S. without being able to bring his family back too.

    On March 1st he sent her plane fare and expense money. Instead, she used that to pay fines. More money was sent and the results were the same. Since March 1st we sent her $3200.00 not counting plane fare, and she still needs $1700.00 more as of two weeks ago. We are not able to send more.

    She told us two weeks ago that all this money was used just to stay out of jail.

    Our daughter-in-law is not so stupid as to keep on gambling when she knows she would only be arrested again. She told ███ that she was only watching at the time of her first arrest.

    Mr Ambassador, I respectfully submit to you that, even if truly guilty, this is an enormous sum of money to pay in a two month period.

    We believe that she is a victim of Blackmail or extortion! We phoned her several times and she has called us several times, and conversations sometimes very guarded, and the last time other people were listening, and this was at 6:00 A.M. Korean time.

0117

She says she can't tell us what we want to know until she gets home. She is becoming very desperate, and we have great fear for her safety and that of her children.

Also, Mr Ambassador, in recognition of ███████'s 27 months of D.M.Z. Korean duty we hope and pray that the Korean Government will forgive any crime she may be guilty of and return ██████'s family to him after these three months of terrible stress for them.

Their plane fares are paid and tickets await them at Kempo airport.

Her address is as follows: Mrs. ████████████████████ Schoe 35 Ho 35 Ban 556 Ban 1, Scead Yun 3 RI, Tungduchun Ubkunggido, So. Korea. Telephone 1493.

*   *   *

███████████████
473 64 4605
CO A A.P.G.
Maryland 21005

Very Sincerely,

c/c/ to
Senator Mondale

법　　무　　부

고정　835-16821　(70-2810)　　　　1976. 6. 16.

수신　외무부장관

참조　미주국장

제목　한미 행협관계 수형자 가석방 예정 통보

　　　미국 독립 200주년 기념일에 즈음하여 전통적인 한미간의

우호 증진을 위하여 한미 행협관계 수형자중 범칙 5명을 76. 7. 4.

수원고도소에서 가석방할 예정이므로 통보하오니 업무에 참고로

하시기 바랍니다.

첨부 : 가석방자 명단 1부. 끝.

　　　　　법　　　무　　　부　　　장

'76. 7. 4.기준

죄 계 요
벙 4 병과 마약을 강계함 목적
석성 여관에서 피해자 ████을
종으로 소아 살해하고 고객인
마쳐하다.
여 승찬 목적지에 도착한
000원을 지불지 않고도주하고,
방법으로 택서여 승차 운전
얼 흉부와 복부를 걸터 모서
가하고 요금 8,000원을
도주다.
어 피해자를 거면어견도
는 영엔외 목을 무서 지면에
금걸로 사망계한다.

0120

外 務 部

착 신 전 보

종 별 : _____
번 호 : CW -06118 일 시 : 291500
수 신 : 장 관 참 조 (사본) : _____
발 신 : 주 독 대사

원 본

주재국 외무부 북미주과가 대한주재 미방위사령부로부터 입수한 정보에 의하면
미국정부는 미국건국 200주년을 기해 북행중인 주한미군으로서 병기 3분의 1
이상을 파견자여 대폭 감석방조치를 취할것이라고 하며 이의 사실여부를 문의
하여 왔으니, 관계기관에 조회 지급회보 바람. (미이)

76 6 29 17 35

장관실	외선실	의교국	문통실	청와대	경기원	문교부	문공부
차관실	아주국	정문국	총무과	총리실	내무부	농수부	과기처
정차보	미주국	국경국	의연원	중 정	재무부	상공부	수산청
경차보	구주국	통상국	대 사	국 회	법무부	보사부	노동청
기획실	아중동국	영교국			국방부	건설부	코트라

0121

SOFA 한·미국 합동위원회 형사재판권 분과위원회. 1976 587

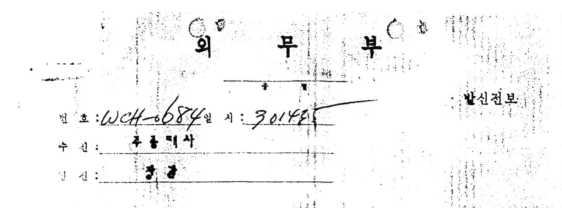

외　무　부

번 호 : WCH-0684 일 시 : 301455

수 신 : 주 중 대 사

발 신 : 장 관

대 : CHW - 06118

법무부는 미국 독립 200주년을 계기로 전통적인 한.미

간의 우호증진을 위하여 한.미 협정에 의한 수형자중 3분의

1이상의 형기를 마친 5명을 76. 7. 4. 자로 가석방 예정이라고

함. (미이- 　)

북미2과	앙고재	심의관	담 당	과 장	심의관	국 장	차관보	차 관	장 관

발신시간 :

최종결재	
기 안 자	

접 수	주 무	과 장

0122

3. 한·미국 합동단속반 설치 추진

0123

법   무   부

검일 911-108   (70-2807)   1976. 12. 15.

수신 외무부장관

제목 한미 합동단속반 설치

  1. 당부는 "울지연습 76"을 실시한 결과 아래와 같은 문제점을 도출하였
으니 한미 합동위원회에서 한미합동 단속반을 설치, 구성하도록 조치하여 주시
기 바랍니다.

      가. 문제점 내용

          작업이 선포되거나 전쟁이 발발하면, 한·미 행정협정의 효력이
정지되어 주한 미군인의 범죄행위에 대하여는 우리나라가 수사나 재판권을
행사할 수 없으므로 이 경우에 대비하여 비상사태하에서 격증할 것으로 예상
되는 미군인 범죄를 효율적으로 단속할 대책이 마련되어야 할 것임.

      나. 시정방향

          한·미 행정 협정의 적용이 정지되는 즉시 한·미 합동단속반의
설치와 그 구성 및 직무범위등에 대한 지침을 아래와 같이 수립코자 함.

          (1) 설치시기

              적대행위 발생시 즉시 설치, 적대행위란 적의 공격 개시한
때를 말함.

          (2) 설치지역

              미합중국 군인이 배치된 지역에 행정단위별로 설치

          (3) 구 성

              한국측: 경찰, 군수사기관원 포함.

              미국측: 군헌병, 군수사기관원 포함.

0124

단, 구성인원은 각 지역 실정에 맞도록 협의 조정

(4) 직무범위

사전협의, 정보교환, 단속 협조.   끝.

법   무   부   장

파기하가(1977. 6.30)

기 안 용 지

분류기호 문서번호	미이 723 -	(전화번호 70-2324)	전 결 규 정 조 항 국장 전 결 사 항
처 리 기 간		국 장	
시 행 일 자	1976. 12. 29.		
보 존 년 한			
보조 기관	심 의 관		협
	과 장		
기 안 책 임 자	이용우 북미 2과		조

| 경유
수신
참조 | 법무부장관
검찰국장 | 발
신 | |

제 목   한.미 합동 단속반 설치

1. 검일 911 - 108 (76. 12. 15.)과 관련입니다.

2. 한.미 합동 단속반 설치, 구성 문제악 관련한 과제는

적절한 시기에 형사 재판권 분 과위원회에 위촉 할 예정임을 알며

드립니다. 끝.

파기하라 (77. 6. 30)

0201-1-8A (갑)
1969. 11. 10 승 인

190mm×268mm (2급인쇄용지 60g/m²)
조   달   청 (1,000,000매 인 4)

0126

외교문서 비밀해제: 주한미군지위협정(SOFA) 29
주한미군지위협정(SOFA) 민·형사재판권 분과위원회

초판인쇄 2024년 03월 15일
초판발행 2024년 03월 15일

지은이 한국학술정보(주)
펴낸이 채종준
펴낸곳 한국학술정보(주)
주 소 경기도 파주시 회동길 230(문발동)
전 화 031-908-3181(대표)
팩 스 031-908-3189
홈페이지 http://ebook.kstudy.com
E-mail 출판사업부 publish@kstudy.com
등 록 제일산-115호(2000. 6. 19)

ISBN 979-11-7217-040-0 94340
979-11-7217-011-0 94340 (set)